真珠夫人

文春文庫

真珠夫人

菊池寛

文藝春秋

目次

奇禍

一

汽車が大船を離れた頃から、信一郎の心は、段々烈しくなって行く焦燥しさで、満たされていた。国府津までの、まだ五つも六つもある駅ごとに、汽車が小刻みに、停車せねばならぬことが、彼の心持をかなり、いら立たせているのであった。

彼は一刻も早く静子に、会いたかった。そして彼の愛撫に、渇えている彼女を、思うさま、いたわってやりたかった。

時は六月の初めであった。汽車の線路に添うて、潮のように起伏している山や森の緑は、少年のような若々しさを失って、むっとするようなあくどさで車窓に迫って来ていた。ただ、所々植付けられたばかりの早苗が、軽いほのぼのとした緑を、初夏の風の下に、漂わせているのであった。

常ならば、箱根から伊豆半島の温泉へ、志ざす人々で、一杯になっているはずの二等室も、春と夏との間の、湯治には半端な時節であるのと、一週間ばかり雨が、降り続いた揚句であるためとで、それらしい乗客の影さえ見えなかった。ただ仏蘭西人らしい老年の夫婦が、一人息子らしい十五六の少年を連れて、車室の一隅を占めているのが、信一郎の注意を、最初から惹いているだけである。彼は、若い男鹿の四肢のように、スラリと娜な少年の姿を、飽かず眺めたり、父と母とに迭みに話しかける簡単な会話に、耳を傾けたりしていた。この一行のほかには、洋服を着た会社員らしい二人連と、田舎娘とその母親らしい女連が、乗り合わしているだけである。

が、あの湯治階級といったような、男も女も、大島の揃いか何かを着て、金や白金や宝石の装身具を身体のあらゆる部分に、燦かしているような人達が、乗り合わしていないことは信一郎にとって結局気楽だった。彼等は、きっと声高に、喋り散らしたり、何かを食べ散らしたり、無作法に振舞ったりすることによって、現在以上に信一郎の心持をいらいらさせたに違いなかったから。

日は、深く翳っていた。汽車の進むに従って、隠見する相模灘はすすけた銀の如く、底光を帯びたまま澱んでいた。さっきまで、見えていた天城山も、いつの間にか、灰色に塗り隠されてしまっていた。相模灘を圧している水平線の腰の辺りには、雨をでも含んでいそうな、暗鬱な雲が低迷していた。もう、午後四時を廻っていた。

『静子が待ちあぐんでいるに違いない。』と思うごとに、汽車の廻転が殊更遅くなるように思われた。信一郎は、いらいらしくなって来る心を、じっと抑え付けて、湯河原の湯宿に、自分を待っている若き愛妻の面影を、空に描いてみた。何よりもまず、その石竹色に湿んでいる頬に、微笑の先駆として浮かんでくる、笑靨が現れた。それに続いて、慎ましい唇、高くはないけれども穏やかな品のいい鼻。が、そんな目鼻立よりも、顔全体に現れている処女らしい含羞性、それを思い出すごとに、信一郎自身の表情が、たるんできて、そこには居合わさぬ妻に対する愛撫の微笑が、いつの間にか、浮かんでいた。彼は、それを誰かに、気付かれはしないかと、恥しげに車内を見廻した。が、例の仏蘭西の少年が、その時、「お母親さん！」と声高に呼びかけたほかには、乗合の人々は、銘々に何かを考えているらしかった。

汽車は、海近い松林の間を、轟々と駆け過ぎているのであった。

二

湯の宿の欄干に身を靠せて、自分を待ちあぐんでいる愛妻の面影が、汽車の車輪の廻転につれて消えたり浮かんだりした。それほど、信一郎は新しく婚した静子に、心も身も与えていたのである。

つい三月ほど前に、田舎で挙げた結婚式のことを考えても、上京の途すがら奈良や京都に足を止めた蜜月旅行らしい幾日かの事を考えても、彼は静子を獲たことが、どんなに幸福を意味しているかをしみじみと悟ることが出来た。

結婚の式場で示した彼女の、処女らしい羞しさと、浄らかさ、それに続いた同棲生活に於て、自分に投げて来た全身的な信頼、日が経つにつれて、埋もれていた宝玉のように、だんだん現れて来る彼女のいろいろな美質、そうしたことを、とりとめもなく考えていると、信一郎は一刻も早く、目的地に着いて初々しい静子の透き通るようなくくり顎の辺りを、軽く撫してやりたくて、しようがなくなって来た。

『わずか一週間、離れていると、もうそんなに逢いたくて、堪らないのか。』と自分自身の中で、そう反問すると、信一郎は駄々っ子か何かのように、じれきっている自分が気恥しくないこともなかった。

が、新婚後、まだ幾日にもならない信一郎にとっては、わずか一週間ばかりの短い月日が、どんなにか長く、三月も四月もに相当するように思われたことだろう。静子が、急性肺炎の病後のために、医者から温泉行を、勧められた時にも、信一郎は自分の手許から、妻を半日でも一日でも、手放しておくことが、不安な淋しいことのように思われて、仕方がなかった。それかといって、結婚のため、半月以上も、勤先を欠勤している彼には休暇を貰う口実などは、何も残っていなかった。彼はやむなく先週の日曜日に妻と女中とを、湯河原へ伴うと、すぐその日に東京へ帰って来たのである。

今朝着いた手紙から見ると、もうスッカリ好くなっているに違いない。明日の日曜に、自分と一緒に帰ってもいいと、云い出すかも知れない。軽便鉄道の駅までは、迎えに来ているかも知れない。いや、静子は、そんなことに気の利く女じゃない。あれは、おとなしく慎しく待っている女だ。きっと、あの湯の新築の二階の欄干にもたれて、藤木川に懸っている木橋をじっと見詰めているに違いない。そして、馬車や自動車が、あの橋板をとどろかすごとに、静子も自分が来たのではないかと、彼女の小さい胸を轟かしているに違いない。

信一郎の、こうした愛妻を中心とした、いろいろな想像は、重く垂下がった夕方の雲を劈くような、鋭い汽笛の声で破られた。窓から首を出して見ると、一帯の松林の樹間から、国府津に特有な、あの凄味を帯びた真蒼な海が、暮れ方の光を暗く照り返していた。秋の末か何かのように、見渡すかぎり、陸や海は、蕭条たる色を帯びていた。が、信一郎は国府津だと知ると、蘇ったように、座席を蹴って立ち上った。

三

汽車がプラットホームに、横付けになると、多くもなかった乗客は、我先にと降りてしまった。この駅が止まりである列車は、見る見るうちに、洗われたように、虚しくなってしまった。

が、停車場は少しも混雑しなかった。五十人ばかりの乗客が、改札口のところで、しばらく斑にたゆたっただけであった。

信一郎は、身支度をしていたために、誰よりも遅れて車室を出た。改札口を出て見ると、駅前の広場に湯本行きの電車が発車するばかりの気勢を見せていた。が、その電車も、この前の日曜の日の混雑とは丸切り違って、まだ腰をかける余地さえ残っていた。が、信一郎はその電車を見たときにガタリガタリと停留場ごとに止まる、のろのろした途中のことが、すぐ頭に浮かんだ。その上、小田原で乗り換えると行く手にはもっと難物が控えている。それは、右は山左は海の、狭い崖端を、蜈蚣か何かのようにのたくって行く軽便鉄道である。それを考えると、彼は電車に乗ろうとした足を、思わず踏み止めた。湯河原まで、どうしても三時間かかる。湯河原で降りてから、あの田舎道をガタ馬車で三十分、どうしても十時近くなってしまう。彼は汽車の中で感じたそれの十倍も二十倍も、いらいらしさが自分を待っているのだと思うと、どうしても電車に乗る勇気がなかった。彼は、少しも予期しなかった困難にでも逢ったように急に悄気てしまった。ちょうどその時であった。つかつかと彼を追いかけて来た大男があった。

「もしもしいかがです。自動車にお召しになっては。」と、彼に呼びかけた。

見ると、その男は富士屋自動車という帽子を被っていた。信一郎は、急に援け舟にでも逢ったように救われたような気持で、立ち止った。が、彼は賃銭の上の掛引きのことを考えたので、そうした感情を、顔へは少しも出さなかった。

「そうだねえ。乗ってもいいね。安ければ。」と彼はかなり余裕をもって、答えた。

「どこまでいらっしゃいます。」

「湯河原まで。」

「湯河原までじゃ、十五円で参りましょう。本当なれば、もう少し頂くのでございますけれども、こっちからお勧めするのですから。」

十五円という金額を聞くと、信一郎は自動車に乗ろうという心持を、スッカリ無くしてしまった。といって、彼は貧しくはなかった。一昨年法科を出て、三菱へ入ってから、今まで相当な給料を貰っている。その上、郷国にある財産からの収入を合わすれば、月額五百円近い収入を持っている。が十五円という金額を、湯河原へ行く時間を、わずか二三時間縮めるために払うことは余りに贅沢過ぎた。たとい愛妻の静子が、いかに待ちあぐんでいるにしても。

「まあ、よそう。電車で行けば訳はないのだから。」と、彼は心のうちで考えていることとは、全く反対な理由を云いながら、洋服を着た大男を振り捨てて、電車に乗ろうとした。が、大男は執念く彼を放さなかった。

「まあ、ちょっとお待ちなさい。御相談があります。実は、熱海まで行こうという方があるのですが、その方と合乗して下さったら、いかがでしょう、それならば大変格安になるのです。それならば、七円だけ出して下されば。」

信一郎の心はかなり動かされた。彼は、電車の踏み段の棒にやろうとした手を、引っ込めながら云った。「一体、そのお客とはどんな人なのだい？」

四

洋服を着た大男は、信一郎と同乗すべき客を、迎えて来るために、駅の真向いにある待合所の方へ行った。

信一郎は、大男の後姿を見ながら思った、どうせ、旅行中のことだから、どんな人間との合乗でもたかが三四十分の辛抱だから、介意ないが、それでも感じのいい、道伴であってくれればいいと思った。傲然とふんぞり返るような、成金風の湯治階級の男なぞであったら、堪らないと思った。彼はでっぷりと肥った男が、実印を刻んだ金指環をでも、光らせながら、大男に連れられて、やって来るのではないかしらと思った。それとも、意外に美しい女か何かじゃないかしらと思った。が、まさか相当な位置の婦人が、合乗を承諾することもあるまいと、思い返した。

彼はちょっとした好奇心を唆られながら、しばらくの伴侶たるべき人の出て来るのを、待っていた。

三分ばかり待った後だったろう。やっと、交渉が纏ったとみえ、大男はニコニコ笑いながら、先に立って待合所から立ち現れた。その刹那に、信一郎は大男の肩越しに、チラリと角帽を被った学生姿を見たのである。彼は同乗者が学生であるのを欣んだ。殊に、自分の母校——という程の親しみは持っていなかったが——の学生であるのを欣んだ。

「お待たせしました。この方です。」

そう云いながら、大男は学生を、信一郎に紹介した。

「御迷惑でしょうが。」と、信一郎は快活に、挨拶した。学生は頭を下げた。が、何も物は云わなかった。信一郎は、学生の顔を、一目見て、その高貴な容貌に打たれざるを得なかった。恐らく貴族か、でなければ名門の子弟なのだろう。品のよい鼻と、黒く澄み渡った眸とが、争われない生れのけ高さを示していた。殊に、け高く人懐しそうな眸が、この青年を見る人に、いい感じを与えずにはいなかった。クレイヴネットの外套を着て、ちょっとした手提鞄を持った姿は、またなく瀟洒に打ち上って見えた。

「それで貴君様の方を、湯河原のお宿までお送りして、それから引き返して熱海へ行くことに、こちらの御承諾を得ましたから。」と、大男は信一郎に云った。

「そうですか。それは大変御迷惑ですな。」と、信一郎は改めて学生に挨拶した。やがて、二人は大男の指し示す自動車上の人となった。信一郎は左側に、学生は右側に席を占めた。

「湯河原までは、四十分、熱海までは、五十分で参りますから。」と、大男が云った。

運転手の手は、ハンドルにかかった。信一郎と学生とを、乗せた自動車は、今発車したばかりの電車を追いかけるように、凄じい爆音を立てたかと思うと、まっしぐらに国府津の町を疾駆した。

信一郎は、もう四十分の後には、愛妻の許に行けるかと思うと、汽車中で感じた焦燥しさや、いらだたしさは、後なく晴れてしまった。自動車の軽動（ジャン）につれて身体が躍るように、心も軽く楽しい期待に躍った。が、信一郎の同乗者たるかの青年は、自動車に乗っているような意識は、少しもないように身を縮めて一隅に寄せたままその秀（ひい）でた眉を心持ひそめて、何かに思い耽（ふけ）っているようだった。車窓に移り変る情景にさえ、一瞥（いちべつ）をも与えようとはしなかった。

五

小田原の街に、入るまで、二人は黙々として相並んでいた。信一郎は、心の中では、この青年に一種の親しみをさえ感じていたので、どうにかして、話しかけたいと思っていたが、深い憂愁にでも、囚（とら）われているらしい青年の容子（ようす）は、信一郎にそうした機会をさえ与えなかった。

ほとんど、一尺にも足りない距離で見る青年の顔付は、いよいよそのけ高さを加えているようであった。が、その顔はどうした原因であるかは知らないが、蒼白な血色を帯びている。二つの眸は、何かの悲しみのため力なく湿（うる）んでいるようにさえ思われた。

信一郎はなるべく相手の心持を擾（みだ）すまいと思った。が、一方から考えると、同じ、自動車に二人きりで乗り合わしている以上、黙ったまま相対していることは、何だか窮屈で、かつは不自然であるようにも思われた。

「失礼ですが、今の汽車で来られたのですか。」

と、信一郎は漸く口を切った。会話のための会話として、判りきったことを尋ねてみたのである。

「いや、この前の上りで来たのです。」と、青年の答えは、少し意外だった。

「じゃ、東京からいらっしったんじゃないんですか。」

「そうです。三保の方へ行っていたのです。」

話しかけてみると、青年は割合ハキハキと、しかし事務的な受け答えをした。

「三保といえば、三保の松原ですか。」

「そうです。あすこに一週間ばかりいましたが、飽きましたから。」

「やっぱり、御保養ですか。」

「いや保養という訳ではありませんが、どうも頭がわるくって。」と云いながら、青年の表情は暗い陰鬱な調子を帯びていた。

「神経衰弱ですか。」

「いやそうでもありません。」そう云いながら、青年は力無さそうに口を緘んだ。簡単に言葉では、現されない原因が、存在することを暗示するかのように。

「学校の方は、ズーッとお休みですね。」

「そうです、もう一月ばかり。」

「もっとも文科じゃ出席してもしなくっても、同じでしょうから。」と、信一郎は、さっき青年の襟に、Lという字を見たことを思い出しながら云った。

青年は、立入って、いろいろ訊かれることに、ちょっと不快を感じたのであろう、また黙り込もうとしたが、法科を出たものの、少年時代からずっと文芸の方に親しんで来た信一郎は、この青年とそうした方面の話をも、してみたいと思った。

「失礼ですが、高等学校は。」しばらくして、信一郎はまたこう口を切った。

「東京です。」青年は振り向きもしないで答えた。

「じゃ私と同じですが、お顔に少しも見覚えがないようですが、何年にお出になりました。」

青年の心に、急に信一郎に対する一脈の親しみが湧いたようであった。華やかな青春の時代を、同じ向陵の寄宿寮に過ごした者のみが、感じ合う特殊の親しみが、青年の心を湿おしたようであった。

「そうですか、それは失礼しました。僕は一昨年高等学校を出ました。貴君は。」

青年は初めて微笑を洩した。淋しい微笑だったけれども微笑には違いなかった。

「じゃ、高等学校はちょうど僕と入れ換わりです。お顔を覚えていないのも無理はありません。」そう云いながら、信一郎はポケットから紙入を出して、名刺を相手に手交した。

「ああ渥美さんと仰しゃいますか。僕はあいにく名刺を持っていません。青木淳といいます。」と、云いながら青年は信一郎の名刺をじっと見詰めた。

六

名乗り合ってからの二人は、前の二人とは別人同士であるような親しみを、お互いに感じ合っていた。

青年は羞み家であるが、そのくせ人一倍、人懐い性格を持っているらしかった。単なる同乗者であった信一郎には、冷めたい横顔を見せていたのが、一日同じ学校の出身であると知ると、すぐ先輩に対する親しみで、懐いて来るような初心な優しい性格を、持っているらしかった。

「五月の十日に、東京に出て、もう一月ばかり、当もなく宿り歩いているのですが、どこへ行っても落ち着かないのです。」と、青年は訴えるような口調で云った。

信一郎は、青年のそうした心の動揺が、きっと青年時代に有勝な、人生観の上の疑惑か、でなければ恋の悶えか何かであるに違いないと思った。が、どう云って、それに答えてよいか分らなかった。

「いっそのこと、東京へお帰りになったらどうでしょう。僕なども精神上の動揺のため、海へなり山へなり安息を求めて、旅をしたことも度々ありますが、一人になると、かえって孤独から来る淋しさまで加わって、いよいよ堪えられなくなって、また都会へ追い返されたものです。僕の考えでは、何かを紛らすには、東京生活の混乱と騒擾とが、何よりの薬ではないかと思うのです。」と、信一郎は自分の過去の二三の経験を思い浮べながらそう云った。

「が、僕の場合は少し違うのです。東京にいることがどうにも堪らないのです。当分東京へ帰る勇気は、トテもありません。」

青年は、また黙ってしまった。心の中のどこかに、かなり大きい傷を受けているらしい青年の容子は信一郎の眼にもいたましく見えた。

自動車は、もうとっくに小田原を離れていた。気が付いてみると、暮れかかる太平洋の波が、白く砕けている高い崖の上を軽便鉄道の線路に添うて、疾駆しているのであった。

道は、かなり狭かった。右手には、青葉の層々と茂った山が、往来を圧するように迫っていた。左は、急な傾斜を作って、すぐ真下には、海が見えていた。崖がやや滑らかな勾配になっている所は蜜柑畑になっていた。しらじらと咲いている蜜柑の花から湧く、高い匂いが、自動車の疾駆するままに、車上の人の面を打った。

「日暮までに、熱海に着くといいですな。」と、信一郎はしばらくしてから、沈黙を破った。

「いや、もし遅くなれば、僕も湯河原で一泊しようと思います。熱海へ行かなければならぬという訳もないのですから。」

「それじゃ、是非湯河原へお泊りなさい。折角お知己になったのですから、ゆっくりお話したいと思います。」
「貴方は永く御滞在ですか。」と、青年が訊いた。
「いいえ、実は妻が行っているのを迎えに行くのです。」と、信一郎は答えた。
「奥さんが！」そう云った青年の顔は、何故だか、ちょっと淋しそうに見えた。青年はまた黙ってしまった。

自動車は、風を捲いて走った。かなり危険な道路ではあったけれども、日に幾回となく往返しているらしい運転手は、東京の大路を走るよりも、邪魔物のないのを、結句気楽そうに、奔放自在にハンドルを廻した。その大胆な操縦が、信一郎達をして、時々ハッと息を呑ませることさえあった。

「軽便かしら。」と、青年が独語のように云った。いかにも、自動車の爆音にもまぎれない轟々という響きが、山と海とに反響して、段々近づいて来るのであった。

七

轟々ととどろく軽便鉄道の汽車の音は、段々近づいて来た。自動車が、ある山鼻を廻ると、眼の前にもう真黒な車体が、見えていた。絶えず吐く黒い煙と、喘いでいるような恰好とは、何かのろ臭い生き物のような感じを、見る人に与えた。信一郎の乗っている自動車の運転手は、この時代遅れの交通機関を見ると、ちょうどお伽噺の中で、亀に対した兎のように、いかにも相手を馬鹿にしきったような態度を示した。彼は擦れ違うために、少しでも速力を加減することを、肯じなかった。彼は速力を少しも緩めないで、軽便の軌道と、右側の崖壁の間とを、すばやく通り抜けようと、ハンドルを廻しかけたが、それは、彼として、明らかな違算であった。そこは道幅が、殊更狭くなっているために、軽便の軌道は、山の崖近く敷かれてあった、軌道と岩壁との間には、車体を容れる間隔は存在していないのだった。運転手が、このことに気が付いた時、汽車は三間と離れない間近に迫っていた。

「馬鹿！　危い！　気を付けろ！」と、汽車の機関士の烈しい罵声が、狼狽した運転手の耳朶を打った、彼は周章てた。が、さすがに間髪を容れない瞬間に、ハンドルを反対に急転した。自動車は辛く衝突を免れて、道の左へ外れた。信一郎はホッとした。が、それはまたたく暇もない瞬間だった。左へ躱した自動車は、躱し方が余りに急であったため、機みを打ってそのまま、左手の岩崖を墜落しそうな勢いを示した。道の左には、半間ばかりの熊笹が繁っていて、その端からは十丈に近い断崖が、海へ急な角度を成していた。

最初の危機には、冷静であった運転手も、第二の危険には度を失ってしまった。彼は、狂人のように意味のない言葉を発したかと思うと、運転手台で身をもがいた。が、運転手の死物狂いの努力は間に合った。三人の生命を託した車台は、急廻転をして、海へ陥ることから免れた。が、その反動で五間ばかり走ったかと思うと、今度は右手の山の岩壁に、凄じくぶっつかったのである。

信一郎は、恐ろしい音を耳にした。それと同時に、烈しい力で、狭い車内を、二三回左右に叩き付けられた。眼が眩んだ。しばらくは、ただ嵐のような混沌たる意識のほか、何も存在しなかった。

信一郎が、ようやく気が付いた時、彼は狭い車内で、海老のように折り曲げられて、一方へ叩き付けられている自分を見出した。彼はやっと身を起した。頭から胸のあたりを、ボンヤリ撫で廻した彼は自分が少しも、傷付いていないのを知ると、まだフラフラする眼を定めて、自分の横にいるはずの、青年の姿を見ようとした。青年の身体は、すぐそこにあった。が、彼の上半身は、半分開かれた扉から、外へはみ出しているのであった。

「もしもし、君！　君！」と、信一郎は青年を車内に引き入れようとした。その時に、彼は異様な苦悶の声を耳にしたのである。信一郎は水を浴びたように、ゾッとした。

「君！　君！」彼は、必死に呼んだ。が、青年は何とも答えなかった。ただ、人の心を掻きむしるような低いうめき声が続いているだけであった。

信一郎は、懸命の力で、青年を車内に抱き入れた。見ると、彼の美しい顔の半面は、薄気味の悪い紫赤色を呈している。それよりも、信一郎の心を、脅やかしたものは、唇の右の端から、顎にかけて流れる一筋の血であった。しかもその血は、唇から出る血とは違って、内臓から迸ったに違いない赤黒い血であった。

返すべき時計

一

信一郎が、青年の身体をやっと車内に引き入れたとき、運転手席から路上へ、投げ出されていた運転手は、ようやく身を起した。額の所へ擦り傷の出来た彼の顔色は、すべての血の色を無くしていた。彼はオズオズ車内をのぞき込んだ。

「どこもお負傷はありませんか。お負傷はありませんか。」

「馬鹿！　負傷どころじゃない。大変だぞ。」と、信一郎は怒鳴りつけずにはいられなかった。彼は運転手の放胆な操縦が、この惨禍の主たる原因であることを、信じたからであった。

「はっはっ。」と運転手は恐れ入ったような声を出しながら、窓にかけている両手をブルブル顫わせていた。

「君！　君！　気を確かにしたまえ。」

信一郎は懸命な声で青年の意識を呼び返そうとした。が、彼は低い、ともすれば、絶えはてそうなうめき声を続けているだけであった。

口から流れている血の筋は、いつの間にか、段々太くなっていた。右の頰が見る間に脹れふくらんで来るのだった。信一郎は、ボンヤリつッ立っている運転手を、再び叱り付けた。

「おい！　早く小田原へ引返すのだ。全速力で、早く手当をしないと助からないのだぞ。」

運転手は、夢から醒めたように、運転手席に着いた。が、発動機の壊れている上に、前方の車軸までが曲っているらしい自動車は、一寸だって動かなかった。

「駄目です。とても動きません。」と、運転手は罪を待つ人のように顫え声で云った。

「じゃ、一番近くの医者を呼んで来るのだ。真鶴なら、遠くはないだろう。医者と、そうだ、警察とへ届けて来るのだ。また小田原へ電話が通ずるのなら、すぐ自動車を寄越すように頼むのだ。」

運転手は、気の抜けた人間のように、命ぜらるるままに、フラフラと駈け出した。

青年の苦悶は、続いている。半眼に開いている眼は、上ずッた白眼を見せているだけであるが、信一郎は、ただ青年の上半身を抱き起しているだけで、どうにも手の付けようがなかった。もう、臨終に間もないかも知れない青年の顔かたちを、ただ茫然と見詰めているだけであった。

信一郎は青年の奇禍を傷むのと同時に、あわよく免れた自身の幸福を、欣ばずにはいられなかった。それにしても、どうして扉が、開いたのだろう。そこから身体が出たのだろう。上半身が、半分出たために、衝突の時に、扉と車体との間で、強く胸部を圧し潰されたのに違いなかった。

信一郎は、ふと思いついた。最初、車台が海に面する断崖へ、顚落しようとしたとき、青年は車から飛び降りるべく、咄嗟に右の窓を開けたに違いなかった。もし、そうだとすると、車体が最初怖れられたように、海中に墜落したとすれば、死ぬ者は信一郎と運転手とで、助かる者はこの青年であったかも知れなかった。

車体が、急転したとき、信一郎と青年の運命も咄嗟に転換したのだった。自動車のかりそめの合乗に青年と信一郎とは、恐ろしい生死の活劇に好運悪運の両極に立ったわけだった。

信一郎は、そう考えると、結果の上からは、自分が助かるための犠牲になったような、青年のいたましい姿を、一層あわれまずにはいられなかった。

彼は、ふとウィスキイの小罎がトランクの中にあることを思い出した。それを、飲ますことが、こうした重傷者にどういう結果を及ぼすかは、ハッキリと判らなかった。が、彼としてはこの場合に為し得る唯一の手当であった。彼は青年の頭を座席の上に、ソッと下すとトランクを開けて、ウィスキイの罎を取り出した。

二

口中に注ぎ込まれた数滴のウィスキイが、利いたのか、それとも偶然そうなったのか、青年の白く湿んでいた眸が、だんだん意識の光を帯び始めた。それとともに、意味のなかったうめき声が切れ切れではあるが、言葉の形を採り始めた。

「気を確かにしたまえ！　気を！　君！　君！　青木君！」信一郎は、力一杯に今覚えたばかりの青年の名を呼び続けた。

青年は、じっと眸を凝すようであった。劇しい苦痛のために、ともすれば飛び散りそうになる意識を懸命に取り蒐めようとするようだった。彼は、じいっと、信一郎の顔を、見詰めた。やっと自分を襲った禍の前後を思い出したようであった。

「どうです。気が付きましたか。青木君！　気を確かにしたまえ！　すぐ医者が来るから。」

青年は意識が帰って来ると、このかりそめの旅の道連の親切を、しみじみと感じたのだろう。

「あり――ありがとう。」と、苦しそうに云いながら、感謝の微笑を湛えようとしたが、それは劃なく襲うて来る苦痛のために、跡なく崩れてしまった。腸をよじるような、苦悶の声が、続いた。

「少しの辛抱です。すぐ医者が来ます。」

信一郎は、相手の苦悶のいたいたしさに、狼狽しながら答えた。

青年は、それに答えようとでもするように、身体を心持起しかけた。その途端だった。苦しそうに咳き込んだかと思うと、顎から洋服の胸へかけて、流れるような多量の血を吐いた。それと同時に、今まで充血していた顔が、サッと蒼ざめてしまった。

青年の顔には、既に死相が読まれた。内臓が、外部からの劇しい衝動のために、内出血をしたことが余りに明らかだった。

医学の心得の少しもない信一郎にも、もう青年の死が、単に時の問題であることが分った。青年の顔に血色がなかった如く、信一郎の面にも、血の色がなかった。彼は、彼と偶然知己になって、すぐ死に去って行く、ホンの瞬間の友達の運命を、じっと見詰めているほかはなかった。

太平洋を圧している、密雲に閉ざされたまま、日は落ちてしまった。夕闇の迫っている崖端の道には、人の影さえ見えなかった。瀕死の負傷者を見守る信一郎は、ヒシヒシと、身に迫る物凄い寂寥を感じた。負傷者のうめき声の絶間には、崖下の岩を洗う浪の音が淋しく聞えて来た。

吐血をしたまま、仰向けに倒れていた青年は、ふと頭を擡げて何かを求めるような容子をした。

「何です！　何です！」信一郎は、掩いかぶさるようにして訊いた。

「僕の——僕の——鞄(トランク)！」

口中の血に咽(む)せるのであろう、青年は喘ぎ喘ぎ絶え入るような声で云った。信一郎は、車中を見廻した。信一郎は、青年が、携えていた旅行用の小形の鞄(トランク)は座席の下に横倒しになっているのだった。信一郎は、それを取り上げてやった。青年は、それを受け取ろうとして、両手を出そうとしたが、彼の手はもう彼の思うようには、動きそうにもなかった。

「一体、この鞄(トランク)をどうするのです。」

青年は、何か答えようとして、口を動かした。が、言葉の代りに出たものは、先刻の吐血の名残りらしい少量の血であった。

「開けるのですか。開けるのですか。」

青年は肯(うなず)こうとした。が、それも肯こうとする意志だけを示したのに、すぎなかった。

信一郎は鞄(トランク)を開けにかかった。が、それには鍵がかかっているとみえ、容易には開かなかった。が、この場合瀕死の重傷者に、鍵の在処(ありか)を尋ねるなどは、余りに心ないことだった。信一郎は、満身の力を振って、捻(ね)じ開けた。金物に付いて、革がベリベリと、二三寸引き裂かれた。

三

「何を出すのです。何を出すのです。」

信一郎は、薬品をでも、取り出すのであろうと思って訊いた。が、青年の答は意外だった。

「雑記帳を。」青年の声は、かすかに咽喉を洩れると、いう程度に過ぎなかった。

「ノート？」信一郎は、不審りながら、鞄を掻き廻した。いかにも鞄の底に、三帖綴の大学ノートを入れてあるのを見出した。

青年は、眼で肯いた。彼は手を出して、それを取った。彼は、それを破ろうとするらしかった。が、彼の手は、ただノートの表紙を滑り廻るだけで、一枚の紙さえ破れなかった。

「捨てて——捨てて下さい！　海へ、海へ。」

彼は、懸命に苦しげな声を、振りしぼった。そして、哀願的な眸で、じいっと、信一郎を見詰めた。

信一郎は、大きく肯いた。

「承知しました。何か、ほかに用がありませんか。」

信一郎は、大声で、しかもかなりの感激をもって、青年の耳許で叫んだ。本当は、何か遺言はありませんかと、云いたいところであった。が、そう云い出すことは、このう ら若い負傷者にとって、余りに気の毒に思われた。が、そう云ってもよいほど青年の呼吸は、迫っていた。

信一郎の言葉が、青年に通じたのだろう。彼は、それに応ずるように、右の手首を、高く差し上げようとするらしかった。信一郎は、不思議に思いながら、差し上げようとする右の手首に手を触れてみた。そこに、冷めたく堅い何かを感じたのである。夕暮の光に透して見ると、青年は腕時計をはめているのであった。

「時計ですか。この時計をどうするのです。」

烈しい苦痛に、歪んでいる青年の面に、また別な苦悶が現れていた。それは肉体的な苦悶とは、また別な――肉体の苦痛にも劣らないほどの――心の、魂の苦痛であるらしかった。彼の蒼白だった面は微弱ながら、にわかに興奮の色を示したようであった。

「時計を――時計を――返して下さい。」

「誰にです、誰にです。」信一郎も、懸命になって訊き返した。

「お願い――お願い――お願いです。返して下さい。返して下さい。」

もう、断末魔らしい苦悶のうちに、青年はこの世に於ける、最後の力を振りしぼって叫んだ。

「一体、誰にです？　誰にです。」

信一郎は縋り付くように、訊いた。が、青年の意識は、再び彼を離れようとしているらしかった。ただ、低い切れ切れのうなり声が、それに答えた、だけだった。信一郎は、今この答えを得ておかなければ永劫に得られないことを知った。

「時計を誰に返すのです。誰に返すのです。」

青年の四肢が、ピクリピクリと痙攣し始めた。もう、死期の目睫の間に迫っていることが判った。

「時計を誰に返すのです。青木君！　青木君！　しっかりしたまえ。誰に返すのです。」

死の苦しみに、青年は身体を、左右にもだえた。信一郎の言葉は、もう瀕死の耳に通じないように見えた。

「時計を誰に返すのです。名前を云って下さい。名前を云って下さい。名前を！」

信一郎の声も、狂人のように上ずッてしまった。その時に、青年の口が、何かを云おうとして、モグモグと動いた。

「青木君、誰に返すのです？」

永久に、消え去ろうとする青年の意識が、ホンの瞬間、この世に呼び返されたのか。それとも死際の無意味な囈語(うわごと)であったのだろうか。青年は、

「瑠璃子！　瑠璃子！」と、子供の片言のように、口走ると、それを世に残した最後の言葉として、劇しい痙攣(けいれん)が来たかと思うと、それがサッと潮の引くように、衰えてしまってガクリとなったかと思うと、もう、ピクリともしなかった。死が、遂に来たのである。

四

信一郎は、ハンカチーフを取り出して、死者の顎から咽喉にかけての、血を拭ってや

った。
だんだん蠟色に、白んで行く、不幸な青年の面をじっと見詰めていると、信一郎の心も、青年の不慮の横死を悼む心で一杯になって、ほたほたと、涙が流れて止まらなかった。五年も十年も、親しんで来た友達の死顔を見ている心と、少しも変らなかった。何という、不思議な運命であろうと、信一郎は思った。親しい友達は、元より、親兄弟、いとしき妻夫愛児の臨終にさえ、いろいろな事情や境遇のために、居合わさぬこともあれば、間に合わぬこともあるのに、ホンの三十分か四十分の知己、ホンの暫時の友人、云わば路傍の人に過ぎない、かりそめの旅の道伴でありながら、その死床に侍して、介抱をしたり、遺言を聞いてやるということは、何という不思議な機縁であろうと、信一郎は思った。

が、青年の身になって、考えてみると、ちょっとした小旅行の中途で、思いがけない奇禍に逢って、淋しい海辺の一角で、親兄弟は勿論親しい友達さえも居合わさず、他人にほかならない信一郎に、死水を——それは水でなく、数滴のウィスキイだったが——取られて、望み多い未来を、不当に予告なしに、切り取られてしまった情なさ、淋しさは、どんなであっただろう。彼は、息を引き取るとき、親兄弟の優しい慰藉の言葉に、どんなに渇えたことだろう。殊に、母か姉妹か、あるいは恋人かの女性としての優しい愛の言葉を、どんなに欲しただろう。彼が、口走った瑠璃子という言葉は、きっと、そうした女性の名前に違いないと思った。

そのうちに、信一郎の心に、青年の遺した言葉が考えられ始めた。彼は、最初にこう疑ってみた。他人同然の彼に、どうして時計のことを云ったのだろう。もし、時計が誰かに返さるべきものなら名乗り合ったばかりの信一郎などに頼まないでも、遺族の人の手で、当然返さるべきものではなかろうか。が、信一郎は、すぐこう思い返した。青年はノートの内容も、時計を返すことも、遺族の人々には知られたくなかったのだろう。親兄弟には、あくまでも、秘密にしておきたかったのであろう。しかも秘密に時計を返すには、信一郎に頼むほかには、何の手段もなかったのだ。人間が人間を信じることが一つの美徳であるように、この青年も必死の場合に、心から信一郎を信頼したのだろう。いや、信頼するほかには、何の手段もなかったのだ。

信一郎は、青年の死際の懸命の信頼を、心に深く受け入れずにはおられなかった。名乗り合ったばかりの自分に、心からの信頼を置いている。人間として、男として、この信頼に背く訳には、行かないと思った。

人が、臨終の時に為す信頼は、基督正教(カトリック)の信徒が、死際の懺悔(ざんげ)と同じように、神聖な重大なものに違いないと思った。たとい、三十分四十分の交際であろうとも、頼まれた以上、忠実に、その信頼に酬いねばならぬと思った。

そう思いながら、信一郎は死者の右の手首から、恐る恐る時計を脱(はず)してみた。時計も、それを腕に捲(ま)く腕輪も、銀か白銅(ニッケル)らしい金属で出来ていた。ガラスは、その持主の悲惨な最期(さいご)に似て、微塵(みじん)に砕け散っていた。夕暮の光の中で、透して見ると、腕輪に附いている止め金が、衝突のとき、皮肉を切ったのだろう。軽い出血があったと見え、その白っぽい時計の胴に、所々真赤な血が浸んでいた。今までは、興奮のために夢中になっていた信一郎も、それを見ると、今更ながら、青年の最期の、むごたらしさに、思わず戦慄を禁じ得なかった。

五

が、時計を返すとして、一体誰に返したらいいのだろうかと、信一郎は思った。青年が、死際に口走った瑠璃子という名前の女性に返せばいいのかしら。が、瑠璃子と云ったのは、時計を返すべき相手の名前を、云ったのだろうか。時計などとは何の関係もない、青年などとは何の関係もない青年の恋人か姉か妹かの名ではないのかしら。『時計を返してくれ。』と云ったとき、青年の意識は、かなり確かだった。が、息を引き取る時には、青年の意識は、もう正気を失っていた。『瑠璃子！』と、叫んだのは、ただ狂った心の最後の、偶然な囈語で、あったかも知れなかった。が、瑠璃子という名前は、青年の心に死の刹那に深く喰い入った名前に違いなかった。ちょうど、腕時計が、死の刹那に彼の手首の肉に、喰い入っていたように。

信一郎は、再度その小形な腕時計を、手許に迫る夕闇の中で、透して見た。じっと、見詰めていると最初銀かニッケルと思った金属は、銀ほどは光が無くニッケルほど薄っぺらでないのに、気が付いた。彼は指先で、二三度撫でて見た。それは、紛れもなく白金だった。しかも撫でている指先が、何かツブツブした物に触れたので、眸を凝すと、鋭い光を放つ一顆の宝石が、鏤められていた。しかもそれは金で象眼された小さい短剣の柄に当っていた。それは希臘風の短剣の形だった。復讐の女神ネメシスが、逆手に摑んでいるような、短剣の形だった。信一郎は、その特異な、不思議な象眼に、劇しい好奇心を、唆られずにはいられなかった。時計の元来の所有者は、女性に違いなかったが、その象眼は、何という女らしからぬ、鋭い意匠だろう。

日は、もうとっぷりと、暮れてしまった。海上にのみ、一脈の薄明が、漂うているばかりだった。運転手は、なかなか帰って来なかった。淋しい海岸の一角に、まだ生あたたかい死屍を、ただ一人で見守っていることは、無気味なことに違いなかった。が、先刻から興奮し続けている信一郎には、それがさほど、厭わしいことにも気味の悪いことにも思われなかった。彼はある感激をさえ感じた。人として立派な義務を尽しているように思った。

信一郎は、ふとこういうことに気が付いた。たとい、青年からああした依託を受けたとしても、ただ黙って、この高価な白金の時計を、死屍から持ち去ってもいいだろうか。もし、臨検の巡査にでも、咎められたら、何と返事をしたらいいだろう。死人に口なく、死に去った青年が、自分のために、弁解してくれるはずはない。自分は、人の死屍から、高貴な物品を、剝ぎ取る恐ろしい卑しい盗人と思われても、何の云い訳もないではないか。青年の遺言を受けたと抗弁しても、果して信じられるだろうか。

そう考えると、信一郎の心は、だんだん迷い始めた。妙ないきがかりから、他人の秘密にまで立ち入って、返すべき人の名前さえ、判然とはしない時計などを預って、つまらぬ心配や気苦労をするよりも、ただ乗り合わした一個の旅の道伴として、遺言も何も、聴かなかったことにしようかしら。

が、こう考えたとき、信一郎の心の耳に、『お願いで――お願いです。時計を返して下さい。』と云う青年の、血に咽ぶ断末魔の悲壮な声が、再び鳴り響いた。それに応ずるように、信一郎の良心が、『貴様は卑怯だぞ。貴様は卑怯だぞ。』と、低くしながら、力強く囁いた。

『そうだ。そうだ。とにかく、瑠璃子という女性を探してみよう。たとい、それが時計を返すべき人でないにしろ、その人はきっと、この青年に一番親しい人に違いない。その人が、きっと時計を返すべき本当の人を、教えてくれるのに違いない。また、自分が時計を盗んだというような、不当な疑いを受けたとき、この人がきっと弁解してくれるのに違いない。』

信一郎は、『瑠璃子』という三字を頼りにして、自分の物でない時計を、ポケット深く、蔵めようとした。

その時に、急に近よって来る人声がした。彼は、悪いことでもしていたように、ハッと驚いて振り返った。警察の提灯を囲んで、四五人の人が、足早に駈け付けて来るようだった。

六

駈け付けて来たのは、オドオドしている運転手を先頭にして、年若い巡査と、医者らしい袴をつけた男と、警察の小使らしい老人との四人であった。

信一郎は、彼等を迎えるべく扉を開けて、路上へ降りた。

巡査は提灯を車内に差し入れるようにしながら、

「どうです。負傷者は?」と、訊いた。

「さっき息を引き取ったばかりです。何分胸部をひどく、やられたものですから、助からなかったのです。」と、信一郎は答えた。

しばらくは、誰もが口を利かなかった。運転手が、ブルブル顫え出したのが、ほの暗い提灯の光の中でも、それと判った。

「とにかく、一応診て下さい。」と、巡査は医者らしい男に云った。運転手は顫えながら、車体に取り付けてある洋燈に、点火した。周囲が、急に明るくなった。

「お伴じゃないのですね。」医者が検視をするのを見ながら、巡査は信一郎に訊いた。

「そうです。ただ国府津から乗合わしたばかりなのです。が、名前は判って居ます。さっき名乗り合いましたから。」

「何と云う名です。」巡査は手帳を開いた。

「青木淳と云う文科大学生です。宿所は訊かなかったけれど、どうも名前と顔付から考えると、青木淳三と云う貴族院議員のお子さんに違いないと思うのです。無論断言は出来ませんが、持物でも調べればすぐ判るでしょう。」

巡査は、信一郎の云うことを、一々肯いて聴いていたが、

「遭難の事情は、運転手から一通り、聴きましたが、貴君からもお話を願いたいのです。運転手の云うことばかりも信ぜられませんから。」

信一郎は言下に「運転手の過失です。」と云いきりたかった。過失と云うよりも、無責任だと云いきりたかった。が、戦きながら、信一郎と巡査との問答を、身の一大事とばかり、聞耳を澄ましている運転手の、罪を知った容子を見ると、そう強くも云えなかった。その上、運転手の罪を、いくら声高に叫んでも、青年の甦るはずもなかった。

「運転手の過失もありますが、どうもこの方が自分で扉を、開けたような形跡もあるのです。扉さえ開かなかったら、死ぬようなことはなかったと思います。」

「なるほど。」と、巡査は何やら手帳に、書き付けてから云った。「いずれ、遺族の方から起訴にでもなると、貴君にも証人になって戴くかも知れません。御名刺を一枚戴きたいと思います。」

信一郎は乞わるるままに、一枚の名刺を与えた。

ちょうどその時に、医者は血に塗れた手を気にしながら、車内から出て来た。

「ひどく血を吐きましたね。あれじゃ負傷後、いくらも生きていなかったでしょう。」

と、信一郎に云った。

「そうです。三十分も生きていたでしょうか。」

「あれじゃ助かりっこはありません。」と、医者は投げるように云った。

「貴君(あなた)もとんだ災難でした。」と、巡査は信一郎に云った。「が、死んだ方に比ぶれば、むしろ命拾いをしたと云ってもいいでしょう。湯河原へいらっしゃるそうですね。それじゃ小使に御案内させますから真鶴までお歩きなさい。死体の方は、引受けましたから、御自由にお引き取り下さい。」

信一郎は、とにかく当座の責任と義務とから、放たれたように思った。が、ポケットの底にある時計のことを考えれば、信一郎の責任はいつ果されるとも分らなかった。

信一郎は車台に近寄って、黙礼した。不幸な青年に最後の別れを告げたのである。

巡査達に挨拶して、二三間行った時、彼はふと海に捨つるべく、青年から頼まれたノートのことを思い出した。彼は驚いて、取って返した。

「忘れ物をしました。」彼は、やや狼狽しながら云った。

「何です。」車内を覗(のぞ)き込んでいた巡査が振り顧(かえ)った。

「ノートです。」信一郎は、やや上ずッた声で答えた。

「これですか。」さっきから、それに気の付いていたらしい巡査は、座席の上から取り上げてくれた。信一郎は、そのノートの表紙に、ペンで青木淳とかいてあるらしいのを見ると、ハッと思った。が、光は暗かった。その上、巡査の心にそうした疑いは微塵も存在しないらしかった。彼は、やっと安心して、自分の物でない物を、自分の物にした。

七

真鶴から湯河原までの軽便の汽車の中でも、駅から湯の宿までの、田舎馬車の中でも、信一郎の頭は混乱と興奮とで、一杯になっていた。その上、衝突のときに、受けた打撃が現れて来たのだろう、頭がズキズキと痛み始めた。

青年のうめき声や、吐血の刹那や、蒼白んで行った死顔などが、ともすれば幻覚となって、耳や目を襲って来た。

静子に久し振りに逢えるといったような楽しい平和な期待は、偶然な血腥い出来事のために、滅茶苦茶になってしまったのである。静子の初々しい面影を、描こうとすると、それがいつの間にか、青年の死顔になっている。「静子！ 静子！」と、口の中で呼んで、愛妻に対する意識を、ハッキリさせようとすると、その声がいつの間にか「瑠璃子！ 瑠璃子！」と、云う悲痛な断末魔の声を、想い浮べさせたりした。

馬車が、暗い田の中の道を、左へ曲ったと思うと、眼の前に、山懐にほのめく、湯の街の灯影が見え始めた。

信一郎は、愛妻に逢う前に、どうかして、乱れている自分の心持を、整えようとした。

なるべく、穏やかな平静な顔になって、自分の激動(ショック)を妻に伝染(うつ)すまいとした。血腥い青年の最期も、出来るならば話すまいとした。それは優しい妻の胸には、鋭すぎる事実だった。

藤木川の左岸に添うて走った馬車が、新しい木橋を渡ると、橋袂(はしだもと)の湯の宿の玄関に止まった。

「奥様がお待ちかねでございます。」と、妻に付けてある女中が、宿の女中達と一緒に玄関に出迎えた。ふと気が付くと、玄関の突き当りの、二階への階段の中段に、降りて出迎えようか(それともそれがかなりはしたないことなので)降りまいかと、躊躇(ためら)っていたらしい静子が、信一郎の顔を見ると、艶然(えんぜん)と笑って、はち切れそうな嬉しさを抑えて、いそいそと駈け降りて来るのであった。

「いらっしゃいませ。どうして、こう遅かったの。」静子はちょっと不平らしい様子を嬉しさのうちに見せた。

「遅くなって済まなかったね。」

信一郎は、劬(いた)わるように云い捨てて、先に立って妻の部屋へ入った。

その時に、彼はふと青年から頼まれたノートを、まだ夏外套のポケットに入れているのに、気が付いた。先刻真鶴まで歩いたとき、引き裂いて捨てよう捨てようと思いながら、小使の手前、どうしても果し得なかったのである。当惑のために、彼の表情はやや曇った。

「御気分が悪そうね。どうかしたのですか。湯衣にお着換えなさいまし。それとも、お寒いようなら褞袍になさいますか。」

そう云いながら静子は甲斐甲斐しく信一郎の脱ぐ上衣を受け取ったり、襯衣を脱ぐのを手伝ったりした。

そのうちに、上衣を衣桁にかけようとした妻は、ふと、

「あれ！」と、かなりけたたましい声を出した。

「どうしたのだ。」信一郎は驚いて訊いた。

「何でしょう。これは、血じゃなくて。」

静子は、真蒼になりながら、洋服の腕のボタンの所を、電燈の間近に持って行った。それは紛れもなく血だった。一寸四方ばかり、ベットリと血が浸んでいたのである。

「そうか。やっぱり付いていたのか。」

信一郎の声も、やや顫いを帯びていた。

「どうかしたのですか。どうかしたのですか。」気の弱い静子の声は、かなり上ずっていた。

信一郎は、妻の気を落着けようと、かなり冷静に答えた。

「いやどうもしないのだ。ただ、自動車が崖にぶっつかってね。乗合わしていた大学生が負傷したのだ。」

「貴君は、どこもお負傷はなかったのですか。」

「運がよかったのだね。俺は、かすり傷一つ負わなかったのだ。」

「そしてその学生の方は。」

「重傷だね。助からないかも知れないよ。まあ奇禍というんだね。」

静子は、夫が免れた危険を想像するだけで、かなり激しい感動に襲われたと見え、目を刮(みは)ったまましばらくは物も云わなかった。

信一郎も、何だか不安になり始めた。奇禍に逢ったのは、大学生ばかりではないような気がした。自分も妻も、平和な気持を、滅茶滅茶にされたことが、かなり大きい禍であるように思った。が、それればかりでなく、時計やノートを受け継いだことによって、青年の恐ろしい運命をも、受け継いだような気がした。彼は、楽しく期待した通り静子に逢いながら、優しい言葉一つさえ、かけてやることが出来なかった。

夫と妻とは、蒼白になりながら、黙々として相対していた。信一郎は、ポケットに入れてある時計が、何か魔の符でもあるように、気味悪く感ぜられ始めた。

美しき遅参者

一

青年の横死は、東京の各新聞によって、かなり精しく伝えられた。青年が、信一郎の想像した通り青木男爵の長子であったことが、それによって証明された。が、不思議に同乗者の名前は、各新聞とも洩していた。信一郎は結局それを気安いことに思った。

信一郎が、静子を伴って帰京した翌日に、青木家の葬儀は青山の斎場で、執り行われることになっていた。

信一郎は、自分が青年の最期を介抱した当人であるということを、名乗って出るような心持は、少しもなかった。が、自分の手を枕にしながら、息を引き取った青年が、傷ましかった。他人でないような気がした。十年の友達であるような気がした。その人の面影を偲ぶと、何となくなつかしい涙ぐましい気がした。

遺族の人々とは、縁もゆかりもなかった。が、弔われている人とは、かなり強い因縁が、纏わっているように思った。彼は、心からその葬いの席に、列りたいと思った。が、その上、もう一つ是非とも、列るべき必要があった。青年の葬儀である以上、姉も妹も、瑠璃子と呼ばるる女性も、返すべき時計の真の持主も、（もしあれば）青年の恋人も、みんな列っているのに違いない。青年に、由縁のある人を物色すれば、時計を返すべき持主も、案外容易に、見当が付くに違いない。否、少くとも瑠璃子という女だけは、容易に見出し得るに違いない、信一郎はそう考えた。

その日は、廓然と晴れた初夏の一日だった。もう夏らしく、白い層雲が、むくむくと空の一角に湧いていた。水色の空には、強い光が、一杯に充ち渡って、生々の気が、空にも地にも溢れていた。ただ、青山の葬場に集まった人だけは、活々とした周囲の中に、しめっぽい静かな陰翳を、投げているのだった。

青年の不幸な夭折が、特に多くの会葬者を、惹き付けているらしかった。信一郎が、定刻の三時前に行ったときに、早くも十幾台の自動車と百台に近い俥が、斎場の前の広い道路に乗り捨ててあった。控席に待合わしている人々は、もう五百人に近かった。それだのに、自動車や俥が、幾台となく後から後から到着するのだった。死んだ青年の父が、貴族院のある団体の有力な幹部であるために、政界の巨頭は、大抵網羅しているらしかった。貴族院議長のT公爵の顔や、軍令部長のS大将の顔が、信一郎にもすぐそれと判った。葉巻を横銜えにしながら、場所柄をも考えないように哄笑している巨漢は、逓信大臣のN氏だった。それと相手になっているのは、戦後の欧洲を、廻って来て以来、風雲を待っているらしく思われているG男爵だった。そのほか首相の顔も見えた。内相もいた。陸相もいた。実業界の名士の顔も、五六人は見覚えがあった。が、見渡したところ信一郎の知人は一人もいなかった。彼は、受附へ名刺を出すと、控場の一隅へ退いて、式の始まるのを待っていた。

誰も彼に、話しかけてくれる人はなかった。接待をしている人達も、名士達の前には、頭を幾度も下げて、その会葬を感謝しながら、信一郎には、ただ儀礼的な一揖を酬いただけだった。

誰からも、顧みられなかったけれども、信一郎の心には、自信があった。千に近い会葬者が、集まろうとも、青年の臨終に侍したのは、自分一人ではないか。青年の最期を、見届けているのは、自分一人ではないか。青年の信頼を受けているのは自分一人ではないか。その死床に侍して介抱してやったのは、自分一人ではないか。もし、死者にして霊あらば、大臣や実業家や名士達の社交上の会葬よりも、自分の心からな会葬を、どんなに欣ぶかも知れない。そう思うと、信一郎は自分の会葬が、他の何人の会葬よりも、意義があるように思った。彼はそうした感激に耽りながら、じっと会葬者の群を眺めていた。急に、皆が静かになったかと思うと、戛々たる馬蹄の響きがして、霊柩を載せた馬車が遺族達に守られて、斎場へ近づいて来るのだった。

二

霊柩を載せた馬車を先頭に、七八台も続いた。信一郎は、群衆を擦り脱けて、馬車の止まった方へ近づいた。次々に、馬車を降りる一門の人々を、仔細に注視しようとしたのである。

霊柩のすぐ後の馬車から、降り立ったのは、今日の葬式の喪主であるらしい青年であった。一目見ると、横死した青年の肉親の弟であることが、すぐ判った。それほど、二人はよく似ていた。ただ学習院の制服を着ているこの青年の背丈が、国府津で見たその人の兄よりも、一二寸高いように思われた。

その次の馬車からは、二人の女性が現れた。信一郎は、そのいずれかが瑠璃子と呼ばれはしないかと、熱心に見詰めた。二人とも、死んだ青年の妹であることが、すぐ判った。兄に似て二人とも端正な美しさを持っていた。年の上の方も、まだ二十を越していないだろう。その美しい眼を心持ち泣き脹して、雪のような喪服を纏うて、俯きがちに、しおたれて歩む姉妹の姿は、悲しくもまた美しかった。

それに、続いてどの馬車からも、一門の夫人達であろう、白無垢を着た貴婦人が、一人二人ずつ降り立った。信一郎は、そのうちの誰かが、きっと瑠璃子に違いないと思いながら、一人から他へと、慌しい眼を移した。が、ただいらいらするだけで、ハッキリと確かめる術は、少しもなかった。

霊柩が式場の正面に安置せられると、会葬者も銘々に、式場へ雪崩れ入った。手狭な式場は見る見る、一杯になった。

式が始まる前の静けさが、そこに在った。会葬者達は、銘々慎しみの心を、表に現して紫や緋の衣を着た老僧達の、居並ぶ祭壇を一斉に注視しているのであった。

式場が静粛に緊張して、今にも読経の第一声が、この静けさを破ろうとする時だった。突如として式場の空気などを、少しも顧慮しないようなけたたましい、自動車の響きが場外に近づいた。祭壇に近い人々は、さすがに振向きもしなかった。が、会葬者のほとんど過半が、この無遠慮な闖入者に対して叱責に近い注視を投げたのである。

自動車は、式場の入口に横附けにされた。伊太利製らしい、優雅な自動車の扉が、運転手によって排せられた。

会葬者の注視を引いたことなどには、何の恐れげもないように、翼を拡げた白孔雀のような、気高さと上品さとで、その踏段から地上へと、スックと降り立ったのは、まだうら若い一個の女性だった。降りざまに、その面を掩うていた黒い薄絹のヴェールを、かなぐり捨てて、無造作に自動車の中へ投げ入れた。人々の環視のうちに、微笑とも嬌羞とも付かぬ表情を、湛えた面は、くっきりと皎く輝いた。

白襟紋付の瀟洒な衣は、そのスラリとした姿を一層気高く見せていた。彼女は、何の悪怯れた容子も見せなかった。打ち並ぶ名士達の間に、細く残された通路を、足早に通り抜けて、祭壇の右の婦人達の居並ぶ席についた。

会葬者達は、場所柄の許す範囲で、銘々熱心な眼で、この美しい無遠慮な遅参者の姿を追った。が、そうした眼の中でも、信一郎のそれが、一番熱心で一番輝いていたのである。

彼は、何よりも先に、この女性の美しさに打たれた。年は二十を多くは出ていなかっただろう。が、そうした若い美しさにも拘わらず、人を圧するような威厳が、どこかに備わっていた。

信一郎は、頭の中で自分の知っている、あらゆる女性の顔を浮べてみた。が、そのどれもが、この婦人の美しさを、少しでも冒すことは出来なかった。

泰西の名画の中からでも、抜け出して来たような女性を、信一郎は驚異に似た心持でしばらくは、茫然と会衆の頭越しに見詰めていたのである。

三

信一郎が、その美しき女性に、釘付けにされたように、会葬者の眸も、一時はこの女性の身辺に注がれた。が、そのうちに、衆僧が一斉に始めた読経の朗々たる声は、皆の心持を死者に対する敬虔な哀悼に引き統べてしまった。

が、この女性が、信一郎の心のうちに起した動揺は、お経の声などによってなかなか静まりそうにも見えなかった。

彼は、直覚的にこの女性が、死んだ青年に対して、特殊な関係を持っていることを信じた。この女性の美しいけれども颯爽たる容姿が、あの返すべき時計に鏤刻されている、鋭い短剣の形を想い起さしめた。彼は、読経の声などには、ほとんど耳も傾けずに、群衆の頭越しに、女性の姿を、懸命に見詰めたのである。

が、見詰めているうちに、信一郎の心は、それが瑠璃子であるか、時計の持主であるかなどという疑問よりも、この女性の美しさに、段々囚われて行くのだった。

この女性の顔形は、美しいといっても、昔からある日本婦人の美しさではなかった。それは、日本の近代文明が、初めて生み出したような美しさと表情を持っていた。明治時代の美人のように、個性のない、人形のような美しさではなかった。その眸は、あくまでも、理智に輝いていた。顔全体には、爛熟した文明の婦人に特有な、智的な輝きがあった。

婦人席で多くの婦人の中に立っていながら、この女性の背後だけには、ほのぼのと明るい後光が、射しているように思われた。

年頃から云えば娘とも思われた。が、どこかに備わっている冒しがたい威厳は、名門の夫人であることを示しているように思われた。

信一郎が、この女性の美貌に対する耽美に溺れているうちに、葬式のプログラムはだんだん進んで行った。死者の兄弟を先に一門の焼香が終りかけると、この女性もしとやかに席を離れて死者のために一抹の香を焚いた。

やがて式は了った。会葬者に対する挨拶があると、会葬者達は、我先にと帰途を急いだ。式場の前には俥と自動車とがしばらくは右往左往に、入り擾れた。

信一郎は、急いで退場する群衆に、わざと取残された。彼は群衆に押されながら、意識して、彼の女性に近づいた。

女性が、式場を出外れると、彼女はそこで、四人の大学生に取り捲かれた。大学生達は皆死んだ青年の学友であるらしかった。彼女は何か二言三言言葉を換すと乗るべき自動車に片手をかけて、華やかな微笑を四人の中の、誰に投げるともなく投げて、その娜やかな身を飜してたちまち車上の人となったが、つと上半身を出したかと思うと、

「本当にそう考えて下さっては、妾困りますのよ。」と、嫣然と云い捨てると、扉をハタと閉じたが自動車はそれを合図に散りかかる群衆の間を縫うて、徐ろに動き始めた。

大学生達は、自動車の後を、しばらく立ち止って見送ると、そのまま肩を揃えて歩き出した。信一郎も学生達の後を追った。学生達に話しかけて、この女性の本体を知ることが時計の持主を知る、唯一の機会であるように思ったからである。

学生達は、電車に乗るつもりだろう。式場の前の道を、青山三丁目の方へと歩き出したのであった。信一郎は、それと悟られぬよう一間ばかり、間隔をもって歩いていたが、学生達の声は、かなり高かった。彼等の会話が、切れ切れに信一郎にも聞えて来た。

「青木の変死は、偶然だと云えばそれまでだが、僕は死んだと聞いたとき、すぐ自殺じ

ゃないかと思ったよ。」と、一番肥っている男が云った。

「僕もそうだよ。青木の奴、やったな！　と思ったよ。」と、他の背の高い男はすぐ賛成した。

四

「僕の所へ三保から寄越した手紙なんか、全く変だったよ。」と、ただ一人夏外套を着ている男が云った。

信一郎は、そうした学生の会話に、好奇心を唆られて、思わず間近く接近した。

「とにかく、ヒドく悄気ていたことは、事実なんだ。誰かに、失恋したのかも知れない。が、彼奴のことだから誰にも打ち明けないし、相手の見当は、サッパリ付かないね。」と、肥った男が云った。

そう聞いてみると、信一郎は、自動車に同乗したときの、青年の態度をすぐ思い出した。その悲しみに閉された面影がアリアリと頭に浮んだ。

「相手って、まさか我々の荘田夫人じゃあるまいね。」と、一人が云うと、皆高々と笑った。

「まさか。まさか。」と皆は口々に打ち消した。

そこは、もう三丁目の停留場だった。四人連の内の三人は、そこに停車している電車に、無理に押し入るようにして乗った。ただ、後に残った一人だけ、眼鏡をかけた、皆の話を黙って聴いていた一人だけ、友達と別れて、電車の線路に沿うて、青山一丁目の方へ歩き出した。信一郎は、その男の後を追った。相手が、一人の方が、話しかけることが、容易であると思ったからである。

半町ばかり、付いて歩いたが、どうしても話しかけられなかった。突然、話しかけることが、不自然で突飛であるように思われた。彼は、幾度も中止しようとした。が、この機会を失しては、時計を返すべき緒が、永久に見付け得られないようにも思った。信一郎はとうとう思い切った。先方が、ちょっと振り返るようにしたのを機会に、つかつかと傍へ歩き寄ったのである。

「失礼ですが、貴君も青木さんのお葬いに？」

「そうです。」先方は突然な問を、意外に思ったらしかったが、不愉快な容子は、見せなかった。

「やっぱりお友達でいらっしゃいますか。」信一郎はやや安心して訊いた。

「そうです。ずっと、小さい時からの友達です。小学時代からの竹馬の友です。」

「なるほど。それじゃ、さぞお力落しでしたろう。」と云ってから、信一郎は少し躊躇していたが、「つかぬことを、承わるようですが、今貴君方と話していた婦人の方ですね。」と云うと、青年はすぐ訊き返した。

「あの自動車で、帰った人ですか。あの人がどうかしたのですか。」

信一郎は少しドギマギした。が、彼は訊き続けた。

「いや、どうもしないのですが、あの方は何と仰しゃる方でしょう。」

学生は、ちょっと信一郎を憫れむような微笑を浮べた。ホンの瞬間だったけれども、それは知るべきものを知っていない者に見せる憫れみの微笑だった。

「あれが、有名な荘田夫人ですよ。御存じなかったのですか。かつて司法大臣をしたことのある唐沢男爵の娘ですよ。唐沢さんと云えば、青木君のお父様と、同じ団体に属している貴族院の老政治家ですよ。お父様同士の関係で、青木君とは近しかったんです。」

そう云われてみると、信一郎も、荘田夫人なるものの写真や消息を婦人雑誌や新聞の夫人欄で幾度も見たことを思い出した。が、それに対して、何の注意も払っていなかったので、その名前はどうしても想い浮ばなかった。が、この場合名前まで訊くことが、かなり変に思われたが、信一郎は思い切って訊ねた。

「お名前は、確か何とか云われたですね。」

「瑠璃子ですよ、我々は、玉桂の瑠璃子夫人と云っていますよ。ハハハハ。」と、学生は事もなげに答えた。

五

葬場に於ける遅参者が、信一郎の直覚していたとおり、瑠璃子と呼ばるる女性であることが、この大学生によって確かめられると、彼はその女性について、もっといろいろなことが知りたくなった。

「それじゃ、青木君とあの瑠璃子夫人とは、そう大したお交際でもなかったのですね。」

「いやそんなこともありませんよ。この半年ばかりは、かなり親しくしていたようです。もっともあの奥さんは、大変お交際の広い方で、僕なぞも、青木君同様かなり親しく、交際している方です。」

大学生は、美貌の貴婦人を、知己の中に数え得ることが、かなり得意らしく、誇らしげにそう答えた。

「じゃ、かなり自由な御家庭ですね。」

「自由ですとも、夫の勝平氏を失ってからは、思うままに、自由に振舞っておられるのです。」

「あ！　じゃ、あの方は未亡人ですか。」信一郎は、かなり意外に思いながら訊いた。

「そうです。結婚してから半年かそこらで、夫に死に別れたのです。それに続いて、先妻のお子さんの長男が気が狂ったのです。今では、荘田家はあの奥さんと、美奈子という十九の娘さんだけです。それで、奥さんは離縁にもならず、娘さんの親権者として荘田家を切廻しているのです。」

「なるほど。それじゃ、後妻に来られたわけですね。あの美しさで、あの若さで。」と、信一郎は事ごとに意外に感じながらそう呟いた。

大学生は、それに対して、何か説明しようとした。が、もう二人は青山一丁目の、停留場に来ていた。学生は、今発車しようとしている塩町行の電車に、乗りたそうな容子を見せた。

信一郎は、最後の瞬間を利用して、もう一歩進めてみた。

「突然ですが、ある用事で、あの奥さんに、一度お目にかかりたいと思うのですが、紹介して下さる訳には……」と、言葉を切った。

大学生は、信一郎のそうしたやや不自然な、ぶっきら棒な願いを、美貌の女性の知己になりたいという、世間普通な色好みの男性の願いと、同じものだと思ったらしく、ちょっと嘲笑に似た笑いを洩そうとしたが、すぐそれを噛み殺して、

「貴君の御身分や、御希望を精しく承らないと、僕としてちょっと紹介して差上げることは出来ません。もっとも、荘田夫人は普通の奥さん方とは違いますから、突然尋ねて行かれても、きっと逢ってくれるでしょう。御宅は、麹町の五番町です。」

そう云い捨てると、その青年は身体を捷く動かしながら、まさに動き出そうとする電車に巧みに飛び乗ってしまった。

信一郎は、ちょっとおいてきぼりを喰ったような、やや不快な感情を持ちながら、しばらくそこに佇立した。大学生に話しかけた自分の態度が、下等な新聞記者か何かのようであったのが、恥しかった。どんなに、あの女性の本名が知りたくてももっと上品な態度が取れたのにと思った。

が、そうした不愉快さが、段々消えて行った後に、瑠璃子という女性の本体を摑み得た満足がそこにあった。しかも、瑠璃子という女性が、今もなおハンカチーフに包んで、ポケットの底深く潜ませて、持って来た時計の持主らしい、すべての資格を備えていることが何よりも嬉しかった。短剣を鏤めた白金(プラチナ)の時計と、今日見た瑠璃子夫人の姿とは、ピッタリと合いすぎるほど、合っていた。今日にでも夫人を訪ねれば、夫人はきっと、死んだ青年に対する哀悼の涙を浮べながら、あの時計を受取ってくれるに違いない。そうして、自分と青年との不思議な因縁に、感激の言葉を発するに違いない。そう思うと、信一郎の瞳にあざやかな夫人の姿が、歴々(ありあり)と浮んで来た。彼は一刻も早く、夫人に逢いたくなった。そこへ、彼のそうした決心を促すように、九段両国行きの電車が、軋(きし)って来た。この電車に乗れば、麴町五番町までは、一回の乗換さえなかった。

六

電車が、赤坂見附から三宅坂通り、五番町に近づくに従って、信一郎の眼には、葬場で見た美しい女性の姿が、いろいろな姿勢(ポーズ)を取って、現れて来た。返すべき時計のことなどよりも、美しき夫人の面影の方が、より多く彼の心を占めているのに気が付いた。彼は自分の心持の中に、不純なものが交りかけているのを感じた。『お前は時計を返すために、あの夫人に逢いたがっているのではない。時計を返すのを口実として、あの美しい夫人に逢いたがっているのではないか。』という叱責に似た声を、彼は自分の心持の中に感じた。それほど、瑠璃子と呼ばれる女性の美しさが、彼の心を悩まし惑わしたが、信一郎は懸命にそれから逃れようとした。自分の責任は、ただ青年の遺言通りに、時計を真の持主に返せばいいのだ。荘田瑠璃子が、どんな女性であろうとあるまいと、そんなことは何の問題でもないのだ。ただ、夫人が本当に時計の持主であるかどうかが、問題なのだ。自分はそれを確かめて、時計を返しさえすれば、責任は尽きるのだ。信一郎は、そう強く思い切ろうとした。が、いくら強く思い切ろうとしても、白孔雀を見るような、﨟たけた若き夫人の姿は、彼が思うまいとすればするほど、いよいよ鮮明に彼の眼底を去ろうとはしなかった。

青い葉桜の林に、キラキラと夏の風が光る英国大使館の前を過ぎ、青草が美しく茂ったお濠の堤に沿うて、電車が止まると、彼は急いで電車を降りた。彼の眼の前に五番町の広い通りが、午後の太陽の光の下に白く輝いていた。彼はちょっとした興奮を感じながらも、しばらくはそこに立ち止まった。手紙くらいで、紳士として、一応面会の承諾を得る方が、自然で、余りにはしたないようにも思われた。突然訪ねて行くことが、かつは礼儀ではないかと思ったりした。が、そうした順序を踏んで相手が、会わないと云えば、それ切りになってしまう。少しは不自然でも、直截に訪問した方が、かえって容易に会見し得るかも知れない。殊に、今は死んだ青年の葬儀から帰ったばかりであるから、この夫人も、きっと青年のことを考えているに違いない。そこへ、自分が青年の名によって尋ねて行けば、案外快く引見するに違いない。そう考えると信一郎は崩れかかった勇気を振い興して、五番町の表通りと横町とを軒並に、物色して歩いた。彼は、五番町のすべてを漁った。が、どこにも、荘田という表札は、見出さなかった。三十分近く無駄に歩き廻った末、彼はとうとう通り合わした御用聴らしい小僧に尋ねた。

「荘田さんですか。それじゃあの停留場のすぐ前の、白煉瓦の洋館の、お屋敷がそれです。」と、小僧は言下に教えてくれた。

その家は、信一郎にも最初から判っていた。信一郎は、電車から降りたとき、すぐその家に眼を与ったのであるが、花崗岩らしい大きな石門から、楓の並樹の間を、爪先上りになっている玄関への道の奥深く、青い若葉の蔭に聳ゆる宏壮な西洋館が――大きい邸宅の揃っているこの界隈でも、他の建物を圧倒しているような西洋館が荘田夫人の家であろうとは夢にも思わなかった。

彼は、予想以上に立派な邸宅に気圧されながら、しばらくはその門前に佇立した。玄関への青い芝生の中の道が、曲線をしているために車寄せの様子などは、見えなかったが、ゴシック風の白煉瓦の建物は瀟洒にしかも荘重な感じを見る者に与えた。開け放した二階の窓にそよいでいる青色の窓掩いが、いかにも清々しく見えた。二階の縁側に置いてある籐椅子には、燃ゆるような蒲団が敷いてあって、この家の主人公が、美しい夫人であることを、示しているようだ。

入ろうか、入るまいかと、信一郎は幾度も思い悩んだ。手紙で訊き合してみようか、それでも事は足りるのだと思ったりした。彼が、宏壮な邸宅に圧迫されながら思わず踵を廻そうとした時だった。噴泉の湧くように、突如として樹の間から洩れ始めた朗々たるピアノの音が信一郎の心をしっかと摑んだのである。

七

樹の間を洩れて来るピアノの曲は、信一郎にも聞き覚えのあるショパンの夜曲だった。彼は廻そうとした踵を、釘付けにされて、しばらくはその哀艶な響きに、心を奪われずにはいられなかった。嫋々たるピアノの音は、高く低く緩やかに劇しく、時には若葉の梢を馳け抜ける五月の風のように囁き、時には青い月光の下に、にわかに迸り出でたる泉のように、激した。その絶えんとして、また続く快い旋律が、目に見えない紫の糸となって、信一郎の心に、後から後から投げられた。それは美しい女郎蜘蛛の吐き出す糸のように、蠱惑的に彼の心を囚えた。

彼の心に、鍵盤の上を梭のように馳けめぐっている白い手が、一番に浮んだ。それに続いて葬場でヴェールを取り去った刹那の白い輝かしい顔が浮んだ。

彼は時計を返すなどということより、とにかくも、夫人に逢いたかった。ただ、訳もなく、惹き付けられた。ただ、会うことが出来さえすれば、そのことだけでも、非常に大きな欣びであるように思った。

躊躇していた足を、踏み返した。思い切って門を潜った。ピアノの音につれて、浮れ出した若き舞踏者のように、彼の心もあやしき興奮で、ときめいた。白い大理石の柱の並んでいる車寄せで、彼はちょっと躊躇した。が、その次の瞬間に、彼の指はもう扉の横に取付けてある呼鈴に触れていた。

ここまで来ると、ピアノの音は、いよいよ間近く聞えた。その冴えた触鍵が、彼の心を強く囚えた。

呼鈴を押した後で、彼は妙な息苦しい不安のうちに、一分ばかり待っていた。その時、小さい靴の足音がしたかと思うと扉が静かに押し開けられた。名刺受の銀の盆を手にした美しい少年が、微笑を含みながら、頭を下げた。

「奥さまに、ちょっとお目にかかりたいと思いますが、御都合はいかがでございましょうか。」

彼は、そう云いながら、一枚の名刺を渡した。

「ちょっとお待ち下さいませ。」

少年は丁寧に再び頭を下げながら、玄関の突き当りの二階を、栗鼠のように、すばしこく馳け上った。

信一郎は少年の後を、じっと見送っていた。骰子は投げられたのだといったような、思い詰めた心持で、その二階に消える足音を聞いていた。

たちまちピアノの音が、ぱったりと止んだ。信一郎は、その刹那に劇しい胸騒ぎを感じたのである。その美しき夫人が、彼の姓名を初めて知ったということが、彼の心を騒がしたのである。彼は、再びピアノが鳴り出しはしないかと、息を凝(こら)していた。が、ピアノの鳴る代りに、少年の小さい足音が、聞え始めた。愛嬌(あいきよう)のよい微笑(わらい)を浮べた少年は、トントンと飛ぶように階段を馳け降りて来た。

「一体、どういう御用でございましょうか、ちょっと聞かしていただくように、仰(おっ)しゃいました。」

信一郎は、それを聞くと、もう夫人に会う確かな望みを得た。

「今日、お葬式がありました青木淳氏のことで、ちょっとお目にかかりたいのですが……」と、云った。少年は、また勢いよく階段を馳け上って行った。今度は、以前のように早くは、馳け降りて来なかった。会おうか会うまいかと、夫人が思案している様子が、ありありと感ぜられた。五分近くも経った頃だろう。少年はやっと、二階から馳け降りて来た。

「御紹介状のない方には、どなたにもお目にかからないことにしてあるのですが、貴君(あなた)様を御信用申上げて、特別にお目にかかるように仰しゃいました。どうぞ、こちらへ。」

と、少年は信一郎を案内した。玄関を上ったところは、広間だった。その広間の左の壁には、ゴヤの描いた『踊り子』の絵の、かなり精緻な模写が掲げてあった。

女王蜘蛛

一

信一郎の案内せられた応接室は、青葉の庭に面している広い明るい部屋だった。花模様の青い絨氈の敷かれた床の上には、桃花心木(マホガニイ)の卓子(テーブル)を囲んで、水色の蒲団(クシヨン)の取り附けてある腕椅子(アームチエイア)が五六脚置かれている。壁に添うて横たわっている安楽椅子の蒲団(クシヨン)も水色だった。窓掩いも水色だった。それが純白の布で張られている周囲の壁と映じて、夏らしい清新な気が部屋一杯に充ちていた。信一郎は勧められるままに、扉(ドア)を後にして、椅子に腰を下すと、落ち着いて部屋の装飾を見廻した。三方の壁には、それぞれ新しい油絵が懸っていた。左手(ゆんで)の壁にかかっているのは、去年の二科の展覧会にかなり世評を騒がした新帰朝のある洋画家の水浴する少女の裸体画だった。この家の女主人公が、裸体画を応接室に掲げるほど、社会上の因襲に囚われていないことを示しているように、画中の少女は、一糸も纏(まと)っていない肉体を、冷たそうな泉の中に、その両膝の所まで、オズオズと浸しているのであった。その他卓子の上に置いてある灰皿にも、炉棚の上の時計にも、草花を投げ入れてある花瓶にも、この家の女主人公の繊細な鋭い趣味が、一々現れているように思われた。

杜絶えたピアノの音は、再び続かなかった。が、その音の主は、なかなか姿を現さなかった。少年が茶を運んで来た後は、しばらくの間、近づいて来る人の気勢もなかった。三分経ち、五分経ち、十分経った。信一郎の心は、段々不安になり、段々いらいらして来た。自分が、余りに奇を好んで紹介もなく顔を見たばかりの夫人を、訪ねて来たことが、軽率であったように、悔いられた。

そのうちに、ふと気が付くと、正面の炉棚の上の姿見に、自分の顔が映っていた。彼が何気なく自分の顔を見詰めていた時だった。ふと、サラサラという衣擦れの音がしたかと思うと、背後の扉が音もなく開かれた。信一郎が、周章て立ち上ろうとした時だった。正面の姿見に早くも映った白い美しい顔が、鏡の中で信一郎に、嫣然たる微笑の会釈を投げたのである。

「お待たせしましたこと。でも、御葬式から帰って、まだ着替えも致していなかったのですもの。」

長い間の友達にでも云うような、男を男とも思っていないような夫人の声は、媚羞と狎々しさに充ちていた。しかも、その声は、何という美しい響きと魅力とを持っていただろう。信一郎は、意外な親しさを投げ付けられて最初はドギマギしてしまった。

「いや突然伺いまして……」と、彼は立ち上りながら答えた。声が、妙に上ずッて、少年か何かのように、赤くなってしまった。

深海色にぼかした模様の錦紗縮緬(ちりめん)の着物に、黒と緑の飛燕(ひえん)模様の帯を締めた夫人は、そのスラリと高い身体を、くねらせるように、椅子に落ち着けた。

「本当に、盛んなお葬式でしたこと。でも淳さんのように、あんなに不意に、死んでは堪りませんわ。あんまり、突然で丸切り夢のようでございますもの。」

初対面の客に、ロクロク挨拶もしないうちに、夫人は何のこだわりもないように、自由に喋り続けた。信一郎は、夫人からスッカリ先手を打たれてしまって、しばらくは何(なん)にも云い出せなかった。彼は我にもあらず、十分受け答えもなし得ないで、ただモジモジしていた。夫人は、相手のそうした躊躇などは、眼中にないように、自由で快活だった。

「淳さんは、たしかまだ二十四でございましたよ。確か五黄でございましたよ。五黄の申(さる)でございましょうかしら。妾(わたし)と同じに、よく新聞の九星を気にする方でございましたのよ。オホホホホホ。」

信一郎は、美しい蜘蛛の精の繰り出す糸にでも、懸ったように、話手の美しさに酔いながら、しばらくは茫然としていた。

二

夫人は、口でこそ青年の死を悼(いた)んでいるものの、その華やかな容子や、表情のどこにも、それらしい翳(かげ)さえ見えなかった。ただちょっとした知己の死を、死んでは少し淋しいが、しかし大したことのない知己の死を、話しているのに過ぎなかった。信一郎は、かなり拍子抜けがした。瑠璃子という名が、青年の臨終の床で叫ばれた以上、いかなる意味かで、青年と深い交渉があるだろうと思ったのは、自分の思い違いかしら。夫人の容子や態度が、示している通り、死んでは少し淋しいが、しかし大したことのない知己に、過ぎないのかしら。そう、疑ってくると、信一郎は、青年の死際の囈語(うわごと)に過ぎなかったかも知れない言葉や、自分の想像を頼りにして、突然訪ねて来た自分の軽率な、芝居がかった態度が気恥しくて堪らなくなって来た。彼は、夫人に会えば、こう云おうあ云おうと思っていた言葉が、咽喉にからんでしまって、ただモジモジ興奮するばかりだった。

「妾(わたくし)、今日すっかり時間を間違えていましてね。気が付くと、三時過ぎでございましょう。驚いて、自動車で馳せ付けましたのよ。あんなに遅く行って、本当にきまりが悪うございましたわ。」

そのくせ、夫人はきまりが悪かったような表情は少しも見せなかった。あの葬場でも、それを思い出している今も。若い美しい夫人のどこに、そうした大胆な、人を人とも思わないような強いところがあるのかと、信一郎はただ呆気に取られているだけであった。

先刻からの容子を見ると、信一郎が何のために、訪ねて来ているかなどということは、丸切り夫人の念頭にないようだった。が、彼は漸く心を定めて、オズオズ話し出した。

「実は、今日伺いましたのは、死んだ青木君のことについてでございますが……」

そう云って、彼は改めて夫人の顔を見直した。夫人が、それに対してどんな表情をするかが、見たかったのである。が、夫人は無造作だった。

「そうそう取次の者が、そんなことを申しておりました。青木さんのことって、何でございますの？」

帝劇で見た芝居の噂話をでもしているように夫人の態度は平静だった。

「実は、貴方さまにこんなことをお話しすべき筋であるかどうか、それさえ私には分らないのです、もし、人違いだったら、どうか御免下さい。」

信一郎は、女王の前に出た騎士のように慇懃だった。が、夫人は卓上に置いてあった支那製の団扇を取って、煽ぐともなく動かしながら、

「ホホホ何のお話か知りませんが大層面白くなりそうでございますのね。まあ話して下さいまし。人違いでございましたにしろ、お聞きいたしただけ聞き徳でございますから。」と、微笑を含みながら云った。

信一郎は、夫人の真面目とも不真面目とも付かぬ態度に揶揄われたように、まごつきながら云った。

「実は、私は青木君のお友達ではありません。ただ偶然、同じ自動車に乗り合わしたものです。そして青木君の臨終に居合せたものです。」

「ほほう貴君さまが……」

そう云った夫人の顔は、さすがに緊張した。が、夫人は自分で、それに気が付くと、すぐ身を躱すように、以前の無関心な態度に帰ろうとした。

「そう！　まあ何という奇縁でございましょう。」

その美しい眼を大きく刮きながら、努めて何気なく云おうとしたが、その言葉には、何となく、あるこだわりがあるように思われた。

「それで、実は青木君の死際の遺言を聴いたのです。」

信一郎は、夫人の示した僅かばかりの動揺に力を得て突っ込むようにそう言った。

「遺言を貴君さまが、ほほう。」

そう云った夫人のけだかい顔にも、隠し切れぬ不安がアリアリと読まれた。

三

今までは、秋の湖のように澄み切っていた夫人の容子が、青年の遺言という言葉を聴くと、急に僅かではあるが、擾れ始めた。信一郎は手答えがあったのを欣んだ。この様子では、自分の想像も、必ずしも的が外れているとは限らないと、心強く思った。

「衝突の模様は、新聞にもある通りですが、それでも負傷から臨終までは、まず三十分も間がありましたでしょう。その間、運転手は医者を呼びに行っていましたし、通りかかる人はなし、私一人が臨終に居合わしたというわけですが、ちょうど息を引き取る五分くらい前でしたろう、青木君は、ふと右の手首に入れていた腕時計のことを言い出したのです。」

信一郎が、ここまで話したとき、夫人の面は、急に緊張した。そうした緊張を、現すまいとしている夫人の努力が、アリアリと分った。

「その時計をどうしようと、云われたのでございますか。その時計を!」

夫人の言葉は、かなり急き込んでいた。その美しい白い顔が、サッと赤くなった。

「その時計を返してくれと云われるのです。ぜひ返してくれと云われるのです。」信一郎も、やや興奮しながら答えた。

「誰方にでございましょうか。誰方に返してくれと云われたのでございましょうか。」

夫人の言葉は、更に急き込んでいた。一度赤くなった顔が、白く冷たい色を帯びた。美しい瞳までが鋭い光を放って、信一郎の答えいかにと、見詰めているのだった。

信一郎は、夫人の鋭い視線を避けるようにして云った。

「それが誰にとも分らないのです。」

夫人の顔に現れていた緊張が、またサッと緩んだ。しばらく杜絶えていた微笑が、ほのかながら、その口辺に現れた。

「じゃ、誰方に返してくれとも仰しゃらなかったのですの。」夫人は、ホッと安堵したように、いつの間にか、以前の落着きを、取り返していた。

「いやそれがです。幾度も、返すべき相手の名前を訊いたのですが、もう臨終が迫っていたのでしょう、私の問には、何とも答えなかったのです。ただ臨終に貴女のお名前を譫語のように二度繰り返したのです。それで、万一貴女に、お心当りがないかと思って参上したのですが。」

信一郎は、肝腎な来意を云ってしまったので、ホッとしながら、彼は夫人がどう答えるかと、じっと相手の顔を見詰めていた。

「ホホホホホ。」まず美しいその唇から、快活な微笑が洩れた。

「淳さんは、本当に頼もしい方でいらっしゃいましたわ。そんな時にまで私を覚えていて下さるのですもの。でも、私、腕時計などには少しも覚えがございませんの。お持ちなら、ちょっと拝見させていただけませんかしら。」

もう、夫人の顔に少しの不安も見えなかった。澄み切った以前の美しさが、帰って来ていた。信一郎は、求めらるるままに、ポケットの底から、ハンカチーフに括んだ謎の時計を取り出した。

「確か女持には違いないのです。少し、象眼の意匠が、女持としては奇抜過ぎますが。」

「妹さんのものじゃございませんのでしょうか。」夫人は無造作に云いながら、信一郎の差し出す時計を受取った。

信一郎は断るように附け加えた。

「血が少し附いていますが、わざと拭いてありません。衝突の時に、腕環の止金が肉に喰い入ったのです。」

そう信一郎が云った刹那、夫人の美しい眉が曇った。時計を持っている象牙のように白い手が、思い做しか、かすかにブルブルと顫え出した。

四

時計を持っている手が、微かに顫えるのと一緒に、夫人の顔も蒼白く緊張したようだった。ほんのもう、痕跡しか残っていない血が、夫人の心をかなり、脅かしたようにも思われた。

一分ばかり、無言に時計をいじくり廻していた夫人は、何かを深く決心したように、そのひそめた眉を開いて、急に快活な様子を取った。その快活さには、かなりギゴチない、不自然なところが交っていたけれども。

「ああ判りました。やっと思い付きました。」夫人は突然云い出した。

「私この時計に心覚えがございますの。持主の方も存じておりますの。お名前は、ちょっと申上げ兼ねますが、ある子爵の令嬢でいらっしゃいますわ。でも、私あの方と青木さんとが、こうした物を、お取り換しになっていようとは、夢にも思いませんでしたわ。きっと、どなたにも秘密にしていらしったのでございましょう。だから青木さんは臨終の時にも、遺族の方には知られたくなかったのでございましょう。道理で見ず知らずの貴方にお頼みになったのでございますわ。その令嬢と、愛の印としてお取り換しになったものを、遺品としてお返しになりたかったのでは、ございませんかしら。」

夫人は、明瞭に流暢に、何のよどみもなく云った。が、どことなく力なく空々しいところがあったが、信一郎は夫人の云うことを疑う確かな証拠は、少しもなかった。

「私も、多分そうした品物だろうとは思っていたのです。それでは、早速その令嬢にお返ししたいと思いますが、御名前を教えていただけませんでしょうか。」

「左様でございますね。」と、夫人は首を傾げたが、すぐ「私を信用していただけませんでしょうか、私が、女同士で、そっと返して上げたいと思いますのよ。男の方の手からだと、どんなに恥しくお思いになるか分らないと、存じますのよ。いかが？」と、承諾を求めるように、ニッコリと笑った。華やかな艶美な微笑だった。そう云われると、信一郎はそれ以上、かれこれ言うことは出来なかった。とにかく、謎の品物が思ったより容易に、持主に返されることを、欣ぶよりほかはなかった。

「じゃ、貴女さまのお手でお返し下さいませ。が、その方のお名前だけは、承ることが出来ませんでしょうか。貴方さまを、お疑い申す訳では決してないのでございますが。」

と、信一郎はオズオズ云った。

「ホホホホ、貴方様も、他人の秘密を聴くことが、お好きだと見えますこと。」夫人は、たちまち信一郎を突き放すように云った。そのくせ、顔一杯に微笑を湛えながら、「恋人を突然奪われたその令嬢に、同情して、黙って私に委(まか)して下さいませ。私が責任をもって、青木さんの霊(たましい)が、満足遊ばすようにお計いいたしますわ。」

信一郎は、もう一歩も前へ出ることは出来なかった。そうした令嬢が、本当にいるかどうかは疑われた。が、夫人が時計の持主を、知っていることは確かだった。それが、夫人の云う通り、子爵の令嬢であるかどうかは分らないとしても。

「それでは、お委せいたしますから、どうかよろしくお願いいたします。」

そう引き退るよりほかはなかった。

「たしかにお引き受けいたしましたわ。貴方さまのお名前は、その方にも申上げておきますわ。きっと、その方も感謝なさるだろうと存じますわ。」

そう云いながら、夫人はその血の附いた時計を、懐から出した白い絹のハンカチーフに包んだ。

信一郎は、時計が案外容易に片づいたことが、嬉しいような、同時に呆気ないような気持がした。少年が紅茶を運んで来たのを合図のように立ち上った。

信一郎が、勧められるのを振切って、まさに玄関を出ようとしたときだった。夫人は、何かを思い付いたように云った。

「あ、ちょっとお待ち下さいまし。差上げるものがございますのよ。」と、呼び止めた。

五

信一郎が、暇を告げたときには何とも引き止めなかった夫人が、玄関のところで、急に後から呼び止めたので、信一郎はちょっと意外に思いながら、振り顧った。

「つまらないものでございますけれども、これをお持ち下さいまし。」

そう云いながら、夫人はいつの間に、手にしていたのだろう、プログラムらしいものを、信一郎にくれた。ちょっと開いて見ると、それは夫人の属するある貴婦人の団体で、催される慈善音楽会の入場券とプログラムであった。

「御親切に対する御礼は、妾から、致そうと存じておりますけれど、これはホンのお知己になったお印に差し上げますのよ。」

そう云いながら、夫人は信一郎に、最後の魅するような微笑を与えた。

「いただいておきます。」辞退するほどの物でもないので信一郎はそのままポケットに入れた。

「御迷惑でございましょうが、ぜひおいで下さいませ、それでは、その節またお目にかかります。」

そう云いながら、夫人は玄関の扉の外へ出てしばらくは信一郎の歩み去るのを見送っているようであった。

電車に乗ってから、しばらくの間信一郎は夫人に対する酔いから、醒めなかった。それは確かに酔心地とでもいうべきものだった。夫人と会って話している間、信一郎はそのキビキビした表情や、優しいけれども、のしかかって来るような言葉に、云い知れぬ魅力をさえ感じていた。男を男とも思わないような夫人に、もっとグングン引きずられたいような、不思議な慾望をさえ感じていたのである。

が、そうした酔いが、だんだん醒めかかるにつれ、冷たい反省が信一郎の心を占めた。彼は、今日の夫人の態度が、何となく気にかかり始めた。夫人の態度か、言葉かのどこかに、嘘偽りがあるように思われてならなかった。最初冷静だった夫人が、遺言という言葉を聞くと、急に緊張したり、時計をしばらく見詰めてから、急に持主を知っていると云い出したりしたことが、今更のように、疑念の的になった。疑ってかかると、信一郎は大事な青年の遺品を、夫人から体よく捲き上げられたようにさえ思われた。従って、夫人の手によって、時計が本当の持主に帰るかどうかさえが、かなり不安に思われ出した。

その時に、信一郎の頭の中に、青年の最後の言葉が、アリアリと甦って来た。『時計を返してくれ』と云う言葉の、語調までが、ハッキリと甦って来た。その叫びのうちには、恋の遺品を返すことを、頼む言葉としては、余りに悲痛だった。その叫びのうちには、もっと鋭い骨を刺すような何物かが、混じっていたように思われた。『返してくれ』という言葉の中に『突っ返してくれ』というような凄い語気を含んでいたことを思い出した。たとい、死際であろうとも、恋人に物を返すことを、あれほど悲痛に頼むことはないはずだと思われた。

そう考えてくると、瑠璃子夫人の云った子爵令嬢と青年との恋愛関係は、烟(けむり)のように頼り無いことのようにも思われた。夫人はああした口実で、あの時計を体よく取返したのではあるまいか。本当は、自分のものであるのを、他人のものらしく、体よく取返したのではあるまいか。

が、そう疑ってみたものの、それを確かめる証拠は何もなかった。それを確かめるために、もう一度夫人に会ってみても、あの夫人の美しい容貌と、溌剌(はつらつ)な会話とで、もう一度体よく追い返されることは余りに判りきっている。

信一郎は、夫人の張る蜘蛛の網にかかった蝶か何かのように、手もなく丸め込まれ、肝心な時計を体よく、捲き上げられたように思われた。彼は、自分の腑甲斐(ふがい)なさが、口惜しく思われて来た。

彼の手を離れても、謎の時計は、やっぱり謎の尾を引いている。彼はどうかして、その謎を解きたいと思った。

その時にふと、彼は青年が海に捨つるべく彼に委託したノートのことを思い出したのである。

六

青年から、海へ捨てるように頼まれたノートを、信一郎はまだトランクのうちに、持っていた。海に捨てる機会を失したので、焼こうか裂こうかと思いながら、ついそのままになっていたのである。

それを、今になって披いて見ることは、死者に済まないことには違いなかった。が、時計の謎を知るためには、——それと同時に瑠璃子夫人の態度の謎を解くためには、ノートを見ることよりほかに、何の手段も思い浮ばなかった。あんな秘密な時計をさえ、自分には託したのだ、その時計の本当の持主を知るために、ノートを見るくらいは、許してくれるだろうと、信一郎は思った。

でも家に帰って、まだ旅行から帰ったままに、放り出してあったトランクを開いたとき、信一郎はかなり良心の呵責を感じた。

が、彼が時計の謎を知ろうという慾望は、もっと強かった。美しい瑠璃子夫人の謎を解こうという慾望は、もっと強かった。

彼は、恐る恐るノートを取り出した。秘密の封印を解くような興奮と恐怖とで、オズオズ表紙を開いてみた。彼の緊張した予期は外れて、最初の二三枚は、白紙だった。その次の五六枚も、白紙だ。彼は、裏切られたようなイライラしさで、全体を手早くめくってみた。が、どの頁も、真白な汚れない頁だった。彼が、妙な失望を感じながら、最後までめくって行ったとき、やっとそこに、インキの匂いのまだ新しい青年の手記を見たのである。それは、ノートの最後から、逆にかき出されたものだった。

信一郎は胸を躍らしながら、貪るようにその一行一行を読んだのである。かなり興奮して書いたと見え、字体が荒んでいる上に、字の書き違いなどが、かしこにもここにもあった。


——彼女は、蜘蛛だ。恐ろしく、美しい蜘蛛だ。自分が彼女に捧げた愛も熱情も、ただ彼女の網にかかった蝶の身悶えに、過ぎなかったのだ。彼女は、彼女の犠牲の悶えを、冷やかに楽しんで見ていたのだ。

今年の二月、彼女は自分に、愛の印だと云って、一個の腕時計をくれた。それを、彼女の白い肌から、すぐ自分の手首へと、移してくれた。彼女は、それをかけ替えのない秘蔵の時計であるようなことを云った。彼女を、純真な女性であると信じていた自分は、そうした賜物を、どんなに欣んだかも知れなかった。彼女を囲んでいる多くの男性の中で、自分こそ選ばれたる唯一人であると思った。勝利者であると思った。自分は、人知れず、得々としてこれを手首に入れていた。彼女の愛の把握がそこにあるように思っていた。彼女の真実の愛が、自分一人にあるように思っていた。

が、自分のそうした自惚は、そうした陶酔は滅茶苦茶に、蹂み潰されてしまったのだ。皮肉に残酷に。

昨日自分は、村上海軍大尉とともに、彼女の家の庭園で、彼女の帰宅するのを待っていた。その時に、自分はふと、大尉がその軍服の腕を捲り上げて、腕時計を出して見ているのに気が付いた。よく見ると、その時計は、自分の時計に酷似しているのである。自分はそれとなく、一見を願った。自分が、その時計を、大尉の頑丈な手首から、取り外した時の駭きは、どんなであったろう。もし、大尉がそこに居合せなかったら、自分は思わず叫声を挙げたに違いない。自分が、それを持っている手は思わず、顫えたのである。

自分は急き込んで訊いた。

「これは、どこからお買いになったのです。」

「いや、買ったのではありません。ある人から貰ったのです。」

大尉の答は、憎々しいほど、落ち着いていた。しかも、その落着きの中に、得意の色がアリアリと見えているではないか。

七

――その時計は、自分の時計と、寸分違ってはいなかった。象眼の模様から、鏤めてあるダイヤモンドの大きさまで。それは、彼女に取ってかけ替えのない、たった一つの時計ではなかったのか。自分は自分の手中にある大尉の時計を、庭の敷石に、叩き付けてやりたいほど興奮した。が、大尉は自分の興奮などには気の付かないように、「どうです。仲々奇抜な意匠でしょう。ちょっと類のない品物でしょう。」と、その男性的な顔に得意な微笑を続けていた。自分は、自分の右の手首に入れているそれと、寸分違わぬ時計を、大尉の眼に突き付けて大尉の誇り(プライド)を叩き潰してやりたかった。が、大尉に何の罪があろう。自分達立派な男子二人に、こんな皮肉な残酷な喜劇を演ぜしめるのは、皆彼女ではないか。彼女が操る蜘蛛の糸のためではないか。自分は、彼女が帰り次第、真向から時計を叩き返してやりたいと思った。

が、彼女と面と向って、不信を詰責しようとしたとき、自分はかえって、彼女から忍びがたい恥しめを受けた。自分は小児の如く、翻弄(ほんろう)され、奴隷の如く卑しめられた。しかも、美しい彼女の前に出ると、たわいもなく、黙り込む自分だった。自分は、憤(いきどお)りと恨みとのために、わなわな顫えながらしかも指一本彼女に触れることが出来なかった。自分は力と勇気とが、欲しかった。彼女の華奢(きゃしゃ)な心臓を、一思いに突き刺し得るだけの勇気と力とを。

が、二つとも自分には欠けていた。彼女を刺す勇気のない自分は、彼女を忘れようとして、都を離れた。が、彼女を忘れようとすればするほど、彼女の面影は自分を追い、自分を悩ませる。

手記はここで中断している。が、半頁ばかり飛んでから、前よりももっと乱暴な字体で始まっている。

どうしても、彼女の面影が忘れられない。それが蝮のように、自分の心を嚙み裂く。彼女を心から憎みながら、しかも片時も忘れることが出来ない。彼女が彼女のサロンで多くの異性に取り囲まれながら、あの悩ましき媚態を惜しげもなく、示しているかと思うと、自分の心は、夜の如く暗くなってしまう。自分が彼女を忘れるためには、彼女の存在を無くするか、自分の存在を無くするか、二つに一つだと思う。

またちょっと中断されてから、

そうだ、いっそ死んでやろうかしら。純真な男性の感情を弄ぶことが、どんなに危険であるかを、彼女に思い知らせてやるために。そうだ。自分の真実の血で、彼女の偽りの贈物を、真赤に染めてやるのだ。そして、彼女の僅かに残っている良心を、恥しめてやるのだ。

手記は、ここで終っている。信一郎は、深い感激の中に読み了った。これで見ると、青年の死は、形は奇禍であるけれども、心持は自殺であると云ってもよかったのだ。青年は死場所を求めて、箱根から豆相の間を逍遥っていたのだった。彼の奇禍は、彼の望み通りに、偽りの贈り物を、彼の純真な血で真赤に染めたのだ。が、その血潮が、彼女の心に僅かに残っている良心を、恥しめ得るだろうか。『返してくれ』と云ったのは『叩き返してくれ』という意味だった。信一郎は果して叩き返しただろうか。

彼女が、瑠璃子夫人であるかどうかは、手記を読んだ後も、判然とは判らなかった。が、ただ生易しく平和のうちに、返すべき時計でないことは明らかだった。その時計の中に含まれている青年の恨みを、相手の女性に、十分思い知らさなければならない時計だったのだ。ただ、ボンヤリと返しただけでは青年の心は永久に慰められていないのだ。信一郎はもう一度瑠璃子夫人の手から取り返して、青年の手記の所謂『彼女』に突き返してやらねばならぬ責任を感じたのである。

が、『彼女』とは一体誰であろう。

そのかみの事

一

「あら！ お危うございますわ。」と赤い前垂掛の女中姿をした芸者達に、追い纏われながら、荘田勝平は庭のちょうど中央にある丘の上へ、登って行った。飲み過ごした三鞭酒のために、かなり危かしい足付きをしながら。

丘の上には、数本の大きい八重桜が、爛漫と咲乱れて、移り逝く春の名残りを止めていた。そこから見渡される広い庭園には、晩春の日が、うらうらと射している。五万坪に近い庭には、幾つもの小山があり芝生があり、芝生が緩やかな勾配を作って、落ち込んで行ったところには、美しい水の湧く泉水があった。

その小山の上にも、麓にも、芝生の上にも、泉水の畔りにも、数奇を凝らした四阿の中にも、モーニングやフロックを着た紳士や、華美な裾模様を着た夫人や令嬢が、三々伍々打ち集うているのだった。

人の心を浮き立たすような笛や鼓の音が、楓の林の中から聞えている。小松の植込の中からは、そこに陣取っている、三越の少年音楽隊の華やかな奏楽が、絶え間なく続いている。拍子木が鳴っているのは、市村座の若手俳優の手踊りが始まる合図だった。それに吸い付けられるように、裾模様や振袖の夫人達が、その方へゾロゾロと動いて行くのだった。

勝平は、そうした光景や、物音を聞いていると、得意と満足との微笑が後から後から湧いて来た。自分の名前によって帝都の上流社会がこんなに集まっている。自分の名によって、大臣も来ている。大銀行の総裁や頭取も来ている。侯爵や伯爵の華族達も見えている。いろいろな方面の名士を、一堂の下に蒐めている。自分の名によって、自分の社会的位置で。

そう考えるに付けても、彼はこの三年以来自分に降りかかって来た夢のような華やかな幸運が、振り顧みられた。

戦争が始まる前は、神戸の微々たる貿易商であったのが、偶々持っていた一隻の汽船が、幸運の緒を紡いで極端な遣繰りをして、一隻一隻と買い占めて行った船が、お伽噺の中の白鳥のように、黄金の卵を、次々に産んで、わずか三年後の今は、千万円を越す長者になっている。

しかも、金が出来るに従って、彼は自分の世界が、だんだん拡がって行くのを感じた。今までは、『そこにいるか』とも声をかけてくれなかった人々が、いつの間にか自分の周囲に蒐まって来ている。近づき難いと思っていた一流の政治家や実業家達が、いつの間にか、自分と同じ食卓に就くようになっている。自分を招待したり、自分に招待されたりするようになっている。その他、彼の金力が物を云うところは、到るところにあった。緑酒紅燈の巷でも、彼は自分の金の力が万能であったのを知った。彼は、金さえあれば、何でも出来ると思った。現に、この庭園なども、都下で屈指の名園を彼が五十万円に近い金を投じて買ったのである。現に、今日の園遊会も、一人宛百金に近い巨費を投じて、新邸披露として、都下の名士達を招んだのである。

聞えて来る笛の音も、鼓の音も奏楽の響きも、模擬店でビールの満を引いている人達の哄笑も、勝平の耳には、彼の金力に対する讃美の声のように聞えた。『そうだ。すべては金だ。金の力さえあればどんなことでも出来る』と、心のうちで呟きながら、彼が日頃の確信を、一層強めたときだった。

「いや、どうも盛会ですな。」と、ビールの杯を右の手に高く翳しながら、蹌踉と近づいて来る男があった。それは、勝平とは同郷の代議士だった。その男の選挙費用も、悉く勝平のポケットから、出ているのだった。

「やあ！　お蔭さまで。」と、勝平は傲然と答えた。『ここにも俺の金の力で動いている男が一人いる。』と、心の中で思いながら。

二

「よく集まったものですね。随分珍しい顔が見えますね。松田老侯までが見えていますね。我輩一昨日は、英国大使館の園遊会に行きましたがね。とても、本日の盛況には及びませんね。もっとも、この名園を見るだけでも、来る価値は十分ありますからね。ハハハハ。」

代議士の沢田は真正面からお世辞を云うのであった。

「いい天気で、何よりですよ。ハハハハハ。」と、勝平は鷹揚に答えたが、内心の得意は、包隠すことが出来なかった。

「素晴らしい庭ですな。あすこの杉林から泉水の裏手へかけての幽邃な趣は、とても市内じゃ見られませんね。五十万円でも、これじゃ高くはありませんね。」

そう云いながら、沢田は持っていたビールの杯を、またグイと飲み乾した。色の白い肥った顔が、咽喉のところまで赤くなっている。彼は、転げかかるように、勝平に近づいて右の二の腕を捕えた。

「主人公が、こんな所に、逃げ込んでいては困りますね。さあ、あっちへ行きましょう。先刻も我党の総裁が、貴方を探していた。まだ挨拶をしていないと云って。」

沢田は、勝平をグングン麓の方へ、園遊会の賑わいと混雑の方へ引きずり込もうとした。

「いや、もう少しこのままにしておいて下さい。今日一時から、門のところで一時間半も立ち続けていた上に、先刻三鞭酒(シャンペンしゅ)を、六七杯も重ねたものだから。もうしばらく捨てておいて下さい。すぐ行きますよ、あとからすぐ。」

そう云って、捕えられていた腕を、スラリと抜くと、沢田はその機(はず)みで、一間ばかりひょろひょろと下へ滑って行ったが、そこでちょっと踏み止まると、

「それじゃ後ほど。」と云ったまま空になった杯(コップ)を、右の手で振り廻すようにしながら、ふらふら丘の麓にある模擬店の方へ行ってしまった。

園内の数ケ所で始まっている余興は、それぞれに来会した人々を、分け取りにしているのだろう。勝平の立っているこの広い丘の上にも五六人の人影しか、残っていなかった。勝平に付き纏っていた芸妓達も、さっき踊りが始まる拍子木が鳴ると、皆その方へ馳け出してしまった。

が、勝平は四辺(あたり)に人のいないのが、結局気楽だった。彼は、そこに置いてある白い陶製の腰掛に腰を下しながら、快い休息を貪っていた。心の中は、燃ゆるような得意さで一杯になりながら。

彼が、しばらく、ぼんやりと咲き乱れている八重桜の梢越しに、薄青く澄んでいる空を、見詰めている時だった。

「ここは静かですよ。早く上っていらっしゃい。」と、近くで若い青年の声がした。ふ

と、その方を見ると、スラリとした長身に、学校の制服を着けた青年が、丘の麓を見下しながら、誰かを麾いているところだった。

青年は、今日招待した誰かが伴って来た家族の一人であろう。勝平には、少しも見覚えがなかった。青年も、この家の主人公が、こんな淋しい処に、一人いようなどとは、夢にも気付いていないらしく、麓の方を麾いてしまうと、ハンカチーフを出して、そこにある陶製の腰掛の埃を払っているのだった。

急に、丘の中腹で、うら若い女の声がした。

「まあ、ひどい混雑ですこと。妾いやになりましたわ。」

「どうせ、園遊会なんてこうですよ。あの模擬店の雑沓は、どうです。見ているだけでも、あさましくなるじゃありませんか。」と、青年は丘の中腹を、見下しながら、答えた。

それには何とも答えないで、昇って来るらしい人の気勢がした。青年の言葉に、ちょっと傷つけられた勝平は、じっとその方を、睨むように見た。最初、前髪を左右に分けた束髪の頭の形が見えた。それに続いて、細面の透き通るほど白い女の顔が現れた。

三

やがて、女は丘の上に全身を現した。年は十八か九であろう。その気高い美しさは、彼女の頭上に咲き乱れている八重桜の、絢爛たる美しさをも奪っていた。目も醒むるような藤納戸色の着物の胸のあたりには、五色の色糸のかすみ模様の繡が鮮やかだった。そのぼかされた裾には、さくら草が一面に散り乱れていた。白地に孔雀を浮織にした唐織の帯には、帯止めの大きい真珠が光っていた。

「疲れたでしょう。お掛けなさい。」

青年は、埃を払った腰掛を、女に勧めた。彼女は勧められるままに、腰を下しながら、横に立っている青年を見上げるようにして云った。

「妾来なければよかったわ。でも、お父様が一緒に行こう行こうと云って、お勧めになるものですから。」

「僕も、妹のお伴で来たのですが、こう混雑しちゃ厭ですね。それに、この庭だって、都下の名園だそうですけれども、ちっともよくないじゃありませんか。少しも、自然な素直なところがありゃしない。いやにコセコセしていて、人工的な小刀細工が多すぎるじゃありませんか。殊に、あの四阿の建て方なんか厭ですね。」

年の若い二人は、この日の園遊会の主催者なる勝平が、ただ一人こんな淋しい処にいようなどとは夢にも考え及ばないらしく、勝平の方などは、見向きもしないで話し続けた。

「お金さえかければいいと思っているのでしょうか。」

美しい令嬢は、その美しさに似合わないような皮肉な、口の利き方をした。

「どうせ、そうでしょう。成金といったような連中は、金額ということよりほかには、何にも趣味がないのでしょう。すべての事を金の物差で計ろうとする。金さえかければ、何でもいいものだと考える。今日の園遊会なんか、一人宛五十円とか百円とかを、入れるとか何とか云っているそうですが、あの俗悪な趣向を御覧なさい。」

青年は、何かに激しているように、吐き出すように云った。

先刻から、聞くともなしに、聞いていた勝平は、烈しい怒りで胸の中が、煮えくり返るように思った。彼は、立ち上りざま、悪口を云っている青年の細首を捕えて、邸の外へ放り出してやりたいとさえ思った。彼は若い時、東京に出たときに労働をやった時の名残りに、残っている二の腕の力瘤を思わず撫でた。が、さすがに彼の位置が、つい三四分前まで、あんなに誇らしく思っていた彼の社会的位置が彼のそうした怒りを制してくれた。彼は、ムラムラと湧いて来る心を抑えながら、青年の云うことを、じっと聞き澄していた。

「成金だとか、何とかよく新聞などに、彼等の豪奢な生活を、謳歌しているようですが、金で贏うる彼等の生活は、どんなに単純で平凡でしょう。金が出来ると、女色を漁る、自動車を買う、邸を買う、家を新築する、分りもしない骨董を買う、それ切りですね。中に、よっぽど心掛のいい男が、寄附をする。物質上の生活などは、いくら金をかけても、すぐ尽きるのだ。金で、自由になる芸妓などを、弄んでいて、よく飽きないものですね。」

青年は、成金全体に、何か烈しい恨みでもあるように、罵りつづけた。

「飽きるって。そりゃどうだか、分りませんね。貴方のように、敏感な方なら、すぐに飽きるでしょうが、彼等のように鈍い感じしか持っていない人達は、いつまで同じことをやっていても飽きないのじゃなくって！」女は、美しいしかし冷めたい微笑を浮べながら云った。

「貴方は、悪口は僕より一枚上ですね。ハハハハハハ。」

二人は相顧みて、会心の笑いを笑い合った。

黙って聞いていた勝平の顔は、憤怒のため紫色になった。

四

まだ年の若い元気な二人は、自分達の会話が、傍に居合すこの邸の主人の勝平にどんな影響を与えているかという事は、夢にも気の付いていないように、無遠慮に自由に話し進んだ。

「でも、お招ばれを受けていて、悪口を云うのは悪いことよ。そうじゃなくって。」

令嬢は、右の手に持っている華奢な象牙骨の扇を、弄りながら、青年の顔を見上げながら、さすがに女らしく云った。

「いや、もっと云ってやってもいいのですよ。」と、青年はその浅黒い男性的な凛々しい顔を、一層引き緊めながら、「第一華族階級の人達が、成金に対する態度なども、かなり卑しいと思っているのですよ。平生門閥だとか身分だとかいう愚にも付かないものを、自慢にして、平民だとか町人だとか云って、軽蔑しているくせに、相手が金があると、平民だろうが、成金だろうが、こっちからペコペコして接近するのですからね。僕の父なんかも、いつの間にか、あんな連中と知己になっているのですよ。この間も、あんな連中に担がれて、何とかいう新設会社の重役になるとか云って、騒いでいるものですから、僕はウンと云ってやったのですよ。」

「おや！　今度は、お父様にお鉢が廻ったのですか。」女は、青年の顔を見上げて、ニッコリ笑った。

「そこへ来ると、貴女のお父様なんか立派なものだ。どこへ出しても恥しくない。いつでも、清貧に安じていらっしゃる。」青年は靴の先で散り布いている落花を踏み躙りながら云った。

「父のは病気ですのよ。」女は、ちょっと美しい眉を落し「あんなに年が寄っても、道楽が止められないのですもの。」そう云った声は、ちょっと淋しかった。

「道楽じゃありませんよ。男子として、立派な仕事じゃありませんか。三十年来貴族院の闘将として藩閥政府と戦って来られたのですもの。」

青年は、女を慰めるように云った。が、先刻成金を攻撃したときほどの元気はなかった。二人は話がいつか、理に落ちて来たためだろう。どちらからともなく、黙ってしまった。青年は、他の一つの腰掛を、二三尺動かして来て、女と並んで腰をかけた。生あたたかい晩春の微風が、襲って来たためだろう。花がしきりに散り始めた。

勝平は先刻から、幾度この場を立ち去ろうと思ったか、分らなかった。が、自分に対する悪評を怖れて、コソコソと逃げ去ることは、傲岸な彼の気性が許さなかった。張り裂けるような憤怒を、胸に抑えて、じっと青年の攻撃を聞いていたのであった。

彼は、つい十分ほど前まで、今日の園遊会に集まっている、すべての人々は自分の金力に対する讃美者であると思っていた。讃美者ではなくとも、少くとも羨望者であると思っていた。否少くとも、自分の持っている金の力だけは、認めてくれる人達だと思っていた。今日集まっている首相を初め、いろいろな方面の高官も、M公爵を筆頭に多くの華族連中も、海軍や陸軍の将官達も、銀行や会社の重役達も、学者や宗教家や、角力や俳優達も、自分の持っている金力の価値だけは認めてくれる人だと思っていた。認めていてくれればこそやって来たのだと思っていた。それだのに、歯牙にもかけたくない、生若い男女の学生が、たとい貴族の子女であるにしろ、今日の会場の中央で、たとい自分の顔を見知らぬにせよ、自分の目前で、自分の生活を罵るばかりでなく、自分が命綱とも思う金の力を、頭から否定している。金を持っている自分達の生活を、否人格まで、散々に辱めている。そう考えて来ると、先刻まで晴やかに華やかに、昂ぶっていた勝平の心は、苦い韮を喰ったように、不快な暗いものになってしまった。彼は、かすり傷を負った豹のような、凄い表情をしながら、二人の後姿を睨んでいた。もう一言何とか云ってみろ。そのままには済まさないぞ。彼の激昂した心がそうした呻きを洩して居た。

五

そうした恐ろしい豹が、彼等の背後に踞まっていようとは、気の付いていない二人は、今度は四辺を憚るように、しめやかに何やら話し始めた。

もう一言、学生が何か云ったら、飛び出して、面と向って云ってやろうと、逸っていた勝平も、相手が急に静かになったので、拍子抜けがしながら、しかもそのまま立ち去ることも、業腹なので、二人の容子を、じっと睨み詰めていた。

自分に対する罵詈のために、カッとなってしまって、青年の顔も少女の顔も、十分眼に入らなかったが、今は少し心が落ち着いたので、二人の顔を、更めて見直した。

気が付いて見れば見るほど、青年は男らしく、美しく、女は女らしく美しかった。殊に、少女の顔に見る浄い美しさは、勝平などが夢にも接したことのない美しさだった。

彼は、心の中で、金で購った新橋や赤坂の、名高い美妓の面影と比較してみた。何という格段な相違がそこにあっただろう。彼等の美しさは、造花の美しさであった。偽真珠の美しさであった。一目だけは、ごまかしが利くが二目見るともう鼻に付く美しさであった。が、この少女は、夜ごとに下る白露に育まれた自然の花のような生きた新鮮な美しさを持っていた。人間の手の及ばない海底に、自然と造り上げらるる、天然真珠の如き輝きを持っていた。一目見て美しく、二目見て美しく、見直せば見直すごとに蘇って来る美しさを持っていた。

勝平が、今まで金で買い得た女性の美しさは、この少女の前では、皆偽物だった。金で買い得るものと思っていたものは、皆贋物だったのだ。勝平はこの少女の美しさからも、今までの誇り（プライド）をかなり傷つけられてしまった。

それだけではなかった。この二人が、恋人同士であることが、勝平にもすぐそれと判った。二人の交している言葉は、低くて聞えなかったが、時々お互いに投げ合っている微笑には、愛情が籠（こ）もっていた。愛情に燃えていながら、しかも浄く美しい微笑だった。二人の睦（むつま）じい容子を見ているうちに、勝平の心の中の憤怒はいつの間にか、嫉妬（しっと）をさえ交えていた。『すべてのことは金だ。金さえあればどんなことでも出来る。』と思っていた彼の誇りは、根底から揺り動かされていた。この二人の恋人が、今感じ合っているような幸福は、勝平の全財産を、投じても得られるか、どうか分らなかった。少女の顔に浮ぶ、浄いしかも愛に溢（あふ）れた微笑の一つでさえ、購うことが出来るだろうか。いかにも、新橋や赤坂には、彼に対して、千の媚を呈し、万の微笑を贈る女は、いくらでもいる。が、その媚や微笑の底には、袖乞いのような卑しさや、狼のような貪慾（どんよく）さが隠されていた。この若い男女が交しているような微笑とは、金剛石と木炭のように違っていた。同じ炭素から成っていても、金剛石が木炭と違うように、同じ笑でも質が違っていたのだ。

青年が、勝平の金力をあんなに、罵倒するのも無理はなかった。実際彼は、金力では得られない幸福があることを、勝平の前で示しているのだった。

青年の罵倒が単なる悪口でなく、勝平に取っては、苦い真理であるだけに、勝平の恨みは骨に入った。また、罵倒した後で、罵倒する権利のあることを、勝平にマザマザと見せ付けただけに、勝平の憤りは、肝に銘じた。彼は、一突き刺された闘牛のように、怒っていた。もう、自制もなかった。彼が、先刻まで誇っていた社会的位置に対する遠慮もなかった。彼は樫の木に出来る木瘤のような拳を握りしめながら、今にも青年に飛びかかるような身構えをしていた。

その時に、蹲っていた青年がつと立ち上った。女も続いて立ち上りながら云った。

「でも、何か召し上ったらどう。折角いらしったのですもの。」

「僕は、成金輩の粟を食むを潔しとしないのです。ハハハハ。」

青年は、半分冗談で云ったのだった。が、憤怒に心の狂いかけていた勝平にとっては、最後の通牒だった。彼は、寝そべっていた獅子のように、猛然と腰掛から離れた。

六

勝平の激怒には、まだ気の付かない青年は、連れの女を促して、丘を下ろうとしているのだった。

「もし、もし、しばらく。」勝平の太い声も、さすがに顫えた。

青年は、何気ないように振返った。

「何か御用ですか。」落ち着いた、しかも気品のある声だった。それと同時に、連れの女も振返った。その美しい眉に、ちょっと勝平の突然な態度を咎めるような色が動いた。

「いや、お呼び止めいたして済みません。ちょっと御挨拶がしたかったのです。」と、云って勝平は、息を切った。昂奮のために、言葉が自由でなかった。二人の相手は、勝平の昂奮した様子を、不思議そうにジロジロと見ていた。

「先刻、皆様に御挨拶したはずですが、貴君方は遅くいらしったと見えて、まだ御挨拶をしなかったようです。私が、この家の主人の荘田勝平です。」

そう云いながら、勝平はわざと丁寧に、頭を下げた。が、両方の手は、激怒のために、ブルブルと顫えていた。

さすがに、青年の顔も、彼に寄り添うている少女の顔もサッと変った。が、二人とも少しも悪怯れたところはなかった。

「ああそうですか。いや、今日はお招きに与って有難うございます。僕は、御存じの杉野直の息子です。こちらに、いらっしゃるのは、唐沢男爵のお嬢さんです。」

青年の顔色は、青白くなっていたが、少しも狼狽した容子は見せなかった。昂然とした立派な態度だった。青年に紹介されて、しとやかに頭を下げた令嬢の容子にも、微塵も狼狽えた様子はなかった。

「いや、先刻から貴君の御議論を拝聴していました。いろいろ我々には、参考になりました。ハハハ。」

勝平は、高飛車に自分の優越を示すために、哄笑しようとした。が、彼の笑い声は、咽喉にからんだまま、調子外れの叫び声になった。

自分の罵倒が、その的の本人に聴かれたということが、明らかになると、青年もさすがに当惑の容子を見せた。が、彼は冷静に落ち着いて答えた。

「それはとんだ失礼を致しました。が、つい平生の持論が出たものですから、何とも止むを得ません。僕の不謹慎はお詫びします。が、持論は持論です。」

そう云いながら、青年は冷めたい微笑を浮べた。

自分が飛び出して出さえすれば、周章狼狽して、一溜りもなく参ってしまうだろうと思っていた勝平は、当が外れた。彼は、相手が思いのほかに、強いのでタジタジとなった。が、それだけ彼の憤怒は胸のうちに湧き立った。

「いや、お若いときは、金なんかと云って、よく軽蔑したがるものです。私なども、その覚えがあります。が、今にお判りになりますよ。金が、人生に於てどんなに大切であるかが。」

勝平は、出来るだけ高飛車に、上から出ようとした。が、青年は少しも屈しなかった。

「僕などは、そうは思いません。世の中で、高尚な仕事の出来ない人が、金でも溜めてみようということに、なるのじゃありませんか。僕は事業を事業として、楽しんでいる実業家は好きです。が、事業を金を得る手段と心得たり、また得た金の力を他人に、見せびらかそうとするような人は嫌いです。」

もう、そこに何等の儀礼もなかった。それは、言葉で行われている格闘だった。青年の顔も蒼ざめていた。勝平の顔も蒼ざめていた。

「いや、何とでも仰しゃるがよい。が、理窟じゃありません。世の中のことは、お坊ちゃんの理想通りに行くものではありません。貴君にも金の力がどんなに恐ろしいかが、お判りになるときが来ますよ。いや、きっと来ますよ。」

勝平は、その大きい口を、きっと結びながら青年を睨みすえた。が、青年のすぐ傍に、立ち竦んだまま、黙っている彫像のような姿に目を転じたとき、勝平の心は、再びタジタジとなった。その美しい顔は勝平に対する憎悪に燃えていたからである。

七

青年が、何かを答えようとしたとき、女は突如彼を遮った。

「もういいじゃございませんか。私達が、参ったのがいけなかったのでございますもの。御主人には御主人の主義があり貴君には貴君の主義があるのですもの。そのいずれが正しいかは、銘々一生を通じて試してみるほかはありませんわ。さあ、失礼をしてお暇しようじゃありませんか。」

少女は、青年より以上に強かった。そこには火花が漏れるような堅さがあった。それだけ、勝平に対する侮辱も、甚だしかった。こんな男と言葉を交えるのさえ、馬鹿馬鹿しいと、いった表情が、彼女のどこかに漂っていた。孔雀のように美しい彼女は、孔雀のような態度を持っているのだった。

青年も、自分の態度を、あまり大人げないと思い返したのだろう。女の言葉を、戈を収める機会にした。

「いや、とんだ失礼を申上げました。」

そう云い捨てたまま、青年は女と並んで足早に丘を下って行った。敵に、素早く身を躱されたように、勝平は心の憤怒を、少しも晴さないうちに、やみやみと物別れになったのが、口惜しかった。もっと、何とか云えばよかった、もっと、青年を恥しめてやればよかったと、口惜しがった。睦じそうに並んで、遠ざかって行く二人を見ていると、思わず飛び出したところを、手もなく扱われて、マザマザと判って来た。青年の罵倒に口惜しがって、勝平は自分の敗れたことが、うまく肩透かしを喰ったのだった。どんな点から、考えてみても、自分にいい所はなかった。敗戦だった。醜い敗戦だった。そう思うと、わざわざ五万を越す大金を消って、園遊会をやったことまでが、馬鹿らしくなった。大臣や総裁や公爵などの挨拶を受けて、有頂天にまで行った心持が、生若い男女のために地の底へまで引きずり込まれたのだ。

彼の憤りと恨みとが、胸の中で煮えくり返った時だった。その憤りと恨みとの嵐の中に、徐々に鎌首を擡げて来た一念があった。それは、云うまでもなく、復讐の一念だった。そうだ、俺の金力を、あれほどまで、侮辱した青年を、金の力で、骨まで思い知らしてやるのだ。青年に味方して、俺にあんな憎悪の眼を投げた少女を、金の力で髄までも、思い知らしてやるのだ。そう思うと、彼の胸に、新しい力が起った。

青年の父の杉野直という子爵も、少女の父の唐沢男爵も、ともに聞えた貧乏華族である。黄金の戈の前に、黄金の剣の前には、何の力もない人達だった。

が、どうして戦ったらいいだろう。彼等の父を苛めることは何でもないことに違いない。が、単なる学生である彼等を、苛める方法は容易に浮かんで、来なかった。その時に、勝平の心に先刻の二人の様子が浮かんだ。睦じく語っている恋人同士としての二人が浮かんだ。それと同時に、電のように、彼の心にある悪魔的な考えが思い浮かんだ。その考えは、電のように消えないで、徐々に彼の頭に喰い入った。

まだ、春の日は高かった。彼が招いた人達は園内の各所に散って、春の半日を楽しく遊び暮している。が、その人達を招いた彼だけは、ただ一人怏々たる心を懐いて、長閑な春の日に、悪魔のような考えを、考えている。

「あら、まだここにいらしったの、方々探したのよ。」

突如、後に騒がしい女の声がした。先刻の芸妓達が帰って来たのである。

「さあ！　あっちへいらっしゃい。お客様が皆、探しているのよ。」二三人彼のモーニングコートの腕に縋った。

「ああ行くよ行くよ。行って酒でも飲むのだ。」彼は、気の抜けたように、呟きながら、芸妓達に引きずられながら、もう何の興味も無くなった来客達の集まっている方へ拉(らっ)せられた。

父と子

一

『また お父様と兄様の争いが始まっている。』そう思いながら、瑠璃子は読みかけていたツルゲネフの『父と子』の英訳の頁を、閉じながら、段々高まって行く父の声に耳を傾けた。

『父と子』の争い、もっと広い言葉で云えば旧時代と新時代との争い、旧思想と新思想との争い、それは十九世紀後半の露西亜(ロシア)や西欧諸国だけの悩みではなかった。それは、一種の伝染病として、いつの間にか、日本の上下の家庭にも、侵入しているのだった。

五六十になる老人の生活目標と、二十年代の青年の生活目標とは、雪と炭のように違っている。一方が北を指せば、一方は西を指している。老人が『山』と云っても、青年は『川』とは答えない。それだのに、老人は自分の握っている権力で、父としての権力や、支配者としての権力や、上長者としての権力で、青年を束縛しようとする。西へ行きたがっている者を、自分と同じ方向の、北へ連れて行こうとする。そこから、色々な家庭悲劇が生れる。

瑠璃子は、父の心持も判った。兄の心持も判った。父の時代に生れ、父のような境遇に育ったものが、父のような心持になり、父のような目的のために戦うのは、当然であるように想われた。が、兄のような時代に生れ、兄のような境遇に育ったものが、兄のように考えるのもまた当然であるように思われた。父も兄も間違ってはいなかった。お互いに、間違っていないものが、争っているだけに、その争いはいつが来ても、止むことはなかった。いつが来ても、一致しがたい平行線の争いだった。

母が、昨年死んでから、淋しくなった家庭は、取り残された人々が、その淋しさを償うために、以前よりも、もっと睦じくなるべきはずだのに、実際はそれと反対だった。調和者（ピィスメイカア）としての母がいなくなったため、兄と父との争いは、前よりも激しくなり、露骨になった。

「馬鹿を云え！　馬鹿を云え！」

父のしわがれた張り裂けるような声が、聞えた。それに続いて、何かを擲（なげう）つような物音が、聞えて来た。

瑠璃子は、その音をきくと、いつも心が暗くなった。また父が兄の絵具を見付けて、擲っているのだ。

そう思っていると、またカンバスを引き裂いているらしい、帛（きぬ）を裂く激しい音が聞えた。瑠璃子は、思わず両手で、顔を掩うたままかすかに顫えていた。

芸術といったようなものに、粟粒ほどの理解も持っていない父が悲しかった。絵を描くことを、ペンキ屋が看板を描くのと同じくらいに卑しく見貶している父の心が悲しかった。それと同じように、芸術をいろいろな人間の仕事の中で、一番尊いものだと思っている、兄の心も悲しかった。父から、描けば勘当だと厳禁されているにも拘わらず、コソコソと父の眼を盗んで、写生に行ったり、そっと研究所に通ったりする兄の心が、悲しかった。が、何よりも悲劇であることは、そうしたお互いに何の共鳴も持っていない人間同士が、父と子であることだった。父が、卑しみ抜いていることに、子が生涯を捧げていることだった。父の理想には、子が少しも同感せず、子の理由には父が少しも同感しないことだった。

カンバスが、引き裂かれる音がした後は、しばらくは何も聞えて来なかった。争いの言葉が聞えて来るうちは、それによって、争いの経過が判った。が、急に静かになってしまうと、かえって妙な不安が、聞いている者の心に起って来る。瑠璃子はまた父が、興奮の余り心悸が昂進して、物も云えなくなっているのではないかと思うと、急に不安になって来て、争いの舞台たる兄の書斎の方へ、足音を忍ばせながらそっと近づいて行った。

二

瑠璃子は、そっと足音を立てないように、縁側を伝うて兄の書斎へ歩み寄った。とどろく胸を押えながら縁側に向いている窓の硝子越しに、そっと室内をのぞき込んだ。彼女が予期した通りの光景がそこにあった。長身の父は威丈高に、無言のまま、兄を睨み付けて立っていた。痩せた面長な顔は、白く冷めたく光っている。腰の所へやっている手は、ブルブル顫えている。兄は兄で、昂然とそれに対していた。たださえ、蒼白い顔が、激しい興奮のために、血の気を失って、死人のように蒼ざめている。

父と子とは、思想も感情もスッカリ違っていたが、負けぬ気の剛情なところだけが、お互いに似ていた。父子の争いは、それだけ激しかった。

二人の間には、絵具のチューブが、滅茶苦茶に散っていた。父の足下には、三十号の画布が、枠に入ったまま、ナイフで横に切られていた。その上に描かれている女の肖像も、無残にも頰の下から胸へかけて、一太刀浴びているのだった。

そうした光景を見ただけで、瑠璃子の胸が一杯になった。父が、この兄を恥しめないように、兄が大人しく出てくれるようにと、心私かに祈っていた。

が、父と兄との沈黙は、それは戦いの後の沈黙でなくして、これからもっと怖しい戦いに入る前の沈黙だった。

画布までも、引き裂いた暴君のような父の前に、真面目な芸術家として兄の血は、熱湯のように、沸いたのに違いなかった。いつもは、父に対して、冷然たる反抗を示す兄だったが、今日は心の底から、憤っているらしかった。憤怒の色が、アリアリとその秀でた眉のあたりに動いていた。

「考えてみるがいい。堂々たる男子が、画筆などを弄んでいてどうするのだ。」父は、今まで張り詰めていた姿勢を、少し崩しながら、苦い物をでも吐き出すように云った。

「考えて、みるまでもありません。男子として、立派な仕事です。」兄の答えも冷たく鋭かった。

「馬鹿を云え！　馬鹿を？」父は、またカッとなってしまった。「画などというものは、男子が一生を捧げてやる仕事では決してないのだ。云わば余戯なのだ。なぐさみなのだ。お前が唐沢の家の嗣子でなければ、どんな事でも好き勝手にするがいい。が、俺の子であり、唐沢の家の嗣子である以上、お前の好き勝手にはならないのだ。唐沢の家には、画描きなどは出したくないのだ。俺の子は、画描きなどにはなって貰いたくないのだ！」

父は、そう叫びながら、手近にある卓の端を力委せに二三度打った。瑠璃子には、父が貴族院の演壇で獅子吼する有様が、どことなく偲ばれた。が、相手が現在の子であることが、父の姿をかなり淋しいものにした。

「お前は、父が三十年来の苦闘を察しないのか。お前は、俺の子として、父の志を継ぐことを、名誉だとは思わないのか、俺の志を継いで、俺が年来の望みを、果させてくれようとは思わないのか。お前は、唐沢の家の歴史を忘れたのか、お前にいつも話している、お祖父様の御無念を忘れたのか。」

それは、父が少し昂奮すれば、定って出る口癖だった。父は、それを常に感激をもって語った。が、子はそれを感激をもって聞くことが出来なかった。唐沢の家が、三万石の小大名ではあったが、足利時代以来の名家であるとか、維新の際には祖父が勤王の志が、厚かったにも拘わらず、薩長に売られて、朝敵の汚名を取り、悶々のうちに憤死したことや、その死床で洩した『敵を取ってくれ。』という遺言を体して、父が三十年来貴族院で、藩閥政府と戦って来たことなど、それは父にとって重大な一生を支配する生活の刺戟だったかも知れない。が、子に取っては、彼の画題となる一茎の草花に現れている、自然の美しさほどの、刺戟も持っていなかった。時代が違ってい、人間が違っていた。何の共通点もない人間同士が、血縁でつながっていることが、何より大きい悲劇だった。

「黙っていては分らない。何とか返事をなさい！」日本の大正の王リアは、こう云って石のように黙っている子に挑んだ。

三

「お父さん！」兄は静かに頭を擡げた。平素は、黙々として反抗を示すだけの兄だったが、今日は徹底的に云ってみようという決心が、その口の辺に動いていた。「貴方が、いくら仰しゃっても、僕は政治などには、興味が向かないのです。殊に現在のような議会政治には、何の興味も持っていないのです。僕は、お父さんの仰しゃるように、法科を出て政治家になるなどということには、何の興味もないのです。」兄の言葉は、針のように鋭く澄んで来た。

「もう少し待って下さい。もう少し、気長に私のすることを見ていて下さい。そのうちに、画を描くことが、人間としてどんなに立派な仕事であるか、堂々たる男子の事業として恥しくないかを、お父さんにも、お目にかけ得る時が来るだろうと思うのです。」

「ああよしてくれ！」父は排い退けるように云った。「そんな事は聞きたくない。馬鹿な！　画描きなどが、画を描くことなどが、……」父は苦々しげに言葉を切った。

「お父さんには、いくら云っても解らないのだ。」兄も投げ捨てるように云った。

「解ってたまるものか。」父の手がまたかすかに顫えた。

二人が、敵同士のように黙って相対峙しているうちに、二三分過ぎた。

「光一！」父は改まったように呼びかけた。

「何です！」兄も、それに応ずるように答えた。

「お前は、今年の正月俺が云った言葉を、まさか忘れはしまいな。」

「覚えています。」

「覚えているか、それじゃお前は、この家にはおられない訳だろう。」

兄の顔は、憤怒のために、見る見るうちに真赤になり、それが再び蒼ざめて行くに従って、悲壮な顔付きになった。

「分りました。出て行けと仰しゃるのですか。」怒りのために、兄はわなわな顫えていた。

「二度と、画を描くと、家には置かないと、あの時云っておいたはずだ。お前が、俺の干渉を受けたくないのなら、この家を出て行くほかはないだろう。」父の言葉は鉄のように堅かった。

瑠璃子は、胸が張り裂けるように悲しかった。一徹な父は、一度云い出すと、後へは引かない性質だった。それに対する兄が、父に劣らない意地張だった。彼女が、常々心配していた大破裂がとうとう目前に迫って来たのだった。

父の言葉に、カッと逆上してしまったらしい兄は、前後の分別もないらしかった。

「いや承知しました。」

そう云うかと思うと、彼は俯きながら、狂人のようにそこに落ち散っている絵具のチューブを拾い始めた。それを拾ってしまうと、机の引き出しを、滅茶苦茶に掻き廻し始めた。机の上に在った二三冊のノートのようなものを、風呂敷に包んでしまうと、彼は父にちょっと目礼して、飛鳥のように室から駈け出そうとした。

父が、駭いて引き止めようとする前に、狂気のように室内に飛び込んだ瑠璃子は、早くも兄の左手に縋っていた。

「兄さん！　待って下さい！」

「お放しよ。瑠璃ちゃん！」

兄は、荒々しく叱するように、瑠璃子の手をもぎ放した。

瑠璃子が、再び取り縋ろうとしたときに、兄は下へ行く階段を、激しい音をさせながら、電光の如く馳け下っていた。

「兄さん！　待って下さい！」

瑠璃子が、声をしぼりながら、後から馳け下ったとき、帽子も被らずに、玄関から門の方へ足早に走っている兄の後姿が、チラリと見えた。

四

兄の後姿が見えなくなると、瑠璃子はよよと泣き崩れた。張り詰めていた気が砕けて、涙はとめどもなく、双頰を湿おした。

母が亡くなってからは、父子三人の淋しい家であった。段々差し迫って来る窮迫に、召使の数も減って、ただ忠実な老婢と、その連合いの老僕とがいるだけだった。

それだのに、僅かしか残っていない歯の中から、またその目ぼしい一本が、抜け落ちるように、兄がいなくなる。父と兄とは、水火のように、どこまで行っても、調和するようには見えなかったけれども、兄と瑠璃子とは、仲のよい兄妹だった。母が亡くなってからは、更に二人は親しみ合った。兄はただ一人の妹を愛した。殊に父と不和になってから、肉親の愛を換し得るのはただ妹だけだった。妹もただ一人の兄を頼った。父からは、得られない理解や同情を兄から仰いでいた。瑠璃子には父の一徹も悲しかった。兄の一徹も悲しかった。

が、何よりも気遣われたのは、着のみ着のままで、飛び出して行った兄の身の上である。理性の勝った兄に、万一の間違いがあろうとは思われなかった。が、貧乏はしていても、華族の家に生れた兄は、独立して口を糊して行く手段を知っている訳はなかった。が、一時の激昂のために、カッと飛び出したもののきっと帰って来て下さるに違いない。あるいは麻布の叔母さんの家にでも、行くに違いない。やっと、そう気休めを考えながら、瑠璃子は涙を拭い拭い、階段を上って行った。二階にいる父のことも、気がかりになったからである。

父はやっぱり兄の書斎にいた。先刻と寸分違わない位置にいた。ただ、傍にあった椅子を引き寄せて、腰を下したままじっと俯いているのだった。たった一人の男の子に、背き去られた父の顔を見ると、瑠璃子の眼には新しい涙が、また一時に湧いて来るのであった。この頃、交じりかけた白髪が急に眼に立つように思った。

『歯が抜けて演説の時に声が洩れて困る』と、この頃口癖のように云う通り、口の辺りが淋しく凋びているのが、急に眼に付くように思った。

一生を通じて、やって来た仕事が、自分の子から理解せられない、それほど淋しいことが、世の中にあるだろうかと思うと、瑠璃子は、父に言葉をかける力もなくなって、そのまま床の上に、再び泣き崩れた。

最愛の娘の涙に誘われたのであろう。老いた政治家の頬にも、一条の涙の痕が印せられた。

「瑠璃子！」父の声には、さっきのような元気はなかった。

「はい！」瑠璃子は、涙声でかすかに答えた。

「出て行ったかい！　彼は？」さすがにどことなく恩愛の情が纏わっている声だった。

「はい！」彼女の声は前よりも、力がなかった。

「いやいい。出て行くがいい。志を異にすれば親でない、子でない、血縁は続いていても路傍の人だ。瑠璃子！　お前には、父さんの心持は解るだろう。お前だけは、俺の心持は解るだろう。お前が男であったら、きっとお父さんの志を継いでくれるだろうとは、平生思っているのだが。」父は元気に云った。が、声にも口調にも力がなかった。

瑠璃子は、それには何とも答えなかった。が、瑠璃子の胸に、一味焼くような激しい気性と、父にも兄にも勝るような強い意志があることは、彼女の平生の動作が示していた。それと同じように、貴族的な気品があった。昔気質の父が時々瑠璃子を捕えて『男なりせば』の嘆を漏すのも無理ではなかった。

まだ父が、何か云おうとする時であった。邸前の坂道を疾駆して馳け上る自動車の爆音が聞えたかと思うと、やがてそれが門前で緩んで、低い警笛と共に、一輛の自動車が、唐沢家の古びた黒い木の門の中に滑り入った。

五

父子の悲しい淋しい緊張は、自動車の音で端なく破られた。瑠璃子は、もっとこうしていたかった。父の気持も訊き、兄に対する善後策も講じたかった。彼女は、自分の家の恐ろしい悲劇を知らず顔に、自動車で騒々しく、飛び込んで来る客に、軽い憎悪をさえ感じたのである。

老婢は、何かに取り紛れているのだろう、容易に取次ぎには出て来ないようだった。

「老婢はいないかしら！」そう呟くと、瑠璃子は自分で、取次ぎするために、階段を下りかけた。

「大抵の人だったら、会えないと断るのだよ。いいかい。」

そう言葉をかけた父を振り顧って見ると、相変らず蒼い顫えているような顔色をしていた。

瑠璃子が、階段を下りて、玄関の扉を開けたとき、彼女は訪問者が、ちょっと意外な人だったのに駭いた。それは、彼女の恋人の父の杉野子爵であったからである。

「おやいらっしゃいまし。」そう云いながら、彼女は心の中でかなり当惑した。杉野子爵は、彼女にとっては懐しい恋人の父だった。が、父と子爵とは、決して親しい仲ではなかった。同じ政治団体に属していたけれども、二人は少しも親しんでいなかった。父は、内心子爵を賤しんでいた。政商達と結託して、私利を追うているらしい子爵の態度を、かなり不快に思っているらしかった。公開の席で、二三度かなり激しい議論をしたという噂なども、瑠璃子はいつとなく聴いていた。

そうした人を、こんな場合、父に取次ぐことは、心苦しかった。それかといって、自分の恋人の父を、情なく返す気にもなれなかった。彼女が躊躇しているのを見ると、子爵は不審そうに訊いた。

「いらっしゃらないのですか。」

「いいえ！」彼女は、そう答えるよりほかはなかった。

「杉野です。ちょっとお取次ぎを願います。」

そう云われると、瑠璃子は一も二もなく取次がずにはいられなかった。が、階段を上るとき、彼女の心にふとある動揺が起った。『まさか』と、彼女は幾度も打ち消した。が、打ち消そうとすればするほど、その動揺は大きくなった。

杉野子爵の長男直也は、父に似ぬ立派な青年だった。音楽会で知り合ってから、瑠璃子は知らず識らずその人に惹き付けられて行った。男らしい顔立ちと、彼の火のような熱情とが、彼女に対する大きな魅惑だった。二人の愛は、激しくしかも清浄だった。

二人は将来を誓い合った。学校を出れば、正式に求婚します。青年は口癖のように繰返した。

青年は今年の四月学習院の高等科を出ている。『学校を出るということが、学習院を出ることを、意味するなら。』そう考えると瑠璃子は踏んでいる足が、階段に着かぬように、そわそわした。まだ一度も、尋ねて来たことのない子爵が、わざわざ尋ねて来る。そう考えて来ると、瑠璃子の小さい胸は取り止めもなく掻き擾されてしまった。

が、ついこの間青年と園遊会で会ったとき、彼はおくびにも、そんなことは云わなかった。正式に突然求婚して、自分を駭かそうという悪戯かしら。彼女は、そんなことまで、咄嗟の間に空想した。

が、苦り切っている、父の顔を見たとき彼女の心は、急に暗くなった。たとい、それが瑠璃子の思う通りの求婚であったにしろ、父がオイソレと許すだろうか。心の中で、賤しんでいる者の子息に、最愛の娘を与えるだろうか。子は子である。父は父である。これくらいの事理の分らない父ではない。が、兄が突然家出して、さなきだに淋しい今、自分を手離して、他家へやるだろうか。そう思うと、瑠璃子の心に伸びた空想の翼は、またたちまち半ば以上切り取られてしまった。が、万一そうなら、また万一父が容易に承諾したら？

「あの！　杉野子爵がお見えになりました。」彼女の息はかなりはずんでいた。

六

父は娘の心を知らなかった。杉野子爵の突然の来訪を、迷惑がる表情がありありと動いた。

「杉野！　ふーむ。」父は苦り切ったまま容易に立とうとはしなかった。

父が、杉野子爵に対してこうした感情を持っている以上、また兄の家出という傷ましい事件が起っている以上、たとい子爵の来訪が、瑠璃子の夢見ている通りの意味を持っていたにしろ、容易に纏まるはずはなかった。そう考えると、彼女の心は、墨を流したように暗くなってしまった。

「仕方がない！　お通しなさい！」そう云ったまま、父は羽織を着るためだろう、階下の部屋へ下りて行った。

瑠璃子は、恋人の父と自分の父との間に、まつわる不快な感情を悲しみながら、玄関へ再び降りて行った。

「お待たせいたしました、どうぞお上り下さいませ。」

「いや、どうも突然伺いまして。」と、子爵は如才なく挨拶しながら先に立って、応接室に通った。

古いガランとした応接室には、何の装飾もなかった。明治十幾年に建てたという洋館は、間取りも様式も古臭く旧式だった。瑠璃子は、客を案内するごとに、旧式の椅子の蒲団が、破れかけていることなどが気になった。

父は、すぐ応接室へ入った。心の中の感情はかなり隔たっていたが、面と向うと、さすがに打ち解けたような挨拶をした。瑠璃子は、茶を運んだり、菓子を運んだりしながらも、主客の話が気にかかった。が、話は時候の挨拶から、政界の時事などに進んだまま用向きらしい話には、容易に触れなかった。

立ち聞きをするような、はしたないことは、思いも付かなかった。瑠璃子は、来客が気になりながらも、自分の部屋に退いて、不安な、それかと云って、不快ではない心配を続けていた。

恋人の顔が、絶えず心に浮かんで来た。過ぎ去った一年間の、恋人とのいろいろな会合が、心の中に蘇って来た。どの一つを考えても、それは楽しい清浄な幸福な思い出だった。二人は火のような愛に燃えていた。が、お互いに個性を認め合い、尊敬し合った。上野の音楽会の帰途に、ガスの光が、ほのじろく湿んでいる公園の木下暗を、ベエトーフェンの『月光曲』を聴いた感動を、語り合いながら、辿った秋の一夜のことも思い出した。新緑の戸山ケ原の橡の林の中で、その頃読んだトルストイの『復活』を批評し合った初夏の日曜のことなども思い出した。恋人であるとともに、得難い友人であった。彼女の趣味や知識の生活に於ける大事な指導者だった。

恋人の凜々しい性格や、その男性的な容貌や、その他いろいろな美点が、それからそれと、彼女の頭の中に浮かんで来た。もし子爵の来訪の用向きが、自分の想像した通りであったら、(それが何という子供らしい想像であろう)とは、打消しながらも、瑠璃子の真珠のように白い頰は、見る人もない部屋の中にありながら、ほのかに赤らんで来るのだった。

が、来客の話は、そう永くは続かなかった。瑠璃子の夢のような想像を破るように、応接室の扉が、父によって荒々しく開かれた。瑠璃子は、客を送り出すため、急いで玄関へ出て行った。

見ると父は、兄の家出を見送った時以上に、蒼い苦りきった顔をしていた。杉野子爵はと見ると、その如才のないニコニコした顔に、微笑の影も見せず、周章として追われるように玄関に出て、ロクロク挨拶もしないで、車上の人となると、運転手を促し立てて、あわただしく去ってしまった。

父は、自動車の後影を憎悪と軽蔑との交った眼付で、しばらくの間見詰めていた。

「お父様どうか遊ばしたのですか。」瑠璃子は、おそるおそる父に訊いた。

「馬鹿な奴だ。華族の面汚しだ。」父は、唾でも吐きかけるように罵った。

七

杉野子爵に対する、父の燃ゆるような憎悪の声を聞くと、瑠璃子は自分の事のように、オドオドしてしまった。胸の中に、ひそかに懐いていた子供らしい想像は、跡形もなく踏み躙られていた。踏んでいた床が、崩れ落ちて、そのまま底知れぬ深い淵へ、落ち込んで行くような、暗い頼りない心持がした。これまでさえ、父と父との感情に、暗い翳のあることは、恋する二人の心を、どんなに傷ましめたか分らない。それだのに、今日はその暗い翳が、明らさまに火を放って、爆発を来したらしいのである。

「一体どうしたのでございます。そんなにお腹立ち遊ばして。」

瑠璃子は、父の顔を見上げながら、オズオズ訊いた。父は口にするさえ、忌々しそうに、

「訊くな。訊くな。汚らわしい。俺達を侮辱している。俺ばかりではない、お前までも侮辱しているのだ。」と、歯噛をしないばかりに激昂しているのだった。

自分までもと、云われると、瑠璃子は更に不安になった。自分のことを、一体どう云ったのだろう。自分について、一体何を云ったのだろう。恋人の父は、自分のことを、一体どう侮辱したのだろう。そう考えて来ると、瑠璃子は父の機嫌を恐れながらも、黙っている訳には行かなかった。

「一体どんなお話が、ございましたの。妾のことを、杉野さんはどう仰しゃるのでございますか。」

「訊くな。訊くな。訊かぬ方がいい。聞くとかえって気を悪くするから。あんな賤しい

人間の云うことは、一切耳に入れぬことじゃ。」

やや興奮の去りかけた父は、かえって娘を宥めるように優しく云いながら、二階の居間へ行くために階段を上りかけた。父は、杉野子爵を賤しい人間として捨てておくことが出来た。が、瑠璃子には、それは出来なかった。どんなに、子爵が賤しくても、自分の恋人の父に違いなかった。その人が、自分のことを、どう云ったかは、瑠璃子にとっては是非にも訊きたい大事なことだった。

「でも、何と仰しゃったか知りたいと思いますの。妾のことを何と仰しゃったか、気がかりでございますもの。」

瑠璃子は、父を追いながら、甘えるような口調で云った。娘の前には、目も鼻もない父だった。母のない娘のためには、何物も惜しまない父だった。瑠璃子が執拗に二三度訊くと、どんな秘密でも、明かしかねない父だった。

「なにも、お前の悪口を云ったのじゃない。」

父は憤怒を顔に現しながらも、娘に対する言葉だけは、優しかった。

「じゃ、どうして侮辱になりますの。あの方から、侮辱を受ける覚えがないのでございますもの。」

「それを侮辱するから怪しからないのだ。俺を侮辱するばかりでなく、清浄潔白なお前までも侮辱してかかるのだ。」

父は、また杉野子爵の態度か言葉かを思い出したのだろう、その人が、前にでもいるように、拳を握りしめながら、激しい口調で云った。

「どうしたと云うのでございます。お父様、ハッキリと仰しゃって下さいまし、一体どんなお話で、あの方が、私のことをどう仰しゃったのです。一体どんな用事で、いらしったのでございます。」

瑠璃子も、かなり興奮しながら、本当のことを知りたがって、畳みかけて訊いた。

「あの男は、お前の縁談があると云って来たのだ。」父の言葉は意外だった。

「妾(わたくし)の縁談！」瑠璃子は、そう云ったまま、二の句が次(つ)げなかった。彼女は化石したように、父の書斎の入口に立ち止まった。父は、瑠璃子の駭きに、深い意味があろうとは、夢にも知らずに、興奮に疲れた身体を、安楽椅子に投げるのであった。

買い得るか

一

父から、杉野子爵の来訪が、縁談のためであると、聞かされると、瑠璃子は電火にでも打たれたように、ハッと駭いた。

やっぱり、自分の子供らしい想像は当ったのだ。杉野子爵は子のために、直接話を進めに来たのだ。その話の中に、子爵の不用意な言葉か、不遜の態度かが、潔癖な父を怒らしたに違いない。そう思うと、瑠璃子はあまりに潔癖過ぎる父が急に恨めしくなった。少しも妥協性のない、一徹な父が恨めしかった。自分の一生の運命を狂わすかも知れない、父の態度が恨めしかった。瑠璃子は父に抗議するように云った。

「縁談のお話が、どうして妾を、侮辱することになりますの。またそんなお話なら、一応妾にも、話して下さってから、お断りになっても、遅くはないと思いますわ。」

瑠璃子は、誰に対しても、自己を主張し得る女だった。彼女は、父にでも兄にでも恋人にでも、自己を主張せずには、いられない女だった。

瑠璃子の抗議を、父は憫むように笑った。

「縁談！ ハハハハハ。普通の縁談なら、無論瑠璃さんにも、よく相談する。が、あの男の縁談は、縁談という名目で、貴方を買いに来たのじゃ。金を積んで、貴方を買いに来たのじゃ。怪しからん！ 俺の娘を！」

父の眼は、激怒のために、狂わしいまでに、輝いた。そう云われると、瑠璃子は、一言もなかったが、そうした縁談の相手は、一体誰だろうかと、思った。

「あの男が来て娘をやらんかと云う。平素から、快く思っていない男じゃが、折角来てくれたものだから、無碍に断るのもと、思ったから、与らんこともないと云うと、段々相手の男のことを話すのじゃ。人を馬鹿にして居る。四十五で、先妻の子が、二人まであると云うのじゃ。俺は、頭から怒鳴り付けてやったのじゃ。するとあの男が、オズオズ何を云い出すかと思うと、支度金は三十万円まで出すと、云うのじゃ。俺は憤然と立ち上って、あの男を応接室の外へ引きずり出したのだ。」父の声は、わなわな顫えた。

「この年になるまで、こんな侮辱を受けたことはない。貧乏はしている。政戦三十年、家も邸も抵当に入っている。が、三十万円はおろか、千万一億の金を積んでも、娘を金のために、売るものか。」

父は、傍の見る眼も、痛ましいほど、激昂しておる。年老いた肉体は、余りに激しい憤怒のために今にも砕けそうに、緊張している。瑠璃子も、胸が一杯になった。父の怒りを、もっともだと思った。が、その怒りを宥むべき何の言葉も、思い浮ばなかった。

が、それに付けても、杉野子爵は、何の恨みがあって、こうした侮辱を、年老いた父に与えるのだろう。そう思うと、瑠璃子の胸にも、張り裂けるような怒りが、湧いて来た。が、それが恋人の父であると、思い返すと、身も世もないような悲しみが伴った。

「あの男は、金のために、あんなに賤しくなってしまったのだ。政商連と結託して、金のためにばかり、動いているらしいのだ。今日の縁談なども、纏まればいくらという、口銭が取れる仕事だろう。ハハハハハ。」父は、怒りを嘲りに換えながら、蔑むように哄笑した。

「何でも、今日の縁談の申込み手というのが、ホラ瑠璃さんも行っただろう。この間園遊会をやった荘田という男らしいのだ。」

父は何気なく云った。が、荘田という名を聞くと、瑠璃子はすぐ、豹の眼のように恐ろしい執拗なその男の眼付を思い出した。冷静な、勝気な、瑠璃子ではあったけれども、悪魔に頬を、舐められたような気味悪さが、全身をゾクゾクと襲って来た。

二

荘田という名前を聴くと、瑠璃子が気味悪く思ったのも、無理ではなかった。彼女は、その人の催した園遊会で、妙な機みから、激しい言葉を交して以来、その男の顔付きや、容子が、悪夢の名残りのように、彼女の頭から離れなかった。

太いガサツな眉、二股に畳まれている鼻、厚い唇、いかにも自我の強そうな表情、その顔付きを思い出して見るだけでも、イヤな気がした。そんな男と、云い争いをしたことが、執念深い蛇とでも、恨みを結び合ったように、何となく不安だった。ところが、その男が意外にも自分に婚を求めている。そう思うだけでも、彼女は妙な悪寒を感じた。よく伝説の中にある、白蛇などに見込まれた美少女のように。

瑠璃子は、相手の心持が、容易には分らなかった。容易に、そのことを信ずることが出来なかった。

「本当でございますの？　杉野さんが、本当に荘田と仰しゃったのでございますの？」

「確かに、あの男だとは云わないが、どうも彼奴のことらしい。杉野はお前の話を始める前に、それとなく荘田のことを賞めているのだ。どうも彼奴らしい。金が出来たのに、付け上って、華族の娘をでも貰いたい肚らしいが、俺の娘を貰いに来るなんて狂人の沙汰だ！」

父は相手の無礼を怒ったものの、先方に深い悪意があろうとは思わないらしく、先刻から見ると余程機嫌が直っているらしかった。

が、瑠璃子はそうではなかった。この求婚を、気紛れだとか、冗談だとか、華族の娘を貰いたいというような単なる虚栄心だとは、どうしても思われなかった。父の一喝に逢って、這々の体で、逃げ帰った杉野子爵は、ほんの傀儡で、その背後に怖ろしい悪魔の手が、動いていることを感ぜずにはいられなかった。そう思って来ると、八重桜の下で、自分達二人を、睨み付けた恐ろしい眼が、アリアリと浮んで来た。そう思って来ると、自分の恋人の父を、自分に対する求婚の使者にした相手のやり方に、悪魔のような意地悪さを、感ぜずにはいられなかった。

瑠璃子は思った。自分が傷つけた蛇は、ホンの僅かな恨みを酬いるために猛然と、襲いかかっているのだと。が、そう思うと、瑠璃子はかえって、必死になった。来るなら来てみよ。あんな男に、指一つ触れさせてなるものか。彼女は心のうちでそう決心した。

「いや、杉野の奴一喝してやったら、一縮みになって帰ったよ。ああ云っておけば、二度と顔向けは出来ないよ。」

父は、もうすべてが済んでしまったように、何気なく云った。が、瑠璃子にはそうは思われなかった。一度飛び付き損った蛇は、二度目の飛躍の準備をしているのだ。いや、二度目どころではない。三度目四度目五度目十度目の準備まで整っているのかも知れない。そう思うと、瑠璃子はまた更に自分の胸の処女の誇りが、烈火のように激しく燃えるのを感じた。

「本当に口惜しゅうございます。あんな男が妾を。それに杉野さんが、そんなお話をお取次ぎになるなんて、本当にひどいと思いますわ」

瑠璃子は、興奮して、涙をポロポロ落しながら云った。それは口惜しさの涙であり、怒りの涙だった。

「だから、聴かない方が、いいと云ったのだ。そうだ！ 杉野が怪しからんのだ。あんな馬鹿な話を取次ぐなんて、彼奴が怪しからんのだ。が、あんな堕落した人間の云うことは、気に止めぬ方がいい。縁談どころか、瑠璃さんには、いつまでも、ここにいて貰いたいのだ。殊に、光一があなってしまえば、お父様の子はお前だけなのだ。百万円はおろか、お父様の首が飛んでも、お前を手離しはしないぞ。ハハハハ。」

父は、瑠璃子を慰めるように、快活に笑った。瑠璃子の心も、父に対する愛で、一杯になっていた。いつまでも、父の傍にいて、父の理解者であり、慰安者であろうと思った。

「妾もそう思っていますの。いつまでも、お父様のお傍にいたいと思っていますの。」

そう云って瑠璃子は初めてニッコリ笑った。嵐の過ぎ去った後の平和を思わせるような、寂しいけれども静かな美しい微笑だった。

三

二つの忌わしい事件が、渦を捲いて起った日から、瑠璃子の家は、暴風雨の吹き過ぎた後のような寂しさに、包まれてしまった。

家出した兄からは、ハガキ一つ来なかった。父は父でおくびにも兄のことは云わなかった。人を頼んで、兄の行方を探すとか、警察に捜索願を出すなどということを、父は夢にも思っていないらしかった。自分を捨てた子のためには、指一つ動かすことも、父としての自尊心が許さないらしかった。

こうした父と兄との間に挟まって、ただ一人、心を傷めるのは瑠璃子だった。彼女は、父に隠れて兄の行方をそれとなく探ってみた。兄が、その以前父に隠れて通ったことのある、小石川の洋画研究所も尋ねてみた。兄が、予(かね)てから私淑している二科会の幹部のN氏をも訪ねてみた。が、どこでも兄の消息は判らなかった。

兄の友達の二三にも、手紙で訊き合してみた。が、どの返事も定(き)まったように、兄にしばらく会ったことがないというような、頼りない返事だった。たとい父とは不和になっても、自分だけには安否くらいは、知らせてくれてもよいものと、彼女は兄の気強さが恨めしかった。が、彼女の心を傷ましめることはほかにもう一つあった。それは、これまで感情の疎隔していた父と杉野子爵との間が、とうとう最後の破裂に達したことである。あんな事件が起った以上、再び元通りになることは、ほとんど絶望のように思われた。従って、自分達の恋が、正式に認められるような機(おり)は、永久に来ないように思われた。自分が、恋を達するときは、やっぱり兄と同じように、父に背かなければならぬ時だと思うと、彼女の心は暗かった。

突然な非礼な求婚が、斥けられてから、それについては何事も起らなかった。十日経ち二十日経った、父は、そのことをもうスッカリ忘れてしまったようだった。が、瑠璃子にはそれが中断された悪夢のように、何となく気がかりだったが、一度限で何の音沙汰もないところをみると、その求婚を恐ろしい復讐の企てでもあるように思ったのは、自分の邪推であったようにさえ、瑠璃子は思った。

そのうちに五月が過ぎ六月が来た。政治季節のほかは、何の用事もない父は、毎日のように書斎にばかり、閉じ籠もっていた。瑠璃子はどうかして、父を慰めたいと思いながらも、父の暗い眉や凋びた口の辺りを見ると、ただ涙ぐましい気持が先に立って、話しかける言葉さえ、容易に口に浮ばなかった。兄がいるうちは、父と時々争いが起ったものの、それでも家の中が、何となく華やかだった。父娘二人になってみると、ガランとした洋館が修道院か何かのように、ジメジメと淋しかった。

六月のある晴れた朝だった。兄が家出した悲しみも、不快な求婚に擾された心も、だんだん薄らいで行く頃だった。瑠璃子は、その朝、顔を洗ってしまうと平素の通り、老婢が自分の室の机の上に置いてある郵便物を、取り上げてみた。

父宛に来た書状も、一通り目を通すのが、彼女の役だった。その朝は、父宛の書留が一通雑じっていた。それは内容証明の書留だった。裏を返すと、見覚えのある川上万吉という金貸業者の名前だった。

『あまた督促かしら。』と、瑠璃子は思った。そうした書状を見るごとに、平素は感じない家の窮状が彼女にもヒシヒシ感ぜられるのであった。

彼女は、何気なく封を破った。が、それは平素の督促状とは、違っていた。簡単な書式のようなものだった。ちょっと意外に思いながら読んでみた。最初の『債権譲渡通知書』という七字から、まず名状しがたい不快な感じを受けた。

債権譲渡通知書

通知人川上万吉は被通知人に対して有する金弐万五千円の債権を今般都合により荘田勝平殿に譲渡し候に付き通知候也

大正六年六月十五日

通知人　川上万吉

被通知人　唐沢光徳殿

荘田勝平という名前が、目に入ったとき、その書式を持っている瑠璃子の手は、そのままびれてしまうような、厭(いや)な重くるしい衝動(ショック)を受けずにはいられなかった。悪魔は、その爪を現し始めたのである。

四

相手が、あのまま思い切ったと思ったのは、やっぱり自分の早合点だったと瑠璃子は思った。求婚が一時の気紛れだと思ったのは、相手を善人に解し過ぎていたのだ。相手はその二つの眼が示している通り、やっぱり恐ろしい相手だったのだ。が、それにしても何という執念ぶかい男だろう。父が負うている借財の証書を買入れて、父に対する債権者となってから、一体どうしようという積りなのかしら。卑怯にも陋劣にも、金の力であの清廉な父を苦しめようとするのかしら。そう思うと、瑠璃子は、女ながらにその小さい胸に、相手の卑怯を憤る熱い血が、沸々と声を立てて、煮え立つように思った。

父の借財は多かった。藩閥内閣打破の運動が、起るたびに、父はなけ無しの私財を投じて惜しまなかった。藩閥打破を口にする志士達に、なけ無しの私財を散じて惜しまなかった。父が持って生れた任俠の性質は、頼まるるごとに連帯の判も捺した。手形の裏書もした。取れる見込のない金も貸した。そうした父の、金に対する豪快な遣り口は、最初から多くはなかった財産を、いつの間にか無一物にしてしまった。が、財産は無くなっても、父の気質は無くならなかった。初めは親類縁者から金を借りた。親類縁者が、見放してしまうと、高利貸の手からさえ、借りることを敢てした。住んでいる家も、手入は届いていないが、かなりだだっ広い邸地も、一番も二番もの抵当に入っていることを、瑠璃子さえよく知っている。

金力といったものが、丸切り奪われている父が、黄金魔といってもよいような相手から、赤児の手を捻じるように苛責られる。そう思って来ると、瑠璃子はやるせない憤りと悲しみとで、胸が一杯になって来た。金さえあれば、どんな卑しい者でもが、得手勝手なことをする世の中全体が、憤ろしく呪わしく思われた。

瑠璃子は、今の場合、こうした不快な通知書を、父に見せることが、一番厭なことだった。父が、どんなに怒り、どんなに口惜しがるかが余りに見え透いていたから。

でも、こうした重要な郵便物を、父に隠し通すことは出来なかった。瑠璃子は、重い足を運びながら、父の寝室へ行ってみた。が、父はまだ起きてはいなかった。スヤスヤと安らかな呼吸をしながら名残りの夢を貪っている父の窶(やつ)れた寝顔を見ると、瑠璃子は出来るだけこうした不快な物を父の眼には触れさせたくはなかった。彼女は、そっと忍び足に枕元に寄り添って、枕元の小さい卓子(テーブル)の上に置いてある、父の手文庫の中にその呪われた紙片を、そっと音を立てずに入れた。いつまでも、父の眼には触れずにあれ、瑠璃子は心の中で、そう祈らずにはいられなかった。

その日、食事の度ごとに顔を合せても、父は何とも云わなかった。夜の八時頃、一人で碁譜を開いて盤上に石を並べている父に、紅茶を運んで行ったときにも、父は二言三言瑠璃子に言葉をかけたけれど、書状のことは、何も云わなかった。

願わくは、いつまでも、父の眼に触れずにあれ、瑠璃子は更にそう祈った。どうせ、一度は触れるにしても、一日でも二日でも先へ、延ばしたかった。

が、翌日眼を覚まして、瑠璃子が前の日の朝の、不快な記憶を想い浮べながら、その朝の郵便物に眼をやったとき、彼女は思わず、口のうちで、小さい悲鳴を挙げずにはいられなかった。そこに、昨日と同じ内容証明の郵便物が、三通まで重ねられていたのである。

それを取り上げた彼女の手は、思わずかすかに顫えた。もう、父に隠すとか隠さないとかいう余裕は、彼女になかった。彼女はそれを取り上げると、救いを求むる少女のように、父の寝室に駈け込んだ。

父は起きてはいなかったが、床の中で眼を覚していた。

「お父様！　こんな手紙が参りました。」瑠璃子の声は、いつになく上ずッていた。

「昨日のと同じものだろう。いや心配せいでもええ、お前が心配せいでもええ。」

父は、静かにそう云った。昨日の書状も、父はいつの間にか、見ていたのである。

瑠璃子は、今更ながら、自分の父を頼もしく思わずにはいられなかった。

五

唐沢の家を呪詛するような、その不快な通知状は、その翌日もそのまた翌日も、無心な配達夫によって運ばれて来た。

初めほどの驚駭は、受けなかったけれども、その一葉一葉に、名状しがたい不快と不安とが、見る人の胸を衝いた。

「なに、捨てておくさ。同一人に債権の蒐まった方が、弁済をするにしても、督促を受くるにしても手数が省けていい。」

父は何気ないように、済ましているようだったが、しかし内心の苦悶は、表面へ出ずにはいなかった。殊に、父は相手の真意を測りかねているようだった。何のために、相手がこれほど、執念深く、自分を追窮して来るのか、判りかねているようだった。

が、瑠璃子には相手の心持が、判っているだけ、わずかばかりの恨みを根に持って、どこまでもどこまでも、付き纏って来る相手の心根の恐ろしさが、しみじみと身に浸みた。通知状を見る度に、相手に対する憎悪で、彼女の心は一杯になった。彼の金力を罵った自分達だけを苦しめるだけなら、まだいい、罪も酬いもない老いた父を、苦しめる相手の非道を、心の底より憎まずにはいられなかった。

こうして、父が負うている総額二十万円に近い負債に対する数多い証書が、たった一つの黒い堅い冷たい手に、握られてしまった頃であった。

ある朝、彼女は平生のように郵便物を見た。――こうした通知状の来ない前は、それは楽しい仕事に違いなかった。そこには恋人からの手紙や、親しい友達の消息が見出されたから――。が、今では不安な、いやな仕事になってしまった。

彼女は、その朝もオズオズ郵便物に目を通した。幾通かの手紙の一番最後に置かれていた鳥の子の立派な封筒を取り上げて、ふと差出人の名前に、目を触れたとき、彼女の視線はそこに、筆太に書かれている四字に、釘付けにされずにはいなかった。それは紛れもなく荘田勝平の四字だったのである。

黒手組の脅迫状を受けたように、悪魔からの挑戦状を受けたように、瑠璃子の心は打たれた。反感と、憎悪とある恐怖とが、ごっちゃになって、わくわくと胸にこみ上げて来た。

彼女は、その封筒の端をソッと、醜い蠑螈の尻尾をでも握るように、摘み上げながら、父の部屋へ持って行った。

父は差出人の名前を、一目見ると、苦々しげに眉をひそめた。しばらくは開いてみようとはしなかった。

「何と申して参ったのでございましょう。」瑠璃子は、気になって、急かすように訊いた。

父は、荒々しく封筒を引き破った。

「何だ！」父の声は、初めから興奮していた。

「――此度小生に於て、買占め置き候貴下に対する債権に就いて、御懇談いたしたきこと有之、且つ先日杉野子爵を介して、申上げたる件に付きても、重々の行違有之、右釈明かたがた近日参邸いたし度く――ああ何という図々しさだ。何という！　獣のような図々しさだ。よし、やって来い。やって来るがいい。来れば、面と向って、あの男の面皮を引き剝いてくれるから。」

父は、そう云いながら、奉書の巻紙を微塵に引き裂いた。老い凋んだ手が、怒りのために、ブルブル顫えるのが、瑠璃子の眼には、傷ましくかなしかった。

六

父も瑠璃子も、心の中に戦いの準備を整えて、荘田勝平の来るのを遅しと待っていた。

手紙が来た日の翌日の午前十時頃、瑠璃子が、二階の窓から、邸前の坂道を、見下していると、遥かに続いているプラタナスの並樹の間から、水色に塗られた大形の自動車が、初夏の日光をキラキラと反射しながら、眩しいほどの速力で、坂を馳け上ったかと思うと、急に速力を緩めて、低いうめくような警笛の音を立てながら、門前に止まるのを見たのである。覚悟をしていたことながら、瑠璃子は今更のように、不快な、悪魔の正体をでも、見たような憎悪に、囚われずにはいられなかった。

自動車の扉は、開かれた。ハンカチーフで顔を拭きながら、ぬっとその巨きい頭を出したのは、紛れもないあの男だった。何が嬉しいのか、ニコニコと得体の知れぬ微笑を浮べながら、玄関の方へ歩いて来るのだった。

瑠璃子は、取次ぎに出ようか出まいかと、考え迷った。顔を合わしたり、ちょっとでも言葉を交すのが厭でならなかった。が、それかと云って、平素気が付けば取次ぎに出る自分が、この人に限って出ないのは、何だか相手を怖れているようで彼女自身の勝気が、それを許さなかった。そうだ！　あんな卑しい人間に怯れてなるものか。彼の男こそ、自分の清浄な処女の誇りの前に、愧じ怯れていいのだ。そう思うと、瑠璃子は処女にふさわしい勇気を振い興して、孔雀のような誇りと美しさとを、そのスラリとした全身に湛えながら、落ち着いた冷たい態度で、玄関へ現れた。

勝平は、瑠璃子の姿を見ると、この間会った時とは別人ででもあるように、頭を叮嚀に下げた。

「お嬢さまでございますか、先日は大変失礼を致しまして、申訳もございません。今日は、あのう！　お父様はお在宅でございましょうか。」

こうも白々しく、——ああした非道なことをしながら、こうも白々しく出られるものかと、瑠璃子が呆れたほど、相手は何事もなかったように、平和で叮嚀であった。

瑠璃子は、ちょっと拍子抜けを感じながらも、冷たく引き緊めた顔を、少しも緩めなかった。

「在宅すことは、在宅すが、お目にかかれますかどうかちょっと伺って参ります。」

瑠璃子は、そう高飛車に云いながら、二階の父の居間に取って返した。

「やって来たな。よし、下の応接室に通しておけ。」

瑠璃子の顔を見ると、父は簡単にそう云った。

応接室に案内する間も、勝平は叮嚀にしかも馴々しげに、瑠璃子に話しかけようとした。が、彼女は冷たい切口上で、相手を傍へ寄せ付けもしなかった。

「やあ！」挨拶とも付かず、懸声とも付かぬ声を立てながら、父は応接室に入って来た。

父は相手と初対面ではないらしかった。二三度は会っているらしかった。が、苦り切ったまま時候の挨拶さえしなかった。瑠璃子は、茶を運んだ後も、はしたないとは知りながら、一家の浮沈に係る話なので、応接室に沿う縁側の椅子に、主客には見えないように、そっと腰をかけながら、一語も洩さないように相手の話に耳を聳てた。

「この間から、一度伺おう伺おうと思いながら、つい失礼いたしておりました。今度、閣下に対する債権を、私が買い占めましたことについても、きっと私を怪しからん奴だと、お考えになっただろうと思いましたので、今日はお詫びかたがた私の志のあるところを、申述べに参ったのです。」

勝平は、いかにも鄭重に、恐縮したような口調で、ボツリボツリ話し始めたのであった。ちょうど暴風雨の来る前に吹く微風のように、気味の悪い生あたたかさを持った口調だった。

「うむ。志！　借金の証書を買い蒐めるのに、志があるのか。ハハハハハハハ。」父は、頭から嘲るように詰った。

「ございますとも。」相手は強い口調で、しかも下手から、そう云い返した。

七

「初めから申上げねば分りませんが、実は私は閣下の崇拝者です。閣下の清節を、平生から崇拝致している者であります。」

そう云って、勝平は叮嚀に言葉を切った。老狐が化かそうと思う人間の前で、木の葉を頭から被っているような白々しさであった。人を馬鹿にしているくせに、態度だけはいやに、真剣に大真面目であるようだった。

「殊に近頃になって、所謂政界の名士達なるものと、お知己になるに従って、大抵の方は、ほとんど愛想を尽してしまいました。お口だけは立派なことを云っていらしっても、一歩裏へ廻ると、我々町人風情よりも、抜目がありませんからな。口幅ったいことを、申すようでございますが、金で動かせない方と云ったら、数えるだけしかありませんからね。」

父は黙々として、一言も発しなかった。いざという時が来たら、一太刀に切って捨てようとする気勢が、ありありと感ぜられた。が、勝平は相手の容子などには、一切頓着しないように、臆面もなく話し続けた。

「いつか、日本倶楽部で、初めて閣下の崇高なお姿に接して以来、益々閣下に対する私の敬慕の念が高くなったのです。多年の間、利慾権勢に目もくれず、ただ国家のために、一意奮闘していらっしゃる。こういうお方こそ、本当の国士本当の政治家だと思ったのです。」

父が、面と向ってのお世辞に、苦り切っている有様が、室外にいる瑠璃子にもマザマザと感ぜられた。

「御存じの通り、私はほかに能のある人間でありません。ただ、二三年来の幸運で、金だけは相当儲けました。私は、今何に使っても心残りのない金を、五百万円ばかり現金で持っています。ああ使え、こう寄附しろと云ってくれる人もありますが、私は閣下のようなお方に、後顧の憂いなからしめ、国家のために思い切り奮闘していただけるようにすることも、かなり意義のある立派な仕事だと思ったのです。それには、是非ともお交際を願って、いろいろな立ち入った御相談にも、与らせて戴きたいと、それで実はあんな突然なお申込を……」

そう云って、言葉を切った、がいかにも恐縮に堪えないという口調で、

「ところが、その申込が杉野さんの思い違いで、というよりも、あの方の軽率から、私がお嬢さまをお望み致したなどととんでもない。ハハハハ。御立腹遊ばすのは当然です。五十に近い私が、お嬢さまに求婚するなどと笑い話にもなりません。実は、当人と申すのは私の倅、今年二十五になります。亡妻の遺児です。」

ちょっと殊勝らしく声を落しながら、

「その倅とても、年こそお嬢様に似合いでございますが、いやもう一向下らない人物です。が、もし万一お嬢様を下さるようなことがありましたら、これほど有難い――私の財産を半分無くしても惜しくはない――仕合せだと思いますのですが。が、そのお話は、ともかく、閣下の御債務はすべて、私に払わせていただきたいと思いましたから、一月あまりも心掛けて、もう大抵は買い蒐めた積りでございますが、縁談のお話などとは別に、これだけは私の寸志です。どうか御心置きなく、お受取り下さるように。」そう云

いながら、父の負うている借財の証書の全部を一つの袋に収めて父の前に差し出したらしかった。

虚心平気に、勝平の云い分を聴けば、無躾なところは、あるにせよ、成金らしい傲岸な無遠慮なところはあるにせよ、それほど、悪意のあるものとは思われなかった。が、瑠璃子にはそうではなかった。瑠璃子と、その恋人とを思い知らせるために、悪魔は、瑠璃子を奪って、自分の妻に――名前だけは妻でも、本当はその金力を示すための装飾品に――しようとした。が、瑠璃子の父が、予想以上に激怒したのと、年齢の余りな相違から来る世間の非難とを慮って、自分の名義で買う代りに、息子の名義で買おうとする、瑠璃子を商品と見ている点に於ては、何の相違もない。瑠璃子と彼女の恋人とを思い知らせようとする、蛇のような執念には何の相違もない。正面から飛びかかって父から、手ひどく跳付けられた悪魔は、今度は横合から、そっと騙そうと掛っているのだった。

八

瑠璃子には、相手の心が十分に見透かされている。が、相手の本心を知らない父は、その空々しい上部の理由だけに、うかうかと乗せられて、もしや相手の無躾な贈り物を、受け取りはしないかと、瑠璃子はひそかに心を痛めた。縁談などとは別にと、口で美しく云うものの、父が相手の差し出す餌にふれた以上、それを機に、否応なしに自分を、浚って行こうとする相手の本心が、彼女には余りに明らかであった。

父をどうにか騙して娘を浚って行く、それで娘にも、彼女の恋人にも、苦痛を与えればよいのだと相手が謀んでいるらしいのが、瑠璃子には、余りに判り過ぎているように思った。

が、瑠璃子の心配は無駄だった。父は相手が長々と喋り続けたのを聞いた後で、二三分ばかり黙っていたらしいが、急にいずまいを正したらしく、厳格な一分も緩みのない声で云った。

「いや、大きに有難う。あなたの好意は感謝する。が、考うるところあって、お受けすることは出来ない。借財は証文の期限通りに、ちゃんと弁済する。それから、縁談の事じゃが、本人が貴方であろうが御子息であろうが、お断りすることには変りがない。どうか悪しからず。」

父は激せず熱せず、毅然とした立派な調子で云い放った。父の立派な男らしい態度を、瑠璃子は蔭ながら、伏し拝まずにはいられなかった。何という凜々しい態度であろう。どんなにこの先苦しもうとも、ああした父を、父としていることは、何という幸福であろうかと思うと、熱い涙が知らず識らず、頰を伝って流れた。

真向から平手でピシャッと、殴るような父の返事に、相手はしばらくは、二の句が、次げないらしかった。が、しばらくすると、太い渋い不快な声が聞え始めた。

「ふふむ。これほど申上げても、私の好意を汲んで下さらない。これほど申上げても、私の心がお分りになりませんのですか。」

相手の言葉付は、一瞬のうちに変っていた。豹が、一太刀受けて、後退しながら、低くうなっているような無気味な調子だった。

「はははは、好意！　はははは、お前さんは、こんなことを好意だと、云い張るのですか。人の顔に唾を吐きかけておいて、好意であるもないものだ。はははははは。」父は、相手を蔑み切ったように嘲笑った。

「ははは、閣下も、貧乏をお続けになったために、いつの間にか、僻んでおしまいになったと見える。この荘田が、誠意誠心申上げていることが、お分りにならない。」

相手も、負けてはいなかった。豹が、その本性を現して、猛然と立ち上ったのだった。

「はははは、誠意誠心か！　人の娘を、金で買うという恥知らずに、誠意などがあって、堪るものか。出直しておいでなさい！」父は、低い力強い声で、そう罵った。

「よろしい！　出直して参りましょう。閣下、覚えておいて下さい！　この荘田は、好意を持っておりますと同時に、悪意も人並に持っているものでございますから。お言葉に従って、いずれ出直して参りますから。」そう云い捨てると、相手は荒々しく扉を排して、玄関へ出て行った。

瑠璃子が、急いで応接室に駈け込んだとき、父はそこに、昂然と立っていた。半白の髪が、逆立っているようにさえ見えた。

「お父様！」瑠璃子は、胸が一杯になりながら、駈け寄った。

「ああ瑠璃子か。聞いていたのか。さあ！　お前もしっかりして、あくまでも戦うのだ。強くあれ、そうだあくまでも強くあることだ！」

そう云いながら父は、彼の瘦せた胸懐（むなぶところ）に顔を埋めている娘の美しい撫肩（なでがた）を、軽く二三度叩いた。

罠

一

羊の皮を被って来た狼の面皮を、真正面から、引き剝いだのであるから、その次の問題は、狼が本性を現して、飛びかかって来る鋭い歯牙を、どんなに防ぎ、どんなに避くるかにあった。

が、その狼の毒牙は、法律によって、保護されている毒牙だった。今の世の中では、国家の公正な意志であるべき法律までが、富める者の味方をした。

勝平に買い占められた証書の一部分の期限はもう十日と間のない六月の末であった。今までは、期限が来るごとに、幾度も幾度も証書の書換をした。そのために、証書の金額は、年一年増えて行ったものの、どうにか遣繰は付いていた。が、それが悪意のある相手の手に帰して、こちらを苛責るための道具に使われている以上、相手が書換や猶予の相談に応ずべきはずはなかった。

六月の末日が、段々近づいて来るに従って、父は毎日のように金策に奔走した。が、三万を越している巨額の金が、現在の父によって容易に、才覚さるべきはずもなかった。

朝起きると、父は蒼ざめながらも、眼だけはますます鋭くなった顔を、曇らせながら、黙々として出て行った。玄関へ送って出る瑠璃子も、

「お早くお帰りなさいまし。」と、挨拶するほかは何の言葉もなかった。が、送り出す時は、まだよかった。そこに、僅かでも希望があった。が、夕方、その日の奔走が全く空に帰して、悄然と帰ってくる父を迎えるのは、どうにも堪らなかった。父と娘とは、黙って一言も、交わさなかった。お互いの苦しみを、お互いに知っていた。

今までは、元気であった父も、折々は嗟嘆の声を出すようになった。夕方の食事が済んで、父娘が向い合っている時などに、父は娘に詫びるように云った。

「皆、お父様が悪かったのだ。自分の志ばかりに、気を取られて、最愛の子供のことまで忘れていたのじゃ。俺の家を治めることを忘れたために、お前までがこんな苦しい思いをするのだ。」

父の耿々の気が——三十年火のように燃えた野心が、こうした金の苦労のために、砕かれそうに見えるのが、一番瑠璃子には悲しかった。

父の友人や知己は、大抵は、父のために、三度も四度も、迷惑をかけさせられていた。父が、金策の話をしても、彼等は体よく断った。断られると、潔癖な父は、二度と頼もうとはしなかった。

六月が二十五日となり、二十七日となった。連日の奔走が無駄になると、父はもう自棄を起したのであろう。もう、ふッつりと出なくなった。幡随院長兵衛が、水野の邸に行くように、父は怯びれもせず、悪魔が、下す毒手を、待ち受けているようだった。

今年の春やっと、学校を出たばかりの瑠璃子には、父が連日の苦悶を見ても、どうしようという術もなかった。彼女は、ただオロオロして、一人心を苦しめるだけだった。

彼女の小さい胸の苦しみを、打ち明けるべき相手としては、ただ恋人の直也があるだけだった。が、彼女は恋人に、まだ何も云っていなかった。

家の窮状を訴えるためには、いろいろな事情を云わなければならない。荘田の恨みの原因が、直也の罵倒であることも云わなければならない。直也の父が、不倫な求婚の賤しい使者を務めたことも云わなければならない。それでは、恋人に訴えるのではなくして、恋人を責めるような結果になる。潔癖な恋人が、父の非行を聴いて、どんなに悲嘆するかは、瑠璃子にもよく分っていた。自分のふとした罵倒が、瑠璃子父娘に、どんなに禍しているかということを聴けば、熱情な恋人は、どんな必死なことをやり出すかも分らない。そう思うと、瑠璃子は、出来るだけは、自分の胸一つに収めて、恋人にも知らすまいと思った。

父や瑠璃子の苦しみなどとは、没交渉に、否すべての人間の喜怒哀愁とは、何の渉りもなく、六月は暮れて行った。

二

もう、明日が最後の日という六月二十九日の朝だった。荘田勝平の代理人という男が、瑠璃子の家を訪れた。鷲の嘴のような鼻をした四十前後の男だった。詰襟の麻の洋服を着て、胸の辺りに太い金の鎖を、仰々しくきらめかしていた。

父は、頭から面会を拒絶した。瑠璃子が、その旨を相手に伝えると、相手は薄気味の悪い微笑をニヤリと浮べながら、

「いや、お会い下さらなくっても、結構です。それでは、お嬢様から、よろしくお伝え下さい。ほかのことではございませんが、今度手前共の主人が、拠ん所ない事情から、買入れました、こちらの御主人に対する証文のうち、一部の期限が明日に当っていますから、是非ともお間違いなくお払い下さるように、当方にも事情がございまして、何分御猶予いたすことが出来ませんから、そのお積りで、お間違いのないよう。もし、万一お間違いがありますと、手前共の方では、すぐ相当な法律上の手段に訴えるような手筈に致しておりますから。後でお怨みなさらないように。」と、云ったが、この冷たそうな男の胸にも、美しい瑠璃子に対する一片の同情が浮んだのであろう。彼は急に、口調を和らげながら、

「どうかお嬢様、こんなことを申上げる私の苦しい立場もお察し下さい。怨みも報いも

ない御当家へ参って、こんなことを申上げる私はかなり苦しい思いを致しているのでございます。しかし、これも全く、使われています主人の命令でございますから。それでは、いずれ明日改めて伺いますから。」

瑠璃子が、大理石で作った女神の像のように、冷たく化石したような美しい顔の、眉一つ動かさず黙って聞いているために、男はある威圧を感じたのであろう。そう云ってしまうと、コソコソと、逃ぐるように去ってしまった。

父に、この督促を伝えようかしら。が伝えたって何にもならない。何万という金が、今日明日に迫って、父によって作られるはずがなかった。が、もし払わないとすると、向うではすぐ相当な法律上の手段に、訴えると云う。一体それはどんなことをするのだろう。そう考えて来ると、瑠璃子は自分の胸一つには、収め切れない不安が湧いて来て、進まないながら、父の部屋へ、上って行かずにはいられなかった。

「うむ！　すぐ法律上の手段に訴える！」

父はそう云って、腕を拱いて、さすがに抑え切れない憂慮の色が、アリアリと眉の間に溢れた。

「執達吏を寄越すと云うのだな。あははははは、まかり違ったら、競売にすると云うのかな。それもいい、こんなボロ屋敷なんか、ない方が結句気楽だ！　はははははは。」

父は、元気らしく笑おうとした。が、それは空しい努力だった。瑠璃子の眼には、笑おうとする父の顔が、今にも泣き出すように力なくみじめに見えた。

「どうにかならないものでございましょうか、ほんとうに。」

父の大事などには、今まで一度も口出しなどをしたことのない彼女も、恐ろしい危機に、つい平生のたしなみを忘れてしまった。

父も、それに釣り込まれたように、

「そうだ！　本多さえ早く帰っておれば、どうにかなるのだがな。八月には帰ると云うのだから、この一月か二月さえ、どうにか切り抜ければ――」

父は、娘に対する虚勢も捨てたように、首をうな垂れた。そうだ、父の莫逆の友たる本多男爵さえ日本におればと、瑠璃子も考えた。が、その人は、宮内省の調度頭をしている男爵は、内親王の御降嫁の御調度買入れのために、欧洲へ行っていて、この八月下旬でなければ、日本へは帰らないのだった。

住んでいる家に、執達吏が、ドヤドヤと踏み込んで来て家財道具に、封印をベタベタと付ける。そうした光景を、頭の中に思い浮べると、瑠璃子は生きていることが、味気ないようにさえ思った。

父も娘も、無言のままに、三十分も一時間も坐っていた。いつまで、坐っていても父娘の胸の中の、黒いいやな塊が、少しもほぐれては行かなかった。

その時である。また唐沢家を訪う一人の来客があった。悪魔の使であるか、神の使であるかは分らなかったけれど。

三

父と娘とが、差し迫る難関に、やるせない当惑の眉をひそめて、向い合って坐っている時に、尋ねて来た客は、木下という父の旧知だった。政治上の乾分とも云うべき男だった。父が、日本で初めての政党内閣に、法相の椅子を、ホンの一月半ばかり占めた時、秘書官に使って以来、ズッと目をかけて来た男だった。長い間、父の手足のように働いていた。父も、いろいろな世話を焼いた。が、二三年来父の財力が、尽きてしまって、乾分の面倒などは、少しも見ていられなくなってから、この男も段々、父から遠ざかって行ったのだ。

が、父は久しぶりに、旧知の尋ねて来たことを欣んだ。溺るる者は、藁をでも摑むように、窮し切っている父は、どこかに救いの光を見付けようと、焦っているのだった。その男は、今年の五月来た時とは、別人のような立派な服装をしていた。

「どうだい！　面白いことでもあるかい！」

父は、心のうちの苦悶を、この来客によって、少しは紛らされたように、淋しい微笑を、浮べながら応接室へ入って行った。

「お蔭さまでこの頃は、どうにかこうにか、一本立で食って行けるようになりました。もう、二年お待ち下さい！　そのうちには、閣下への御恩報じも、万分の一の御恩報じも、出来るような自信もありますから。」

そう云いながら、得意らしく哄笑した。この場合の父には、そうした相手のお世辞さえ嬉しかった。

「そうかい！　それは、結構だな、俺は、相変らず貧乏でのう。年頃になった娘にさえ、いろいろの苦労をかけている始末でのう。」

父はそう云いながら、茶を運んで行った瑠璃子の方を、詫びるように見た。

「いや、今に閣下にも、御運が向いて来る時代が参りますよ。この頃ポツポツ新聞などに噂が出ますように、もし××会中心の貴族院内閣でもが、出来るようなことがありましたら、閣下などは、誰を差し措いても、第一番の入閣候補者ですから、本当に、今しばらくの御辛抱です。三十年近い間の、閣下の御清節が、報われないで了るということは、余りに不当なことですから。……いやどうも、閣下のお顔を見ると、思わずこうした愚痴が出て困ります。いや、実は本日参ったのは、ちょっとお願いがあるのです。」

そう云いながら、その男は立ち上って、応接室の入口に、立てかけてあった風呂敷包を、卓の上に持って来た。その長方形な恰好から推して、中が軸物であることが分っていた。

「実は、これを閣下に御鑑定していただきたいのです。友人に頼まれましたのですが、書画屋などには安心して頼まれませんものですから。ぜひ一つ閣下にお願いしたいと思うたものですから。」

瑠璃子の父は、素人鑑定家として、堂に入っていた。殊に北宗画南宗画に於ては、その道の権威だった。

「うむ！　品物は何なのだな。」父は余り興味がないように云った。書画を鑑定するといったような、落ち着いた気分は、彼の心のどこにも残っていなかったのである。

「夏珪の山水図です。」

「馬鹿な。」父は頭から嘲るように云った。「そんな品物が、君達の手にヒョコヒョコあるものかね。それに、見れば、大幅じゃないか。まあ黙って持って帰った方がいいだろう。見なくっても分っているようなものだ。ハハハハハハ。」

父は、丸切り相手にしようとはしなかった。相手は、父にそう云われると、恐縮したように、頭をかきながら、

「閣下に、そう手厳しく出られると、一言もありません。が、諦めのために見て戴きたいのです。贋物は覚悟の前ですから。持っている当人になると、怪しいと思いながら、諦められないものですから。ハハハハハハ。」

四

久しぶりで、訪ねて来た旧知の熱心な頼みを聞くと、父は素気なく、断りかねたのであろう、それかと云って、書画を鑑定するといったような、静かな穏やかな気持は、今

の場合、少しも残ってはいないのだった。

「見ないことはないが、今日は困るね、日を改めて、出直して来て貰いたいね。」父は余儀なさそうに云った。

「いや決して、すぐただいま見て下さいなどと、そんな御無理をお願いいたすのではありません。お手許へおいておきますから、一月でも二月でも、お預けしておきますから、どうかお暇な時に、お気が向いたときに。」相手は、叮嚀に懇願した。

「だが、夏珪の山水なんて、大した品物を預っておいて、もしもの事があると困るからね。もっとも、君などが、そうヒョックリ本物を持って来ようなどとは、思わないけれども、ハハハハハ。」

父は、品物が贋物であることに、何の疑いもないように笑った。

「いやそんな御心配は、御無用です。閣下のお手許に置いておけば、日本銀行へ供託しておくより安全です。ハハハハ。閣下のお口から、贋だと一言仰しゃって下さると当人も諦めが、付くものですから。」

相手に、そう如才なく云われると、父も断りかねたのであろう。口では、承諾の旨を答えなかったけれども、有耶無耶のうちに、預ることになってしまった。

その用事が、片付くと客は、取って付けたように、政局の話などを始めた。父はしばらくの間、興味の乗らないような合槌を打っていた。

客が、帰って行くとき、父は玄関へ送って出ながら、

「およそいつ取りに来る?」と訊いた。やっぱり、軸物のことが少しは気になっているのだった。

「御覧になったら、ハガキででも、御一報を願えませんか、本当にお気に向いた時でよろしいのですから。当方は、少しも急ぎませんのですから。」

客は幾度も繰り返しながら、帰って行った。応接室へ引き返した父は、瑠璃子を呼びながら、

「これを蔵っておけ、俺の居間の押入へ。」と、命じた。が、瑠璃子が、父の云い付に従って、その長方形の風呂敷包を、取り上げようとした時だった。父の心が、急にふと変ったのだろう。

「あ、そう。やっぱりちょっと見ておくかな。どうせ贋に定まっているのだが。」

そう云いながら、父は瑠璃子の手から、その包みを取り返した。父は包みを解いて、箱を開くとさすがに丁寧に、中の一軸を取り出した。幅三尺に近い大幅だった。

「瑠璃さん! ちょっと掛けて御覧。その軸の上へ重ねてもいいから。」

瑠璃子は父の命ずるままに、応接室の壁に古くから懸っている、父が好きな維新の志士雲井龍雄の書の上へ、夏珪の山水を展開した。

まず初め、層々と聳えている峰巒の相が現れた。その山が尽きる辺りから、落葉し尽くした疎林が淡々と、浮かんでいる。疎林の間には一筋の小径が、遥々と遠く続いている。その小径を横ぎって、水の乾れた小流が走っている。その水上に架する小さい橋に

は、牛に騎した牧童が牧笛を吹きながら、通り過ぎている。夕暮が近いのであろう、蒼茫たる薄靄が、ほのかに山や森を掩うている。その寂寞を僅かに破るものは、牧童の吹き鳴らす哀切なる牧笛の音であるのだろう。

父は、軸が拡げられるのと共に、一言も言葉を出さなかった。が、じっと見詰めている眸には感激の色がアリアリと動いていた。五分ばかりも黙っていただろう。父は感に堪えたように、もう黙ってはいられないように云った。

「逸品だ。素晴らしい逸品だ。この間、伊達侯爵家の売立に出た夏珪の『李白観瀑』以上の逸品だ！」

父は熱に浮かされたように云っていた。夏珪の『李白観瀑』は、ついこの間行われた伊達家の大売立に九万五千円という途方もない高価を附せられた品物だった。

五

「不思議だ！　木下などが、こんな物を持って来る！」父はしばらくの間は魅せられたように、その山水図に対して、立っていた。

「そんなに、この絵がいいのでございますか。」瑠璃子も、つい父の感激に感染して、こう訊いた。

「いいとも。徽宗皇帝、梁楷、馬遠、牧谿、それから、この夏珪、みんな北宗画の巨頭なのだ、どんな小幅だって五千円もする。この幅などは、お父様が、今まで見た中での傑作だ。北宗画というのは、南宗画とはまた違った、柔かい佳い味のあるものだ。」

　父は、名画を見た欣びに、つい明日に迫る一家の窮境を忘れたように、瑠璃子に教えた。

「そうだ。早く木下に知らせてやらなければいけない。贋物だからいくら預っていても、心配ないと思って預ったが、本物だと分ると急に心配になった。そうだ瑠璃さん！　二階の押入れへ、大切に蔵っておいておくれ！」

　父は十分もの間、近くから遠くから、つくづくと見尽した後、そう云った。

　瑠璃子は、それを持って、二階への階段を上りながら思った。自分の手中には、一幅十万円に近い名画がある。この一幅さえあれば一家の窮状は何の苦もなく脱することが出来る。どんなに名画であろうとも、長さ一丈を超えず、幅五尺に足らぬ布片に、五万十万の大金を投じて惜しまない人さえある。それと同時に、同じ金額のために、いろいろな侮辱や迫害を受けている自分達父娘もある。そう思うと、手中にあるその一幅が、人生の不当な、不公平な状態を皮肉に示しているように思われて、その品物に対して、妙な反感をさえ感じた。

　その日の午後、二階の居間に閉じ籠った父は、どうしたのであろう。平素に似ず、檻に入れられた熊のように、部屋中を絶間なしに歩き廻っていた。瑠璃子は、階下の自分の居間にいながら、天井に絶間なく続く父の足音に不安な眸を向けずには、いられなかった。常には、軽い足音さえ立てない父だった。今日は異常に昂奮している様子が、瑠璃子にもそれと分った。しばらく音が、絶えたかと思うと、また立ち上って、ドシドシとかなり激しい音を立てながら、部屋中を歩き廻るのだった。瑠璃子はふと、父が若い時に何かに激昂すると、すぐ日本刀を抜いて、ビュウビュウと、部屋の中で振り廻すのが癖だったと、亡き母から聞いたことを思い出した。

あんなに、父が昂奮しているとすると、もし明日荘田の代理人が、父に侮辱に近い言葉でも吐くと短慮な父は、どんな椿事を惹き起さないとも限らないと思うと、瑠璃子は心配の上に、また新しい心配が、重なって来るようで、こんな時家出した兄でも、いてくれればと、取止めもない愚痴さえ、心のうちに浮んだ。

その日、五時を廻った時だった。父は、瑠璃子を呼んで、外出をするから、車を呼べと云った。もう、金策の当などが残っているはずはないと思うと、彼女は父が突然出かけて行くことが、かなり不安に思われた。

「どこへいらっしゃるのでございますか。もうすぐ御飯でございますのに。」瑠璃子は、それとなく引き止めるように云った。

「いや、木下から預った軸物が急に心配になってね。これから行って、届けてやろうと思うのだ。向うでは、ああした高価なものだとは思わずに、預けたのだろうから。」父の答えは、何だか曖昧だった。

「それなら、すぐ手紙でもお出しになって、取りに参るように申したら、いかがでございましょう。別に御自身でお出かけにならなくても。」瑠璃子は、妙に父の行動が不安だった。

「いや、ちょっと行って来よう。殊にこの家は、いつ差押えになるかも知れないのだから。預っておいて差押えられたりすると、面倒だから。」父は声低く、弁解するように云った。そう云えば、父がすぐに返しに行こうと云うのにも、訳がないことはなかった。が、父が車に乗って、その軸物の箱を肩に靠せながら、どこともなく出て行く後姿を見た時、瑠璃子の心の中の妙な不安は極点に達していた。

六

とうとう呪われた六月の三十日が来た。梅雨時には、珍しいカラリとした朗かな朝だった。明るい日光の降り注いでいる庭の樹立では、朝早くから蟬がさんさんと鳴きしきっていた。

が、早くから起きた瑠璃子の心には、暗い不安と心配とが、泥のように澱んでいた。父が、昨夜遅く、十二時に近く、酒気を帯びて帰って来たことが、彼女の新しい心配の種だった。還暦の年に禁酒してから、数年間一度も、酒杯を手にしたことのない父だったのだ。あれほど、気性の激しい父も、不快な執拗な圧迫のために、自棄になったのではないかと思うと、そのことが一番彼女には心苦しかった。

ついこの間来た、鷲の嘴のような鼻をした男が、今にも玄関に現れて来そうな気がして、瑠璃子は自分の居間に、じっと坐っていることさえ、出来なかった。あの男が、父に直接会って、弁済を求める。が、父が素気なく拒絶する。相手が父を侮辱するような言葉を放つ。いらいらし切っている父が激怒する。恐ろしい格闘が起る。父が、秘蔵の貞宗の刀を持ち出して来る。そうした厭な空想が、ひっきりなしに瑠璃子の頭を悩ました。が、午前中は無事だった。一度玄関に訪う声がするので驚いて出て見ると、得体の知れぬ売薬を売り付ける偽癈兵だった。午後になってからも、なかなか来る様子はなかった。瑠璃子は絶えずいらいらしながら厭な呪わしい来客を待っていた。

父は、朝食事の時に、瑠璃子と顔を合わせたときにも、苦り切ったまま一言も云わなかった。昨日よりも色が蒼く、眼が物狂わしいような、不気味な色を帯びていた。瑠璃子もなるべく父の顔を見ないように、俯いたまま食事をした。それほど、父の顔は傷ましく惨めに見えた。昼の食事に顔を合した時にも、親子は言葉らしい言葉は、交さなかった。まして、今日が呪われた六月三十日であるといったような言葉は、どちらからも、おくびにも出さなかった。そのくせ、二人の心には六月三十日という字が、毒々しく烙き付けられているのだった。

が、長い初夏の日が、漸く暮れかけて、夕日の光が、遥かに見える山王台の青葉を、あかあかと照し出す頃になっても、あの男は来なかった。あんなに、心配した今日が、何事も起らずに済むのだと思うと、瑠璃子は妙に拍子抜けをしたような、心持にさえなろうとした。

が、しかし悪魔に手抜かりのあるはずはなかった。その犠牲が、十分苦しむのを見すまして、最後に飛びかかる猫のように瑠璃子父子が、一日を不安な期待のうちに、苦しみ抜いて、やっと一時逃れの安心に入ろうとした間隙に、かの悪魔の使者は護謨輪の車に、音も立てず、そっと玄関に忍び寄ったのだった。

「いや、大変遅くなりまして相済みません。が、遅く伺いました方が、御都合が、およろしかろうと思いましたのですから、お父様は御在宅でしょうか。」

瑠璃子が、出迎えると、その男は妙な薄笑いをしながら、言葉だけはいやに、鄭重だった。

来る者が、とうとう来たのだと思いながらも、瑠璃子はその男の顔を見た瞬間から、憎悪と不快とで、小さい胸が、ムカムカと湧き立って来るのだった。

「お父様！　荘田の使いが参りました。」

そう父に取り次いだ瑠璃子の声は、かすかに顫えを帯びるのを、どうともすることが出来なかった。

「よし、応接室に通しておけ。」

そう云いながら、父は傍の手文庫を無造作に開いた。部屋の中はかなり暗かったが、その開かれた手文庫の中には、薄紫の百円紙幣の束が、——そうだ一寸にも近い束が、二つ三つ入れられてあるのが、アリアリと見えた。

瑠璃子は、思わず『アッ！』と声を立てようとした。

七

父の手文庫に思いがけなくも、ほのかな薄紫の紙幣の厚い束を、発見したのであるから、瑠璃子が声を立てるばかりに、駭いたのも無理ではなかった。駭くのと一緒に、有頂天になって、躍り上って、欣ぶべきはずであった。が、実際は、その紙幣を見た瞬間に云い知れぬ不安が、潮の如くヒタヒタと彼女の胸を充した。

瑠璃子は、父がその札束を、無造作に取り上げるのを、恐ろしいものを見るように、無言のままじっと見詰めていた。

父が、応接室へ出て行くと、鷲鼻の男は、い、い、い、やんごとない高貴の方の前にでも出たように、ペコペコした。

「これは、これは男爵様でございますか。私はあの、荘田に使われておりまする矢野と申しますものでございます。今日は止むを得ません主命で、主人も少々現金の必要に迫られましたものですから止むを得ず期限通りにお願い致しまする次第で、何の御猶予も致しませんで、誠に恐縮致しておる次第でござります。」父は、そうした挨拶に返事さえしなかった。

「証文を出してくれたまえ。」父の言葉は、匕首のように鋭く短かった。

「はあ！　はあ！」

相手は、周章てたように、ドギマギしながら、折鞄の中から、三葉の証書を出した。

父は、じっと、それに目を通してから、右の手に、鷲摑みにしていた札束を、相手の面前に、突き付けた。

相手は、父の鋭い態度に、オドオドしながら、それでも一枚一枚算え出した。

「荘田に言伝をしておいてくれたまえ、いいか。俺の云うことをよく覚えて、言伝をして、おいてくれたまえ。この唐沢は貧乏はしている。家も邸も抵当に入っているが、金銭のために首の骨を曲げるような腰抜けではないぞ。日本中の金の力で、圧迫されても、横に振るべき首は、決して縦には動かさないぞ。といいか。帰って、そう云うのだ！　五万や十万の債務は、期限通りいつでも払ってやるからと。」

父は、犬猫をでも叱咤するように、低く投げ捨てるような調子で云った。相手は何と、罵られても、とにかく厭な役目を満足に果し得たことを、もっけの幸と思っているらしく、一層丁寧に慇懃だった。

「はあ！　はあ！　畏まりました。主人に、そう申し聞けますでござります。どうも、私の口からは、申し上げられませんが、成り上り者などという者は、金ばかりありましても、人格などというものは皆目持っていない者が、多うございまして、私の主人なども、使われている者の方が、愛想を尽かすような、卑しい事を時々、やりますので。いや、閣下のお腹立ちは、全くごもっともです。私からも、主人に反省を促すように、申しますことでございます。それでは、これでお暇致します。」

ちょうど烏賊が、敵を怖れて、逃げるときに厭な墨汁を吐き出すように、この男も出鱈目な、その場限りの、遁辞を並べながら、匆卒として帰って行った。

そうだ！　父は最初の悪魔の突撃を物の見事に一蹴したのだった。この次の期限までには、半年の余裕がある。その間には、父の親友たる本多男爵も帰って来る。そう思うと、瑠璃子はホッと一息ついて安心しなければならないはずだった。が、彼女の心は、一つの不安が去るとともに、また別な、もっと性質のよくない不安が、いつの間にか入れ換っていた。

「瑠璃さん！　お前にも心配をかけて済まなかったのう。もう安心するがいい。これで何事もないのだ。」

父は、客が帰った後で、瑠璃子の肩に手をかけながら慰め顔にそう云った。

が、瑠璃子の心は、快々として楽しまなかった。

『お父様！　あなたは、あの大金をどうして才覚なさったのです。』

そういう不安な、不快な、疑いが咽喉まで出かかるのを、瑠璃子は、やっと抑え付けた。

ユージット

一

一家の危機は過ぎた。六月は暮れて、七月は来た。が、父の手文庫の中に奇蹟のように見出された、三万円以上の、巨額な紙幣に対する、瑠璃子の心の新しい不安は、日の経つにつれても、容易には薄れて行かなかった。

七月も半ばになった。庭先に敷き詰めた、白い砂利の上には、瑠璃子の好きな松葉牡丹が、咲き始めた。真紅や、白や、琥珀（こはく）のような黄や、いろいろ変った色の、少女のような優しい花の姿が、荒れた庭園の夏を彩る唯一の色彩だった。

荘田の、思い出すだけでも、憤ろしい面影も、だんだん思い出す回数が、少くなった。鷲鼻の男の顔などは、もういつの間にか、忘れてしまった。すべてが、一場の悪夢のように、その厭な苦い後感もいつしか消えて行くのではないかと思われた。

が、それは瑠璃子の空しい思違いだった。悪魔は、その最後の毒矢を、もう既に放っていたのだった。

七月の末だった。父は、突然警視総監のT氏から、急用があると云って、会見を申し込まれた。父は、T氏とは公開の席で、二三度顔を合せただけで、私交のある間ではなかった。殊に、父は政府当局からは常に、白眼をもって見られていたのだから。

「何の用事だろう？」

父は、ちょっと不審そうに首を傾けた。警視総監といったような言葉だけでも、瑠璃子には妙に不安の種だった。

が、父は何か考え当ることがあったのだろう、割合気軽に出かけて行った。が、掻き乱された瑠璃子の胸は、父の車を見送った後も、しばらくは静まらなかった。

父は、一時間も経たぬ間に帰って来た。瑠璃子は、ホッと安心して、いそいそと玄関に出迎えた。

が、父の顔を一目見たとき、彼女はハッと立竦んでしまった。容易ならぬ大事が、父の身辺に起ったことが、すぐそれと分った。父の顔は、土のように暗く蒼ざめていた。血の色が少しもないと云ってよかった。眼だけは、平素のように爛々と、光っていたが、その光り方は、狂人の眼のように、物凄くしかも、ドロンとして力がなかった。

「お帰りなさいまし。」と、云う瑠璃子の言葉も、しわがれたように、咽喉にからんでしまった。瑠璃子が、父の顔を見上げると、父は子に顔を見られるのが、恥しそうに、コソコソと二階へ上って行こうとした。

父の狼狽したような、血迷ったような姿を見ると、瑠璃子の胸は、暗い憂慮で一杯になってしまった。彼女は、父を慰めよう、訳を訊こうと思いながら、オズオズ父の後から、随いて行った。

が、父は自分の居間へ入ると、後から随いて行った瑠璃子を振り返りながら云った。

「瑠璃さん！ どうか、お父様を、しばらく一人にしておいてくれ！」

父の言葉は、云い付けというよりも哀願だった。父としての力も、権威もなかった。

それにふと気が付くと、そう云った刹那、父の二つの眼には、抑えかねた涙が、ほたほたと湧き出しているのだった。

父が涙を流すのを見たのは、彼女が生れて十八になる今日まで、父が母の死床に、最後の言葉をかけた時、たった一度だった。

瑠璃子は、父にそう云われると、止むなく自分の部屋に帰ったが、一人自分の部屋にいると、墨のような不安が、胸の中を一杯に塗り潰してしまうのだった。

夕食の案内をすると、父は、『喰べたくない』と云ったまま、午後四時から、夜の十時頃まで、カタという物音一つさせなかった。

十時が来ると、寝室へ移るのが、例だった。瑠璃子は、十時が鳴ると父の部屋へ上って行った。そして、オズオズ扉を開けながら云った。

「もう、十時でございます。お休み遊ばしませ。」黙然としていた父は、手を拱いたまま、振向きもしないで答えた。

「俺は、もう少し起きているから、瑠璃子さんは先へお寝なさい！」

そう云われると、瑠璃子は、いよいよ不安になって来た。寝室へ退くことなどはおろか、父の部屋を遠く離れることさえが、心配で堪らなくなって来た。瑠璃子は、階段を中途まで降りかけたが、烈しい胸騒ぎがして、どうしても足が、進まなかった。彼女は、足音を忍ばせながら、そっと、引き返した。彼女は、灯もない廊下の壁に、寄り添いながら立っていた。父が、寝室へ入るまでは、どうにも父の傍を離れられないように思った。

二

二十分経ち三十分経っても、父は寝室へ行くような様子を見せなかった。そればかりではなく、部屋の中からは、身動きをするような物音一つ聞えて来なかった。瑠璃子も、息を凝しながら、ずっとほの暗い廊下の暗に立っていた。一時間余りも、立ち尽したけれども、疲労も眠気も少しも感じなかった。それほど、彼女の神経は、異常に緊張しているのだった。じじと鳴く庭前の、虫の声さえ手に取るように聞えて来た。

十二時を打つ時計の音が、階下の闇から聞えて来ても、父は部屋から出て来る様子はなかった。

夜が、深くなって行くのと一緒に、瑠璃子の不安も、だんだん深くなって行った。十二時を打つのを聞くと、もうじっと、廊下で待っていられないほど、彼女の心は不安な動揺に苛まれた。彼女は、無理にも父を寝させようと決心した。云い争ってでも、父を寝室へ連れて行こうと決心した。彼女が、そう決心して、扉の白い瀬戸物の取手に、手を触れたときだった。いつもは、訳もなくグルリと廻転する取手が、ガチリと音を立てたまま、彼女の手に逆うようにビクリともしなかった。

『内部から鍵をかけたのだ！』

そう思った瞬間に、瑠璃子は鉄槌で叩かれたように、激しい衝動を受けた。気味の悪い悪寒が、全身を水のように流れた。

「お父様！」彼女は、我を忘れて叫んだ。その声は、悲鳴に近い声だった。が、瑠璃子が、そう声をかけた瞬間、今まで静かであった父が、俄に立ち上って、何かをしているらしい様子が、アリアリと感ぜられた。

「お父様！　お開けなすって下さい！　お父様！」

瑠璃子が、続けざまに、呼びかけても、父は返事をしなかった。父が、何とも返事をしないことが彼女の心を、スッカリ動顚させてしまった。恐ろしい不安が、彼女の胸に、充ち溢れた。彼女は、扉を力一杯押した。その細い、華奢な両腕が、折れるばかりに打ち叩いた。

「お父様！　お父様！　お開けなすって下さい！」

彼女の声は、狂女のそれのように、物凄かった。魔物に、その可憐な弟を奪われて、鉄の扉の前で、狂乱するタンタジールの姉のように、命掛けの声を振搾った。

「お父様！　どうしてここをお閉めになるのです。ここをお閉めになってどう遊ばそうとなさるのです。お開け下さい！　お開け下さい。」

が、父は何とも返事をしなかった。父が返事をしないことによって、瑠璃子は、目が眩むほど恐ろしい不安に打たれた。彼女は、ふと気が付いて、窓から入ろうと、電のように、ヴェランダへ走って出た。が、ヴェランダに面した窓には、丈夫な鎧戸が掩われていた。彼女は、死物狂いになって、再び扉の所へ帰って来た。そして、必死に、そのかよわい、しなやかな身体を、思い切り扉に投げ付けてみた。が、扉は無慈悲に、傲然と彼女の身体を突き返した。

彼女は、血を吐かんばかりに叫んだ。

「お父様！　なぜ、開けて下さらないのです。どう遊ばそうというのです。この瑠璃を捨てておいてどう遊ばそうというのです。万一のことをなさいますと、瑠璃も生きていないつもりでございますよ。お父様！　お恨みでございます。どんな事情がございましょうとも、私に一応話して下さいましても、およろしいじゃございませんか。お父様のほかに、誰一人頼る者もない瑠璃ではございませんか。とにかく、お開け下さいませ。万一のことでもなさいますと、瑠璃はお父様をお恨みいたしますよ。」

狂ったように、扉を掻き、打ち、押し、叩いた後、彼女は扉に、顔を当てたままよよと泣き崩れた。

その悲壮な泣き声が、古い洋館の夜更の暗を物凄く顫わせるのだった。

三

よよと泣き崩れた瑠璃子は、再び自分自身を凛々しく奮い起して、女々しく泣き崩れているべき時ではないと思った。彼女は、最後の力、その繊細な身体にあるだけの力を、両方の腕にこめて、砕けよ裂けよとばかりに、堅い、鉄のように堅い扉を乱打した後、身体全体を、烈しい音を立てて、それに向って、打ち付けた。その時に、何かの奇蹟が起ったように、今まではガタリとも動かなかった扉が軽々と音もなく口を開いた。機みを喰った彼女の身体は、つつと一間ばかりも流れて、危く倒れようとした。その時、父の老いてはいるけれども、なお力強い双腕が、彼女の身体を力強く支えたのである。

「お父様！」と、上ずッた言葉が、彼女の唇を洩れるとともに、彼女はしばらくは失神したように、父の懐に顔を埋めたまま烈しい動悸を整えようと、苦しさにあえいでいた。

気が付いてみると、父の顔は涙で一杯だった。卓の上には、遺書らしく思われる書状が、数通重ねられている。

「瑠璃さん！　あわれんでおくれ！　お父さんは死に損ってしまったのだ！　死ぬことさえ出来ないような臆病者になってしまったのだ！　お前の声を聞くと、私の決心が訳もなく崩されてしまったのだ！　お前に恨まれると思うと、お父様は死ぬことさえ出来ないのだ。」

父は、瑠璃子の昂奮が、漸く静まりかけるのを見ると、呟くように語り始めた。

「まあ、何を仰しゃるのでございます、死ぬなどと。まあ何を仰しゃるのでございます。一体どうしたといって、そんなことを仰しゃるのでございます。」

「ああ恥しい。それを訊いてくれるな！　俺はお前にも顔向けが出来ないのだ！　彼奴の恐ろしい罠に、手もなくかかったのだ。あんな卑しい人間のかけた罠に、狐か狸かのように、手もなくかかったのだ。恥しい！　自分で自分が厭になる！」

父は、座にも堪えないように、身悶えして口惜しがった。握っている拳がブルブルと顫えた。

「彼奴と仰しゃりますと、やっぱり荘田でございますか。荘田が、何をいたしましたのでございますか。」

瑠璃子も烈しい昂奮に、眼の色を変えながら、父に詰め寄って訊いた。

「今から考えると、見え透いた罠だったのだ。が、木下までが、俺を売ったかと思うと俺はこの胸が張り裂けるようになって来るのだ！」

父は、木下が眼前にでもいるように、前方を、きっと睨みながら、声はわなわなと顫えた。

「へえ！　あの木下が、あの木下が。」と、瑠璃子もしばらくは茫然となった。

「金（かね）は、人の心を腐らすものだ。彼奴までが、十何年という長い間、目をかけて使ってやった彼奴までが、金のために俺（わし）を売ったのだ。金のために、十数年来の旧知を捨てて、敵の犬になったのだ。それを思うと、俺（わし）は坐っても立ってもおられないのだ！」

「木下が、どうしたというのでございます。」

瑠璃子も、父の激昂に誘われて桜色に充血した美しい顔を、極度に緊張させながら、問い詰めた。

「この間、彼奴が持って来た軸物を、何だと思う、あれが、俺（わし）を陥れる罠だったのだ。あれは一体誰のものだと思う。友達のものだという、その友達は誰だったと思う。」

父は、眼を熱病患者のそれのように光らせながら、じっと瑠璃子を見下した。

「あれは誰のものでもない、あの荘田のものなのだ。荘田のものを、空々しく俺（わし）の所へ持って来たのだ。」

「何のためでございましたろう。何だってそんなことを致したのでございましょう。でも、お父様はあの晩、すぐお返しになったではございませんか。」

瑠璃子が、そう云うと父の顔は、見る見る曇ってしまった。彼は、崩れるように後の腕椅子に身を落した。

「瑠璃さん！　許しておくれ！　罠をかける者も卑しい。が、それにかかる者もやっぱり卑しかったのだ。」

父は、そう云うと肉親の娘の視線をも避けるように、面（おもて）を伏せた。

四

しばらくは、強い緊張のうちに、父も子も黙っていた。が、父はその緊張に堪えられないように、面を俯けたまま、呟くように云った。

「瑠璃さん！　お前にスッカリ云ってしまおう。俺はな、浅墓にも、相手の罠にかかってとんでもないことをしてしまったのだ。あの木下の奴！　彼奴までが、荘田の犬になっていようとは夢にも悟らなかったのだ。お前に云うのも恥しいが、俺は木下が、あの軸物を預けて行ったとき、フラフラと魔がさしたのだ。一月でも二月でもいつまででも預けておくと云う、こっちが通知しないうちは、取りに来ないと云う。俺は、そう聴いたときに、この一軸で一時の窮境を逃れようと思ったのだ。素晴らしい逸品だ、殊に俺の手から持って行けば、三万や五万は、すぐ融通が出来ると思ったのだ。果して融通は出来た。が、それは罠の中の餌に、俺が喰い付いたのと、ちょうど同じだったのだ。彼奴は、俺を散々餓えさした揚句、俺の旧知を買収して、俺に罠をかけたのだ。飢えていた俺は、不覚にも罠の中の肉に喰い付いたのだ。罠をかける奴の卑しさは、論外だが、かかった俺の卑しさも笑ってくれ。三十年の清節も、清貧もあったものではない。」

父は、のたうつように、椅子の中で、身を悶えた。これを聞いている瑠璃子も、身体中が、猛火の中に入ったように、烈しい憤怒のために燃え狂うのを感じた。

「それで、それで、どうなったというのでございます。」

彼女は、身を顫わしながら訊いた。卓の上にかけている白い蠟のような手も、烈しい顫えを帯びていた。

「あの軸物の本当の所有者は荘田なのだ。彼奴は、俺に対して横領の告訴を出しているのだ。」

父は吐くように云った。

「そんなことが罪になるのでございますか。」

瑠璃子の眼も血走ってしまった。蒼白い頰が烈しく痙攣した。

「なるのだ！　逆に取って、逆に出るのだから、堪らないのだ。預っている他人の品物は、売っても質入してもいけないのだ。」

「でも、そんなことは、世間にいくらもあるではございませんか。」

「そうだ！　そんなことはいくらでもある、俺もそう思ってやったのだ。が、向うでは初めから謀ってやった仕事だ。俺が少しでも、躓くのを待っていたのだ。躓けば後から飛び付こうと待っていたのだ。」

瑠璃子の胸は、荘田に対する恐ろしい怒りで、火を発するばかりであった。

「人非人奴！　人非人奴！　どれほどまで執念く妾達を、苦しめるのでございましょう。ああ口惜しい！　口惜しい！」

彼女は、平生のたしなみも忘れたように、身を悶えて、口惜しがった。

「お前が、そう思うのは無理はない。お父様だって、昔であったら、そのままにはしておかないのだが。」

父の顔はますます凄愴な色を帯びていた。

「ああ、男でしたら、男に生れていましたら。残念でございます。」

そう云いながら、瑠璃子は卓の上に、泣き伏した。

どこかで、一時を打つ音がした。騒がしい都の夏の夜も、静寂に更け切って、遠くから響いて来る電車の音さえ、絶えてしまった。瑠璃子の泣き声が絶えると、深夜の静けさが、しんしんと迫って来た。

「それで、その告訴はどうなるのでございますか。まさか取上げにはなりませんでしょうね。」

瑠璃子は泣き顔を擡げながら、心配そうに訊いた。涙に洗われた顔は、一種の光沢を帯びて、凄艶な美しさに輝いているのであった。

五

「さあ！ そこなのだ！ 今日警視総監が、個人として俺に会見を求めたのは、その問題なのだ。総監が云うのには、このくらいなことで、貴方を社会的に葬ってしまうことは、何とも遺憾なことなので告訴を取り下げるように懇々云ってみたが、頑として聴かない。そして唐沢氏本人がやって来て、手を突いて謝るならば告訴を取り下げようと云うのだ、どうも先方では貴方に対して何か意趣を含んで居るらしい。貴方も快くはあるまいが、この際先方に詫を入れて、内済にして貰ったらどうかと云うのだ。貴方もあんな男に詫びるのは、不愉快だろうが、しかし、貴方の社会的地位や名誉には換えられないから、この際思い切って謝罪してみたらどうかと云ってくれるのだ。先方が告訴を取り下げさえすれば、検事局では微罪として不起訴にしようと云っているというのだ。」

父は低くうめくように云って来たが、ここまで来ると急に烈しい調子に変りながら、

「だが、瑠璃子考えておくれ。あんな男に、あんな卑しい人間に、謝罪はおろか、頭一つ下げることさえ、俺にとってどんな恥辱であるか。俺は、それよりもむしろ死を選みたいのだ。しかし謝罪しないとなると、どうしても起訴を免れないのだ。起訴されると、お前この罪は破廉恥罪なのだ！　あれ見い！　爵位も返上を命ぜられるばかりでなく、俺の社会的位置は、滅茶苦茶だ！　瑠璃子考えておくれ。貴族院第一の硬骨と云われた唐沢が、あのザマだと、世間から嘲笑されることを考えておくれ。死以上の恥辱だ。どの道を選んでも、死ぬより以上の恥辱なのだ。瑠璃子、俺が死のうと決心した心のうちを、お前は察してくれるだろう。」

瑠璃子は、父の苦しい告白を、石像のように黙って聴いていた。火のように熱した身体中の血が今はかえって、氷のように冷たくなっていた。

「俺が死ねば、彼奴の迫害の手も緩むだろうし、それによって、汚名を流さずして済む。

つまり、俺は悪魔の手に買い取られた俺の社会的名誉を、血をもって買い戻そうと思ったのだ。お前のことを、思わないではない。父のほかには頼る者もないお前のことを思わないではない。が、破廉恥の罪人になることを考えると、泥棒と同じ汚名を被ることを考えると、何も考えておられなくなったのだ。」

父は、そう云いながら、心のうちの苦しさに堪えられないように、しきりに身を悶えた。

「が、扉の外でお前が突然叫び出した声を聞くと、刀を持っていた俺の手が、しびれてしまったように、どうしても俺の思い通りに、動かないのだ。未練だ！　未練だ！　と、心で叱っても、手がどうしても云うことを聴かないのだ。俺は、今初めてお前に対する父としての愛が、名誉心や政治上の野心などよりも、もっと大きいことが分ったのだ。俺は、社会上の位置を失っても、お前のために生き延びようと思ったのだ。破廉恥罪の名を被ても、お前の父として、生き延びようと思ったのだ。名誉や位置などは、なくなっても、お前さえあれば、まだ生き甲斐があるということが、分ったのだ。いや名誉や野心のために、生きるのよりも、自分の子供のために、生きる方が人間として、どれほど立派であるかということが、今やっと分ったのだ。俺は、今光一を追出したことを後悔する。親の野心のために、子を犠牲にしようとしたことを後悔する。瑠璃子！　お前のために、そんな汚名を忍んでも生き延びるのだ。お前も、罪人のお父様を見捨てないで、いつまでも俺の傍を離れてくれるな。」

父の顔は今、子に対する愛に燃えて、美しく輝いていた。彼は、子に対する愛によって、その苦しみのうちから、その罪のうちから、立派に救われようとしているのだった。

六

そうだ！　子の心は、凄じい憤怒と復讐の一念とに、湧き立った。父が、子に対する愛のために、敵の与えた恥辱を忍ぼうとするのに拘わらず、子の心は敵に対する反抗と憎悪とのために、狂ってしまった。

「お父様、それでいいのでございましょうか。お父様！　金さえあれば悪人がお父様のような方を苦しめてもいいのでございましょうか。しかも、国の法律までが、そんな悪人の味方をするなどという、そんなことが、許されることでございましょうか。」

瑠璃子は、平生のおとなしい、慎しやかな彼女とは、全く別人であるように、熱狂していた。父は子の激昂を宥めるように、「だが瑠璃子！　悪人がどんな卑しい手段を講じてもお父様さえ、しっかりしていればよかったのだ。国の法律に触れたのはやっぱり俺の不心得だったのだ。」

「いいえ！　妾は、そうは思いません。」瑠璃子は、昂然として父の言葉を遮った。「荘田のやりましたような奸計を廻らしたならば、どんな人間をだって、罪に陥すことは容易だと思います。お父様が信任していらっしゃる木下をまで、買収してお父様を罠に陥し入れるなど、悪魔さえ恥じるような卑怯なことを致すのでございますもの。もし、国に本当の法律がございましたら、荘田こそ厳罰に処せられるべきものだと思います。荘田のような悪人の道具になるような法律を、妾は心から呪いたいと思います。」

眦が、裂けると云ったらいいのだろう。美しい顔に、凄じい殺気が迸った。父も、子の烈しい気性に、気圧されたように、黙々として聴いていた。

「お父様、あんな男に起訴されて、泣寝入りになさるような、腑甲斐ないことをして下さいますな。あくまでも戦って、相手の悪意を懲しめてやって下さいませ。ああ妾が男でございましたら、……本当に男でございましたら……」

瑠璃子は、熱に浮かされたように、昂奮して叫び続けた。

「が、瑠璃子！　法律というものは人間の行為の形だけを、律するものなのだ。荘田が、悪魔のような卑しい悪事を働いても、その形が法律に触れていなければ、大手を振って歩けるのだ。俺は切羽詰って一寸逃れに、知人の品物を質入れした。世間にありふれたことで、事情止むを得なかったのだ。が、俺の行為の形は、ちゃんと法律に触れているのだ。法律が罰するものは、荘田の恐ろしい心ではなくして、俺のちょっとした心得違いの行為なのだ。行為の形なのだ！」

「もし、法律がそんなに、本当の正義によって、動かないものでしたら、妾は法律によろうとは思いません。妾の力で荘田を罰してやります。妾の力で、荘田に思い知らせてやります。」

気が狂ったのではないかと思うほど、瑠璃子の言葉は烈しくなった。父は呆気に取られたように、子の口もとを見詰めていた。

「金の力が、万能でないということをあの男に知らせてやらねばなりません。金の力で動かないものが、世の中に在ることを知らせてやらねばなりません。このままで、お父様が、有罪になるようなことがございましたら、荘田は何と思うか分りません。世の中には、法律の力以上に、本当の正義があることを、あの男に思い知らせてやらねばなりません。金の力などは、本当の正義の前には土塊にも等しいことを、あの男に思い知らせてやりたいと思います。」

そう云いながら、瑠璃子は父の顔をじっと見詰めていたが、思い切ったように云った。

「お父様！　お願いでございます。瑠璃子を、無い者と諦めて、今後何を致しましょうと、妾の勝手に委せて下さいませんか。」

瑠璃子の顔に、鉄のように堅い決心が閃いた。父は、瑠璃子の真意を測りかねて、茫然と愛児の顔を見詰めていた。

「お父様？　妾は、ユージットになろうと思うのでございます。」

七

「ユージット？」老いた父には、娘の云った言葉の意味が分らなかった。

「さようでございます。妾はユージットになろうと思うのでございます。ユージットと申しますのは猶太の美しい娘の名でございます。」

「その娘になろうというのは、どういう意味なのだ！」父は、激しい興奮から覚めて、やや落ち着いた口調になっていた。

「ユージットになろうと申しますのは、妾の方から進んで、あの荘田勝平の妻になろうということでございます。」

瑠璃子の言葉は、樫の如く固く氷の如く冷やかであった。

「えーッ。」と叫んだまま、父は雷火に打たれた如く茫然となってしまった。

「お父様！　お願いでございます。どうか、妾をないものと諦めて、妾の思うままにさせて下さいませ！」

瑠璃子は、いつの間にか再び熱狂し始めた。

「馬鹿なッ！」父は、烈しい、しかし慈愛の籠った言葉で叱責した。

「馬鹿なことを考えてはいけない。親の難儀を救うために子が犠牲になる。親の難儀を救うために娘が、身売りをする。そんな道徳は、古い昔の、封建時代の道徳ではないか。お前が、そんな馬鹿なことを考える。聡明なお前が、そんな馬鹿なことを考える。お父様を救おうとして、お前があんな豚のような男に身を委す。考えるだけでも汚らわしいことだ！　お前を犠牲にして、自分の難儀を助かろうなどと、そんなさもしいことを考える父だと思うのか。俺は、自分の名誉や位置を守るために、お前の指一本髪一筋も、犠牲にしようとは思わない。そんな馬鹿馬鹿しいことを考えるとは、平生のお前にも似合わないじゃないか。」

父は、思いのほかに、激昂して、瑠璃子をたしなめるように云った。が、瑠璃子は、ビクともしなかった。

「お父様！　お考え違いをなさっては、困ります。お父様の身代りになろうなどと、そんな消極的な動機から、申上げているのではありません。妾(わたくし)は、法律の網を潜るばかりでなく、法律を道具に使って、善人を陥れようとする悪魔を、法律に代って、罰してやろうと思うのです。一家が受けた迫害に、復讐するばかりでなく、社会のために、人間全体のために、法律が罰し得ない悪魔を罰してやろうと思うのです。お父様の身代りになろうというような、そんな小さい考えばかりではありません。」

瑠璃子は、昂然と現代の烈女と云ってもいいように、美しく勇ましかった。

「お前の動機は、それでもいい。だが、あの男と結婚することが、どうしてあの男を罰することになるのだ。どうして、一家が受けた迫害を、復讐することになるのだ。」

「結婚は手段です。あの男に対する刑罰と復讐とが、それに続くのです。」瑠璃子は凜然と火花を発するように云った。

「お父様、昔猶太(ユダヤ)のベトウリヤという都市が、ホロフェルネスという恐ろしい敵の猛将に、囲まれた時がありました。ホロフェルネスは、獅子を搏(てうち)にするような猛将でした。ベトウリヤの運命は迫りました。破壊と虐殺とが、目前に在りました。その時に、美しい少女が、ベトウリヤ第一の美しい少女が、侍女をたった一人連れたきりで、羅衣を纏った美しい姿を、虎のようなホロフェルネスの陣営に運んだのです。そしてこの少女の、容色に魅せられた敵将を、閨中でたった一突きに刺し殺したのです。美しい少女は、自分の貞操を犠牲にして、幾万の同胞の命と貞操とを救ったのです。その少女の名こそ、今申し上げたユージットなのでございます。」

八

瑠璃子の心は、勇ましいロマンチックな火炎で包まれていた。牝獅子の乳で育ったという野蛮人の猛将を、細い腕で刺し殺した猶太の少女の美しい姿が、勇ましい面影が、蝕画のように、彼女の心にこびりついて離れなかった。少女に仮装して、敵将を倒した日本武尊よりも、本当の女性であるだけに、それだけ勇ましい。命よりも大切な、貞操を犠牲にしているだけに、限りなく悲壮であった。

「妾はユージットのように、戦ってみたいと思うのです。」

二千有余年も昔の、猶太の少女の魂が、大正の日本に、甦って来たように、瑠璃子は炎の如く熱狂した。

が、父は冷静だった。彼は、熱狂し過ぎている娘を、宥めるように、言葉静かに説き諭した。

「瑠璃子！　お前のように、そう熱しては困る。女の一番大事な貞操を、犠牲にするなど、そんな軽率なことを考えては困る。数万の人の命に代るような、大事な場合は、大切な操を犠牲にすることも、立派な正しいことに違いない。が、あんな獣のような卑しい男を、懲すために、お前の一身を犠牲にしては、黄金を土塊と交換するほど、馬鹿馬鹿しいことじゃないか。」

「ですが、お父様！」と、瑠璃子はすぐ抗弁した。

「相手は、お父様の仰しゃる通り、取るに足りない男には違いありません。が、現在の社会組織では人格がどんなに下劣でも、金さえあれば、帝王のように強いのです。お父様は、相手を『獣のように卑しい男』とお蔑みになっても、その卑しい男が、金の力で、お父様のような方に、こんな迫害を加え得るのですもの。妾が、戦わなければならぬ相手は荘田勝平という個人ではありません。荘田勝平という人間の姿で、現れた現代の社会組織の悪です。金の力で、どんなことでも出来るような不正な不当な社会全体です。金さえあれば、何でも出来るといったような、その思想です。観念です。妾は、それを破ってみたいと思うのです。」

瑠璃子は、処女らしい羞恥心を、興奮のために、全く振り捨ててしまったように、叫びつづけた。

父は、子の烈しい勢いを、持ち扱ったように、黙って聞いていた。

「それに、お父様！　ユージットは、操を犠牲にしましたが、それは相手が、勇猛無比なホロフェルネス、操を捨ててかからなければ、油断をしなかったからです。妾は、妻という名前ばかりで、相手を懲し得る自信があります。どうか妾を無いものと、お諦めになって、三月や半年かの間、荘田の許へやって下さいまし。匕首で相手を刺し殺す代りに、精神的にあの男を滅ぼして御覧に入れますから。」

そこには、もう優しい処女の姿はなかった。相手の卑怯な執念深い迫害のために、とうとう最後の堪忍を、し尽して、反抗の刃を取って立ち上がった彼女の姿は、復讐の女神その物の姿のように美しく凄愴だった。

「瑠璃さん！　あなたは、今夜はどうかしている。お父様も、ゆっくり考えよう。あなたも、ゆっくりお考えなさい。あなたの考えは、余り突飛だ。そんな馬鹿なことが今時……」

「でも、お父様！」瑠璃子は少しも屈しなかった。「妾は、毒に報いるには毒をもってしたいと思います。陰謀に報いるには、陰謀をもってしたいと思います。相手が悪魔でも恥じるような陰謀を逞しくするのですもの。こっちだって、突飛な非常手段で、懲しめてやる必要があると思います。現代の社会では万能な金の力に対抗するのには、非常手段に出るよりほかはありません。妾は、自分の力を信じているのでございます。あんな男一人滅ぼすのには余るくらいの力を、持っているように思います。お父様！　どうか妾を信じて下さいまし。瑠璃子は、一時の興奮に駆られて無謀なことを致すのではありません。ちゃんと成算があるのでございます。」

瑠璃子の興奮はどこまでも、続くのだった。父は黙々として、何も答えなくなった。父と娘との必死な問答のうちに、幾時間も経ったのであろう、明け易い夏の夜は、ほのぼのと白みかけていた。

美奈子

一

「はははは、唐沢の奴、面喰っているだろう。はははは。」

荘田は、籐製の腕椅子のうちで、身体をのけ反るようにしながら、哄笑した。

「どうも、貴方も人間が悪くていけない。あんないい方を苛めるなんて、どうも甚だ宜しくない。貴方が、持って行けと云ったから、つい持って行ったものの、どうも寝覚めが悪くっていけない。私は随分唐沢さんにお世話になったのですからね。」

木下は、さすがに烈しい良心の呵責に堪えられないように、苦しげに云った。

「ああいいよ。分っているよ。君の苦衷も察しているよ。俺だって、何も唐沢が憎くって、やるのじゃあないんだ。つい、意地でね。妙な意地でね。ちょっとした意地でやり始めたのだが、やり始めると俺の性質でね、徹底的にやり徹さないと気が済まないのだ。親を苛める気は、少しもないのだ。あの美しい娘に対する色恋からでもないんだ。ははははは、誤解してくれちゃ困るよ。はははははは。」

　荘田は、その赤い大きい顔の相好(そうごう)を崩しながら、思惑が成功した投機師のように、得意な哄笑を笑い続けた。

「どうだ！　俺が云った通りだろう。君は、高潔な人格の唐沢さんは、決してそんなことはしないとか何とか云って、反対したじゃないか。どうだ！　人間は、金に窮すればどんなことでもするだろう。金によって、保護されていない人格などは、要するに当(あて)にならないのだ。清廉潔白などということも、本当に経済上の保証があって出来ることだよ。貧乏人の清廉潔白なんか、当になるものか。はははははは。」

　この世をばわが世とぞ思う望月の欠けたることの無いように、勝平は得意だった。

「だが、私は気になります。私は唐沢さんが自殺しやしないかと思っているのです。どうもやりそうですよ。きっとやりますよ。」木下は、心からそう信じているように、眉をひそめながら云った。

「うむ！　自殺かね。」さすがに荘田も、ちょっと誘われて眉をひそめたが、すぐ傲岸な笑いで打ち消した。

「はははは、大丈夫だよ。人間はそう易々(やすやす)とは、死なないよ。いや待っていたまえ。今に、泣きを入れに来るよ。なに、先方が泣きを入れさえすれば、そうは苛めないよ。もともと、ちょっとした意地からやっていることだからね。」

「それでも、もしお嬢さんをよこすと云ったら御結婚になりますかね。」

「いや、それだがね。俺も考えたのだよ。いくら何だと言っても、二十五六も違うのだろう。世間が五月蠅からね。ただでさえ『成金！　成金！』と、いやな眼で見られているんだろう。それだのに、そんな不釣合な結婚でもすると、非難攻撃が、大変だからね。それで、俺が花婿になることは思い止まったよ。倅の嫁にするのだ。倅の嫁にね。あれとなら、年だけは似合っているからね。そのことは先方へも云っておいたよ。」

「御子息の嫁に！」

そう云ったまま、木下は二の句が継げなかった。荘田の息、勝彦というその息は、二十を二つ三つも越していながら、子供のようにたわいもない白痴だった。白痴に近い男だった。そうだ！　年だけは似合っている。が、瑠璃子の夫としては、何という不倫な、不似合な配偶だろう。金のために旧知を売った木下にさえ、荘田の思い上った暴虐が、不快に面憎く感ぜられた。

「なに、俺があのお嬢さんと結婚する必要は、少しもないのだ。金の力が、あのお嬢さんを、左右してやればそれでいいのだよ。金の力が、どんなに大きいかを、あのお嬢さんと、ああそうそう、もう一人の人間とに、思い知らしてやればいいのだよ。」

荘田は、何物も恐れないように、傲然と云い放った。

ちょうど、その時だった。荘田の背後の扉が、ドンドンと、激しく打ち叩かれた。

「電報！　電報！」と、誰かが大声で叫んだ。

二

「電報！　電報！」

扉は、続けざまに割れるように叩かれた。今まで、傲然と反り返っていた荘田は、急に悄気きってしまった。彼はテレ隠しに、苦笑しながら、

「おい！　勝彦！　おい！　よさないか、お客様がいるのだぞ。おい！　勝彦！」

客を憚って、高い声も立てず、低い声で制しようとしたが、相手は聴かなかった。

「電報！　電報！」強い力で、扉は再び続けざまに、乱打された。

「まあ！　お兄様！　何を遊ばすのです。さあ！　あっちへいらっしゃい。」優しく制している女の声が聞えた。

「電報だい！　電報だい！　本当に電報だよ。美奈さん。」男は抗議するように云った。

「あら！　電報じゃありません、お客様の御名刺じゃありませんか、それなら早くお取次ぎ遊ばすのですよ。」

そうした問答が、聞えたかと思うと、扉が音もなく開いて、十六――恐らく七にはなるまい少女が姿を現した。色の浅黒い、眸のいきいきとした可愛い少女だった。彼女は、兄の恥を自分の身に背負ったように、顔を真赤にしていた。

「お父様！　お客様でございます。」

客に、丁寧に会釈をしてから、父に向って名刺を差し出しながら、しとやかそうに云った。傲岸な父の娘として、白痴の兄の妹として、彼女は狼に伍した羊のように、美しく、しとやかだった。

「木下さん。これが娘です。」

そう云った荘田の顔には、娘自慢の得意な微笑が、アリアリと見えた。が、彼の眼が、開かれた扉の所に立って、キョトンと室内を覗いている長男の方へ転ずると、急にまた悄気てしまった。

「ああ美奈さん。兄さんを早う向うへ連れて行ってね。それから、杉野さんをお通しするように。」

娘に、優しく云い付けると、客の方へ向きながら、

「御覧の通りの馬鹿ですからね。唐沢のお嬢さんのような立派な聡明な方に、来ていただいて、引き廻していただくのですね。はははは。」

馬鹿な長男が去ると、荘田はまた以前のような得意な傲岸な態度に還って行った。

そこへ、小間使に案内されて、入って来たのは、杉野子爵だった。

「やあ！　荘田さん！　懸賞金はやっぱり私のものですよ。とうとう、先方で白旗を上げましたよ、はははは。」

「白旗をね、なるほど。ははははは。」荘田は、凱旋の将軍のように哄笑した。

「案外脆かったですね。」木下は傍から、合槌を打った。

「それがね。令嬢が、案外脆かったのですよ。お父様が、監獄へ行くかもしれないと聞いて、狼狽したらしいのです。父一人子一人の娘としては、無理はないとも思うのです。私の所へ、今朝そっと手紙を寄越したのです。父に対する告訴を取り下げた上に、唐沢家に対する債権を放棄してくれるのなら荘田家へ輿入れしてもいいと云うのです。」

「なるほど、うむ、なるほど。」

荘田は、血の臭いを嗅いだ食人鬼のように、満足そうな微笑を浮べながら、肯いた。

「ところが、令嬢に註文があるのです。荘田君！ お欣びなさい！ 私に対する懸賞金は倍増にする必要がありますよ、令嬢の註文がこうなのです。同じ荘田家へ嫁ぐのなら、息子さんよりも、やっぱりお父様のお嫁になりたい。男性的な実業家の夫人として、社交界に立ってみたいとこう云ってあるのです。手紙をお眼にかけてもいいですが。」

そう云いながら、子爵はポケットから、瑠璃子の手紙を取り出した。ちょうど敵から来た投降状でも出すように。

三

凱旋の将軍が、敵の大将の首実検をでもするように、荘田は瑠璃子が杉野子爵宛に寄越した手紙を取り上げた。得意な、満ち足りたと云ったような、賤しい微笑が、その赤い顔一面に拡がった。

「うむ！　成る程！　成る程！」

舌鼓をでも打つように、一句一句を貪るように読み了ると、彼は腹を抱えんばかりに哄笑した。

「はははは。強いようでも、やっぱり女子は弱いものじゃ、ははははは。なにも、あのお嬢さんを嫁にしようなどとは、夢にも考えていなかったが、こうなると一番若返るかな、はははは。じゃ、杉野さん、どうかよろしくね。あの証文全部は、お嬢様に、結婚の進物として差しあげる。そうだ！　差し上げる期日は、結婚式の当日ということにしよう。それから、支度金は軽少だが、二万円差し上げよう。そうそう、貴君方に対するお礼もあったけ。」

王女のように、美しく気高い処女を、とうとう征服し得たという欣びに、荘田は有頂天になっていた。彼は、呼鈴を鳴らして女中を呼ぶと、

「お嬢さんに、そう云うのだ。俺の手提金庫に小切手帳が入っているから持って来るように。」と命じた。

良心を悪魔に、売り渡した木下と杉野子爵とは、自分達の良心の代価が、いくらになるだろうかと銘々心のうちで、荘田の持つ筆の先に現れる数字を、貪慾に空想しながら、美奈子が小切手帳を持って、入って来るのを待っていた。

「十八の娘にしては、なかなか達筆だ！　文章も立派なものだ！」

荘田は、なお飽かず瑠璃子の手紙に、魂を擾されていた。

が、ちょうどその同じ瞬間に、瑠璃子の手紙によって、魂を擾されていたのは荘田勝平だけではなかった。

瑠璃子は、杉野子爵に宛てて、一通の手紙を書くのと同時に、その息子の杉野直也に対しても、一通の手紙を送った。直也に送った手紙は、熱い涙と堅い鉄のような心とで書いた。杉野子爵に対する手紙は、冷たい微笑と堅い鉄のような心とで書いた。

荘田勝平が、一方の手紙を読んで、有頂天になったと同じに、直也は他の一方の手紙を読んで、奈落に突落されたように思った。

父を恐ろしい恥辱より救い、唐沢一家を滅亡より救う道は、これよりほかにはないのでございます。……

法律の力を悪用して、善人を苦しめる悪魔を懲しめる手段は、これよりほかにはないのでございます。妾の行動を奇矯だとお笑い下さいますな。芝居気があるとお笑い下さいますな。現代に於ては、万能力を持っている金に対抗する道は、これよりほかにはないのでございます。……名ばかりの妻、そうです、妾はありとあらゆる手段と謀計とでもって、妾の貞操をあの悪魔のために汚されないように努力する積りです。北海道の牧場では、よく牡牛と羆とが格闘するそうです。妾と荘田との戦いもそれと同じです。牡牛が、羆の前足で、搏たれないうちに、その鉄のような角を、敵の脾腹へ突き通せば牡牛の勝利です、妾も、自分の操を汚されないうちに、立派にあの男を倒してやりたいと思います。

妾の結婚は、愛の結婚でなくして、憎しみの結婚です。それに続く結婚生活は、絶えざる不断の格闘です。……

が、どうか妾を信じて下さい。妾には自信があります。半年と経たないうちに精神的にあの男を殺してやる自信があります。

直也様よ、妾のためにどうか、勝利をお祈り下さい。

手紙は、なお続いた。

四

妾は、勝利を確信しています。が、それは実質の勝利で、形から云えば、妾は金のために荘田に購われる女奴隷と、等しいものかも知れません。妾が、自分の操を清浄に保ちながら、荘田を倒し得ても、社会的には妾は、荘田の妻です。何人が妾の心も身体も処女であることを信じてくれるでしょう。妾は貴君だけには、それを信じて戴きたいと思います。が、妾にはそれを強いる権利はありません。

男性化という言葉があります。妾の現在はそれです。妾は女性としての恋を捨て、優しさを捨て慎しやかさを捨てて、ただ復讐と膺懲のために、狂奔する化物のような人間になろうとしているのです。顧みると、自分ながら、浅ましく思わずにはいられません。が、悪魔を倒すのには、悪魔のような心と謀計とが必要です。

貴君を愛し、また貴君から愛されていた無垢な少女は、残酷な運命の悪戯から、すべての女性らしさを、自分から捨ててしまうのです。すべての女性らしさを、復讐の神に捧げてしまうのです。愛も恋も、慎しやかさも淑やかさも、その黒髪も白き肌も。

次のことを申上げるのは、一番厭でございますが、荘田からの最初の申込みを取り継がれた方は、貴君のお父様です。従って、求婚に対する妾の承諾も、順序として、貴君のお父様に、取次いでいただかねばなりません。妾は、貴君に対する、この不快な恐ろしい手紙を書いた後に、貴君のお父様宛に、もう一つの、もっと不快な恐ろしい手紙を書かねばなりません。

それを思うと、妾の心が暗くなります。が、妾はあくまで強くなるのです。ああ、悪魔よ！　もっと妾の心を荒ませておくれ！　妾の心から、最後の優しさと恥しさを奪っておくれ！

一句一句鋭い匕首の切先で、抉られるように、読み了った直也は最後の一章に来ると、鉄槌で横ざまに殴り付けられたような、恐ろしい打撃を受けた。

最初は、たといどんな理由があるにしろ、自分を捨てて、荘田に嫁ごうとする瑠璃子が恨めしかった。心を喰い裂くような烈しい嫉妬を感じた。が、だんだん読んで行くうちに、唐沢家に対する荘田の迫害の原因が、荘田に対する自分の罵倒であったことが、マザマザと分って来た。瑠璃子を唐沢家から奪おうとするのは、つまり自分の手から奪おうとするのだ。荘田の、自分に対する皮肉な恐ろしい復讐なのだ。意趣返しなのだ。瑠璃子は、復讐と膺懲の手段として、結婚するという。が、それを自分が漫然と見ていられるだろうか。かよわい女性が、貞操の危険を冒してまで、戦っている時に、第一の責任者たる自分が、茫然と見ていられるだろうか。が、そんなことはとにかく直也には、自分の恋人がたとい操は許さないにしても、荘田と——豚のように不快な荘田と、形式的にでも夫と呼び妻と呼ぶことが、堪らなかった。瑠璃子は、あくまでも、操を汚さないというが、そんなことは、聡明ではあるにしろ、まだ年の若い彼女の夢想的な空想で、たとい彼女の決心が、どんなに堅かろうとも、一旦結婚した以上、獣のように強い荘田のために、ムザムザと蹂み躙られてしまいはせぬか。どんなに強い精神でも、鉄のように強い腕には、敵せない時がある。瑠璃子の心が火のように烈しく、石のように堅くても、羅衣にも堪えないような、その優しい肉体は、荘田の強い把握のために、押し潰されてしまいはせぬか。そう考えると、直也の心は、恐ろしい苦悶と焦燥のために、烈しく動乱した。が、それよりも、自分の父が自分の恋人を奪う悪魔の手下であることを知ると、彼は憤怒と恥辱とのために、逆上した。

彼は瑠璃子の手紙を握りながら、父の部屋へかけ込んだ。父の姿は見えないで、女中が座敷を掃除していた。

「お父様はどうした。」

彼は女中を叱咤するように云った。

「今しがた、荘田様へいらっしゃいました。」

瑠璃子の承諾の手紙を読むと、鬼の首でも取ったように、荘田の所へ馳け付けたのだと思うと、直也の心は、恐ろしい憤怒のために燃え上った。

五

美奈子が、小切手帳を持って来ると、荘田は、傍の小さい卓の上にあった金蒔絵の硯箱を取寄せて不器用な手付で墨を磨りながら、左の手で小切手帳を繰拡げた。

「ははははは、貴方にも、お礼をうんと張り込むかな。」彼は、そう得々と哄笑しながら、最初の一葉に、金二万円也と、小学校の四五年生くらいの悪筆で、そのくせ潑剌と筆太に書いた。それは無論、支度料として、唐沢家へ送るものらしかった。

その次の一葉を、木下も杉野も、爛々と眼を、梟のように光らせて、見詰めていた。

荘田は、無造作に壱万円也と書き入れると、その次の一葉にも、同じだけの金額を書き入れた。

「どうです。これで不足はないじゃろう。はははは。」と、荘田は肩を揺がせながら笑った。

食事を与えられた犬のように、何の躊躇もなく、二人がその紙片に手を出そうとしている時だった。荘田の背後の扉が、軽く叩かれて、小間使が入って来て、

「旦那様！　あの杉野さんという方が、御面会です。」と云った。

「杉野！」と、荘田は首を傾げながら云った。「杉野さんならここにいらっしゃるじゃないか。」

「いいえ！　お若い方でございます。」

「若い方？　いくつくらい？」と、荘田は訊き返した。

「二十三四の方で、学生の服を着た方です。」

「ううむ。」と、荘田はちょっと考え込んだが、ふと杉野子爵の方を振り向きながら、

「杉野さん！　貴君の御子息じゃないかね。」と、云った。

「私の倅、私の倅がお宅へ伺うことはない。もっとも、私にでも用があるのかな。そうじゃありませんか。私に会いたいと云うのじゃありませんか。」

子爵は小間使の方を振り向きながら云った。小間使は首を振った。

「いいえ！　御主人にお目にかかりたいと仰しゃるのです。」

「ああ分った！　杉野さん！　貴君の御子息なら、僕の所へ来る理由が、大いにあるのです。殊に今の場合、唐沢のお嬢さんが、私に屈服しようという今の場合、是非とも来なければならない方です。そうだ！　私も会いたかった。そうだ！　私も会いたかった！　おい、お通しするのだ。主人もお待ちしていましたといってね。貴君方は、別室

で待っていただくかね。いや、立会人があった方が、結局いいかな。そうだ！　早くお通しするのだ！」

興奮した熊のように、荘田は卓に沿うて、二三歩ずつ左右に歩きながら、叫んだ。

杉野子爵には、荘田の云った意味が、十分に判らなかった。何の用事があって、自分の息子が、荘田を尋ねて来るのか見当も立たなかった。が、それはともかく、自分が荘田から、邪しい金を受け取ろうとする現場へ、肉親の子——しかも、その潔白な性格に対しては、親が三目も四目も置いている子が——突然現れて来ることは、いかにも愧しいキマリの悪いことに違いなかった。彼は、顔には現さなかったが、心のうちでは、かなり狼狽した。荘田が、早く気を利かして、小切手帳をしまってくれればいい、くれるものは、早くくれて、早く蔵ってくれればいいと、虫のいいことを、考えていたけれど、荘田は妙に興奮してしまって、小切手帳のことなどは、念頭にもないようだった。マザマザと見えている一万円也という金額が、杉野や木下等の罪悪を、歴々と語っているように、子爵には心苦しかった。

「一体、私の倅は何だって、貴方をお尋ねするのです。前から御存じなのですか。何の用事があるでしょう。」杉野子爵は、堪らなくなって訊いた。

「いや、今にすぐ判ります。やっぱり、今度の私の結婚についてです。が、媒介の手数料を貰いに来るのでないことは、確かですよ。はははは。」

と、荘田は腹を抱えるように哄笑した。その哄笑が終らないうちに、彼の背後の扉が、静かに開かれて、その男性的な顔を、蒼白に緊張させている、杉野直也が姿を現した。

六

直也の姿を見ると、荘田の哄笑が、ピタリと中断した。相手の決死の形相が、傲岸な荘田の心にも鋭い刃物に触れたような、気味悪い感じを与えたのに違いなかった。が、彼はさり気なく、鷹揚に、徹頭徹尾勝利者であるという自信で云った。

「いやあ！　貴君でしたか。いつぞやは大変失礼しました。さあ！　どうかこちらへお入り下さい！　ちょうど、貴君のお父様も来ていらっしゃいますから。」

外面だけはかなり鄭重に、直也を引いた。直也は、その口を一文字に緊きしめたまま、黙々として一言も発しなかった。彼は、父の方をなるべく見ないように――それは父に対する遠慮ではなくして、敬虔な基督教徒が異教徒と同席する時のような、憎悪と侮蔑とのために、なるべく父の方を見ないように、荘田のちょうど向い側に卓を隔てて相対した。

「どういう御用か、知りませんが、よくいらっしゃいました。貴君があんなに軽蔑なさった成金の家へも、訪ねて来て下さる必要が出来たと見えますね。はははは。」

荘田は、直也と面と向って立つと、すぐ挑戦の第一の弾丸を送った。

直也は、それに対して、何かを云い返そうとした。が、彼は烈しい怒りで、口の周囲の筋肉が、ピクピクと痙攣するだけで、言葉は少しも、出て来なかった。

「どういう御用です。承ろうじゃありませんか。どういう御用です。」

荘田はのしかかるように畳みかけて訊いた。直也は、心のうちに沸騰する怒りを、どう現してよいか、分らないように、しばらくは両手を顫わせながら、荘田の顔を睨んで立っていたが、突如として口を切った。

「貴君は、良心を持っていますか。」

「良心を！」と、荘田はすぐ受けたが、問が余りに唐突であったためしばらくは語に窮した。

「そうです。良心です。普通の人間には、そんなことを訊く必要はない。が、人間以下の人間には、訊く必要があるのです。貴君は良心を持っていますか。」

直也は、卓を叩かんばかりに、烈しく迫った。

「あははははは。良心！　うむ、そんな物はよく貧乏人が持ち合わしているものだ。そして、それを金持に売り付けたがる。はははは、私も度々買わされた覚えがある。が、私自身には生憎良心の持ち合せがない、はははは。いつかも、貴君に云った通り、金さえあれば、良心なんかなくても、結構世の中が渡って行けますよ。良心は、羅針盤のようなものだ。ちっぽけな帆前や、たかが五百噸や千噸の船には、羅針盤が必要だ。が、三万とか四万とかいう大軍艦になると、羅針盤も何もいりやしない、大手を振って大海が横行出来る。はははは。俺なども、羅針盤のいらない軍艦のようなものじゃ。はははは。」

荘田は、あくまでも、自分の優越を信じているように、出来るだけ直也を、じらすように、ゆっくりと答えた。

それを聴くと、直也は堪らないように、わなわなと身体を顫わせた。

「貴君は、自分がやったことを恥だとは思わないのですか。卑劣な盗人でも恥じるような手段を廻らして、唐沢家を迫害し、不倫な結婚を遂げようというような、浅ましいやり方を、恥ずかしいとは思わないのですか。貴君は、それを恥ずるだけの良心を持っていないのですか。」

直也は、吃々とどもりながら、威丈高に罵った。が、荘田はビクともしなかった。

「お黙りなさい。国家が許してある範囲で、正々堂々と行動しているのですよ。何を恥じる必要があるのです。貴方は、白昼公然と、私の金の力を、あざ嗤った。が、御覧なさい！　貴君は、金の力で自分のお父様を買収され、あなたの恋人を、公然と奪われてしまったではありませんか。貴君こそ、自分の不明を恥じて、私の前でいつかの暴言を謝しなさい！　唐沢のお嬢さんは、もうこの通り、ちゃんと前非を悔いている。御覧なさい！　この手紙を！」

そう云いながら、荘田が得々として、瑠璃子の手紙を直也に突き付けたとき、彼の心は火のような憤りと、恋人を奪われた墨のような恨みとで、狂ってしまった。

七

「御覧なさい！　私は、自分の息子の嫁に、するためにお嬢さまを所望したのだが、お嬢さまの方から、かえって私の妻になりたいと望んでおられる。有力な男性的な実業家の妻として、社会的にも活動してみたい！　こう書いてある。はあああ。どうです！お嬢様にも、ちゃんと私の価値が判ったとみえる。金の力が、どんなに偉大なものかが判ったとみえる！　あははは。」

荘田は、得々とその大きい鼻を、うごめかしながら、言葉を切った。

直也は、湧き立つばかりの憤怒と、嵐のような嫉妬に、自分を忘れてしまった。彼は瑠璃子の手紙を見たときに、荘田と媒介人たる自分の父とに、面と向って、その不正と不倫とを罵り、少しでも残っている荘田の良心を、呼び覚して、不当な暴虐な計画を思い止まらせようと決心したのだが、実際に会ってみると、自分のそうした考えが、獣に道徳を教えるのと同じであることを知った。そればかりでなく、荘田の逆襲的嘲弄に、直也自身まで、獣のように荒んでしまった。彼の手は、いつの間にか知らず識らず、ポケットの中に入れて来た拳銃にかかっていた。その拳銃は、今年の夏、彼が日本アルプスの乗鞍ケ岳から薬師ケ岳へ縦走したときに、護身用として持って行って以来、つい机の引出しに入れておいた。彼は激昂して家を出るとき、ふとこの拳銃のことが、頭に浮んだ。荘田の家へ、単身乗り込んで行く以上、召使や運転手や下男などの多数から、どんな暴力的な侮辱を受けるかも知れない。そうした場合の用意に持って来たのだが、しかし今になってみると、それが直也に、もっと血腥(ちなまぐさ)い決心の動機となっていた。暴に報ゆるには暴をもってせよ。相手が金を背景として、暴を用いるなら、こちらは死を背景とした暴を用いてやれ。憤怒と嫉妬とに狂った直也は、そう考えていた。そうした考えが浮ぶとともに、直也の顔には、死そのもののような決死の相が浮んでいた。

「貴君(あなた)の、この不正な不当な結婚を、中止なさい。中止すると誓いなさい！　でなければ……でなければ……」そう云ったまま、直也の言葉もさすがに後が続かなかった。

「でなければ、どうすると云うのです。あはははははは。貴君(あなた)は、この荘田を脅迫するのですな。こりゃ面白い！　中止しなければ、どうすると云うのです。」

直也は、無我夢中だった。彼は、自分も父も母も恋人も、国の法律も、何もかも忘れてしまった。ただ眼前数尺の所にある、大きい赤ら顔を、どうにでも叩き潰(つぶ)したかった。

「中止しなければ……こうするのです。」

そう叫んだ刹那(せつな)、彼の右の手は、鉄火の如くポケットを放れ、水平に突き出されていた。その手先には、白い光沢のある金属が鈍い光を放っていた。

「何！　何をするのだ。」と、荘田が、悲鳴とも怒声ともつかぬ声を挙げて、扉(ドア)の方へタジタジと二三歩後ずさりした時だった。

直也の父は、狂気のように息子の右の腕に飛び付いた。

「直也！　何をするのだ！　馬鹿な。」

その声は、泣くような叱るような悲鳴に近い声だった。

父の手が、子の右の手に触れた刹那だった。轟然たる響きは、室内の人々の耳を劈いた。

その響きに応ずるように、荘田も木下も子爵も「アッ。」と、叫んだ。それと同時に、どうと誰かが崩れるように倒れる音がした。帛を裂くような悲鳴が、それに続いて起った。その悲鳴は、荘田の口から洩るるような、太いあさましい悲鳴とは違っていた。

八

父の手が直也の手に触れたちょうどその刹那に、発せられた弾丸は、皮肉にも二十貫に近い荘田の巨軀を避けて、わずかに開かれた扉の隙から、主客の烈しい口論に、父の安否を気遣って、そっと室内をのぞき込んでいた荘田の娘美奈子の、かよわい肉体を貫いたのであった。

荘田は娘の悲鳴を聞くと、自分の身の危さをも忘れて飛び付くように、娘の身体に掩いかかった。

美奈子は、二三度起き上ろうとするように、身体を悶えた後に、ぐったりと身体を、青い絨毯の上に横たえた。絶え入るような悲鳴が続いて、明石縮らしい単衣の肩の辺に出来た赤黒い汚点が、見る見るうちに胸一面に拡がって行くのだった。

「美奈子！　気を確かに持て！　おい！　繃帯を持って来い！　なければ白木綿だ！　近藤さんを呼べ！　そうだ！　自動車を迎えにやれ！　いなかったら、誰でもいい外科の博士を。そうだ！　その前に、誰でもいいから、近所の医者を呼んで来い！　早く、早く、早くだ！」

狼狽して、前後左右にただウロウロする、召使の男女を荘田は声を枯らして叱咤した。彼はそう云いながらも、右の掌で、娘の傷口を力一杯押えているのだった。

直也は、自分の放った弾丸が、思いがけない結果を生んだのを見ながら、彼は魂を奪われた人間のように、茫然として立っていた。色は土の如く蒼く、眼は死魚のそれのように光を失った。彼はまだ短銃を握ったまま、突っ立っていた。直也の父も、木下も、この犯人の手から、短銃を奪い取ることさえ忘れていた。殊に、子爵の顔は子のそれよりも、血の気がなかった。彼は自分の罪が、ヒシヒシと胸に徹えて来るのを感じた。自分の野卑な、狡猾な行為が、子の上に覿面に報いて来たことが、恐ろしかった。彼は、この短慮と暴行とを叱すべき言葉も、権威も持っていなかった。彼の身体を支えている足は、絶えずわなわなと顫えた。

荘田は、娘の肩口を繃帯で、幾重にもクルクルと、捲いてしまうと、やっと小康を得たように、室内に帰って来た。その巨きい顔は殺気を帯びて物凄い相を示した。

「お蔭で傷は浅いです。可哀そうに、あれは大層親思いですから、あんな飛沫を喰うのです。」

彼は、氷のような薄笑いを含んで、直也の顔をマジマジと見詰めながら云った。赤手にして一千万円を越ゆる暴富を、二三年のうちに、攫取(かくしゅ)した面魂(つらだましい)が躍如として、その顔に動いた。

「いや、私は暴に報いるに、暴をもってしません。ただ、国の公正なる法律に、あなたの処分を委ねるだけです。杉野さん！ お気の毒ですが、御子息はすぐ、警察の方へお引き渡ししますから、そのおつもりでいて下さい。おい警視庁の刑事課へ電話をかけるのだ。そして、殺人未遂の犯人があるから、すぐ来てくれと。いいか。」

荘田は、冷然として、鉄の如く堅く冷やかに、商品の註文をでもするような口調で、小間使に命じた。

小間使の方が恐ろしい命令に、躊躇して、ウロウロしている時だった。仮の繃帯が了(おわ)って、自分の部屋へ運ばれようとしていた美奈子が、父の烈しい言葉を、そのかすかな聴覚で、聞きわけたのであろう。彼女は、ふり搾るような声を立てた。

「お父様！ お願いでございます。どうぞ、内済にして下さいませ！ 妾(わたくし)が、短銃(ピストル)で打たれましたなどは、外聞が悪うございますわ。どうぞ！ どうぞ！」

彼女は、哀願するように、力一杯の声を出した。

荘田は、娘からの思いがけない抗議に、狼狽(うろた)えながら、なおも頑然として云った。

「お前さんの知ったことじゃない。お前さんは、そんなことは、一切考えないで、気を落ち着けているのだ。いいか。いいか。」

「いいえ！　いいえ！　妾（わたくし）を撃ったために、あの方が牢へ行かれるようなことが、ございましたら、妾（わたくし）は生きては、おりません。お父様！　どうぞ、どうぞ、内済にして下さいませ。」

美奈子は、息を切らしながら、とぎれとぎれに云った。傲岸不屈な荘田も、さすがに黙ってしまった。

直也の二つの眼には、あつい湯のような涙が、湧くように溢れていた。初めて、顔を見たばかりの少女の、厚い情（なさけ）に対する感激の涙だった。

心の武装

一

記憶のよい人々は、あるいは覚えているかも知れない。大正六年の九月の末に、東京大阪の各新聞紙が筆を揃えて報道した唐沢男爵の愛娘瑠璃子の結婚を。それは近年にない大評判（センセイショナル）な結婚であった。

この結婚が、一世の人心を湧かし、姦（かまびす）しい世評を生んだ第一の原因は、その新郎新婦の年齢が恐ろしいほど隔っていたためであった。二三の新聞は、第二の小森幸子事件であると称して、世道人心に及ぼす悪影響を嘆いた。小森幸子事件とは、ついその六七年前、時の宮内大臣田中伯が、還暦を過ぎた老体をもって、まだ二十（はたち）を過ぎたばかりの処女――爵位と権勢に憧るる虚栄の女と、婚約をしたために一世の烈しい指弾と抗議とを招いた事件だった。

無論、新郎の荘田勝平は、当時の田中伯よりも若かった。が、それと同時に、新婦の唐沢瑠璃子は小森幸子などとは比較にならないほど美しく、比較にならないほど名門の娘であり、比較にならないほど若かった。

新聞紙に並べられた新郎新婦の写真を見た者は、男性も女性も、等しく眉を顰めた。が、この結婚が姦しい世評を産んだ原因は、ただ新郎新婦の年齢の相違ばかりではなかった。もう一つの原因は、成金、荘田勝平が、唐沢家の娘を金で買ったという噂だった。ある新聞紙は貴族院第一の硬骨をもって、称せらるる唐沢男爵に、そうした卑しいことのあるべきはずはないと、打消した。他の新聞紙はあたかも事件の真相を伝える如くに云った、曰く『荘田勝平は唐沢男に私淑しているのだ。彼は数十万円を投じて唐沢家の財政上の窮状を救ったのだ。唐沢男が、娘を与えたのは、その恩義に感じたからである。』と。他の新聞紙は、またこんな記事を載せた。結婚の動機は、唐沢瑠璃子の強い虚栄からである。彼女は学習院の女子部にいた頃から、同窓の人々の眉を顰めさせるほど、虚栄心に富んだ女であった、と。そうした記事に伴って女子教育家や社会批評家の意見が紙面を賑わした。ある者は、成金の金に委せての横暴が、世の良風美俗を破るといって憤慨した。ある者は、米国の富豪の娘達が、欧洲の貴族と結婚して、富と爵位との交換を計るように、日本でも貧乏な華族と富豪が頻々として縁組を始めたことを指摘して、面白からぬ傾向である、華族の堕落であると結論した。

が、そうした轟々たる世論を外に、荘田は結婚の準備をした。春の園遊会に、十万円を投じて惜しまなかった彼は、晴れの結婚式場には、黄金の花を敷くばかりの意気込であった。彼は、自分の結婚に対して非難攻撃が高くなればなるほど、反抗的に公然に華美に豪奢に、式を挙げようと決心していた。

彼は、あらゆる手段で、朝野の名流を、その披露の式場に蒐めようとした。彼は、あらゆる縁故を辿って、貴族顕官の列席を、頼み廻った。

九月二十九日の夕であった。日比谷公園の樹の間に、薄紫のアーク燈が、ほのめき始めた頃から幾台も幾台もの自動車が、北から南から、西から東から、軽快な車台で夕暮の空気を切りながら、山下門の帝国ホテルを目指して集まって来た。最新輸入の新しい型の自動車と交っては、昔ゆかしい定紋の付いた箱馬車に、栗毛の駿足を並べて、優雅に上品に、軋らせて来る堂上華族も見えた。さすがに広いホテルの玄関先も、後から後から蒐まって来る馬車や自動車を、収めきれないではみ出された自動車や馬車は往来に沿うて一町ばかりも並んでいた。

祝宴が始まる前の控場の大広間には、余興の舞台が設けられていて、今しがた帝劇の嘉久子と浪子とが、二人道成寺を踊り始めたところだった。

二

新郎の勝平は、控室の入口に、新婦の瑠璃子と並び立って、次々に到着する人々を迎えていた。

彼は嘘から出た真（まこと）という言葉を心のうちで思い起していた。本当に、彼の結婚は嘘から出た真であった。彼は、妙にこじれてしまった意地から、相手を苦しめるために、申込んだ結婚が、相手が思いのほかに、脆（もろ）かったため、手軽に実現したことが少しくすぐったいようにも思った。それと同時に、名門のたった一人の令嬢をさえ、自分の金の力で、とうとう買い得たかと思うと、心の底からむらむらと湧く得意の情を押えることが出来なかった。

が、結婚の式場に列（つらな）るまで、彼は瑠璃子を高価で購った装飾品のようにしか思っていなかった。五万円に近い大金を投じて、落籍（ひか）した愛妓に対するほどの感情をも持っていなかった。『このお嬢さんきっとむずかるに違いない。なに、むずかったって、高の知れた子供だ。ふふん。』といったような気持で神聖なるべき式場に列った。

が、雪のように白い白紋綸子（りんず）の振袖の上に目も覚むるような唐織錦の裲襠（うちかけ）を被（き）た瑠璃子の姿を見ると、彼は生れて初めて感じたような気高さと美しさに、打たれてしまって、神官が朗々と唱え上げる祝詞（のりと）の言葉なども耳に入らぬほど、じっと瑠璃子の姿に、魅せられていた。その輪廓の正しい顔は凄いほど澄みわたって、神々しいといってもいいような美しさが、勝平の不純な心持をさえ、浄めるようだった。

式が、無事に終って、大神宮から帝国ホテルまでの目と鼻の距離を、初めて自動車に同乗したときに云い知れぬ嬉しさが、勝平の胸の中に、こみ上げて来た。彼は、どうかして、最初の言葉を掛けたかった。が、日頃傲岸不遜な、人を人とも思わない勝平であるにも拘わらず、話しかけようとする言葉が、一つ一つ咽喉にからんでしまって、小娘か何かのように、その四十男の巨きい顔が、ほんの少しではあるが、赤らんだ。彼は、唐沢家をあんなにまで、迫害したことが、後悔された。瑠璃子が、自分のことを一体どう思っているだろうと、いうことが一番心配になり始めた。

式服を着換えて、今勝平の横に立っている瑠璃子は、前よりもっと美しかった。御所解模様を胸高に総縫にした黒縮緬の振袖が、そのスラリとした白皙の身体に、しっくりと似合っていた。勝平は、こうして若い美しい妻を得たことが、自分の生涯を彩る第一の幸福であるようにさえ思われた。今までは、彼の唯一つの誇りは、金力であった。が、今はそれよりも、もっと誇っていいものが、得られたようにさえ思った。

大臣を初め、政府の高官達が来る。実業家が来る。軍人が来る。唐沢家の関係から、貴族院に籍を置く、伯爵や子爵が殊に多かった。大抵は、夫人を同伴していた。美人の妻を持っているので、有名な小早川伯爵が来たとき、勝平は同伴した伯爵夫人を、自分の新妻と比べてみた。伯爵夫妻が、会釈して去った時、勝平の顔には、得意な微笑が浮んだ。虎の門第一の美人として、謳われたことのある勧業銀行の総裁吉村氏の令嬢が、その父に伴われて、その美しい姿を現したとき、勝平はまた思わず、自分の新妻と比べてみずにはいられなかった。無論、この令嬢も美しいことは美しかった。が、その美しさは、華美な陽気な美しさで、瑠璃子のそれに見るような澄んだ神々しさはなかった。

『やっぱり、育ちが育ちだから。』勝平は、口の中で、こんな風に、新しい妻を讃美しながら、日本中で、一番得意な人間として、後から後からと続いて来る客に、平素に似ない愛嬌を振り蒔いていた。

　来客の足が、やや薄らいだ頃だった。この結婚を纏めた殊勲者である木下が新調のフロックコートを着ながら、ニコニコと入って来た。

「やあ！　お目出度うございます。お目出度うございます！」

　彼は勝平に、ペコペコと頭を下げてから、その傍の新夫人に、丁寧に頭を下げたが、今まではすべての来客の祝賀を、神妙に受けていた瑠璃子は木下の顔を見ると、その高島田に結った頭を、昂然と高く持したまま、一寸はおろか一分も動かさなかった。勝手が違って、狼狽する木下に、一瞥も与えずに、彼女は怒れる女王の如き、冷然たる儀容を崩さなかった。

三

　祝宴が開かれたのは、午後七時を廻っていた時分だった。集合電燈の華やかな昼のような光の下に五百人を越す紳士とその半分に近い婦人とが淑やかに席に着いた。紳士は、大抵フロックコートか、五つ紋の紋付であったが、婦人達は今日を晴れと銘々きらびやかな盛装を競っていた。

　花嫁といったような心持は、少しも持たず、戦場にでも出るような心で、身体には錦繡を纏っているものの、心には甲冑を装うている瑠璃子ではあったが、こうして沢山の紳士淑女の前に、花嫁として晒されると、必死な覚悟をしている彼女にも、恥しさが一杯だった。列席の人々は、結婚が非常な評判を起しただけ、それだけ花嫁の顔を、ジロジロと見ているように、瑠璃子には思われた。金で操を左右されたものと思われているかも知れないことが、瑠璃子には――勝気な瑠璃子には、死に勝る恥のようにも思われた。が、彼女は全力を振って、そうした恥しさと戦った。人は何とも思え、自分は正しい勇ましい道を辿っているのだと、彼女は心の中で、ともすれば撓みがちな勇気を振い起した。

が、苦しんでいるものは、瑠璃子だけではなかった。新郎の勝平と、一尺も離れないで、黙々と席についている父の顔を見ると、瑠璃子は自分の苦しみなどは、父の十分の一にも足りないように思った。自分は、自分から進んで、こうした苦情を買っているのだ。が、父は最愛の娘を敵に与えようとしている。たとい、それが娘自身の発意であるにしろ、男子として、殊に硬骨な父として、どんなに苦しい無念なことであろうかと思った。

が、苦しんでいる者は、ほかにもあった。それは今宵の月下氷人を勤めている杉野子爵だった。子爵は、瑠璃子が自分の息子の恋人であることを知ってから、どれほど苦しんでいるか分らなかった。瑠璃子に対する荘田の求婚が、本当は自分の息子に対する、復讐であったことを知ってから、彼はその復讐の手先になっていた、自分のあさましさが、しみじみと感ぜられた。殊に、そのために、息子が殺傷の罪を犯したことを考えると、彼は立っても、坐っても、いられないような良心の苛責を受けた。

日比谷大神宮の神前でも、彼は瑠璃子の顔を、仰ぎ見ることさえなし得なかった。彼は、瑠璃子親子の前には、罪を待つ罪人のように、悄然とその頭を垂れていた。

今宵の祝賀の的であるべき花嫁を初め、親や仲人が、銘々の苦しみに悶えているにも拘わらず、祝賀の宴は、あくまでも華やかだった。価高い洋酒が、次から次へと抜かれた。料理人が、懸命の腕を振った珍しい料理が後から後から運ばれた。低くはあるが、華やかなさざめきが卓から卓へ流れた。

デザートコースになってから、貴族院議長のT公爵が立ち上った。公爵は、貴族院の議場の名物である、その荘重な態度を、いつもよりも、もっと荘重にして云った。

「私は、ここに御列席になった皆様を代表して、荘田唐沢両家の万歳を祈り、新郎新婦の前途を祝したいと思います。どうか皆様新郎新婦の前途を祝うて御乾杯を願います。」

公爵は、そう云いながら、そのなみなみと、つがれた三鞭酒の盃を、自分と相対して立っている逓相の近藤男の盃に、カチリと触れさせた。

それと同時に、公爵の音頭で、荘田唐沢両家の万歳が、一斉に三唱された。

ちょうどその時であった。その祝辞を受くるべく立ち上ろうとした唐沢男爵の顔が、急に蒼ざめたかと思うと、ヒョロヒョロとその長身の身体が後へ二三歩よろめいたまま、枯木の倒れるように、力なく床の上に崩れ落ちた。

四

唐沢男爵の突然な卒倒は、晴れの盛宴を滅茶苦茶にしてしまった。さすがに、心の利いた給仕人は、手早く一室に担ぎ込んだが、列席の人々の動揺は、どうともすることが出来なかった。瑠璃子は、花嫁である身分も忘れて、父の傍に馳け付けたまま、晴着の振袖を気にしながら、懸命に介抱した。

給仕人が、必死になって最後のコーヒを運ぶのを待ち兼ねて、仲人の杉野子爵は立って来客達に、列席の労を謝した。それを機会に、今まで浮腰になっていた来客は、潮の引くように、一時に流れ出てしまって、煌々たる電燈の光の流れている大広間には、勝平を初めとし四五人の人々が寂しく取り残されただけだった。

瑠璃子の父は、幸いに軽い脳貧血であった。呼びにやった医者が来ない前に、もう、常態に復していた。が、彼は黙々として自分を取り囲んでいる杉野や勝平には、一言も言葉をかけなかった。

父が、用意された自動車に、やっと恢復した身体を乗せて、今宵からは、最愛の娘と離れて、ただ一人住むべき家へ帰って行く後姿を見ると、鉄のように冷たくつぼんでいる瑠璃子の心も、底から掻き廻されるような痛みを感ぜずにはいられなかった。

瑠璃子は、父の自動車に身体をピッタリと附けながら、小声で云った。

「お父様しばらく御辛抱して下さいませ。じきにお父様の許へ帰って行きます。どうぞ、妾を信じて待っていて下さいませ。」

さすがに彼女の眼にも、湯のような涙が、ほたほたと溢れた。

父は、瑠璃子の言葉を聴くと大きく肯きながら、

「お前の決心を忘れるな。お父さんが、今宵受けた恥を忘れるな。」

父が低くしかし、力強くこう呟いた時、自動車は軽く滑り出していた。

父を乗せた自動車が、出で去った後の車寄せに附けられた自動車は、荘田がついこの間、伊太利から求めた華麗なフィヤット型の大自動車であった。新郎新婦を、その幾久しき合衾の床に送るべき目出度き乗物だった。

瑠璃子は、夫——それに違いはなかった——に招かるるまま、相並んで腰を降した、が、その美しい唇は彫像のそれのように、堅く堅く結ばれていた。

勝平は、どうにかして、瑠璃子と言葉を交えたかった。彼は、瑠璃子の美しさがしみじみと、感ぜられれば感ぜられるだけ、ただ黙って、並んでいることが、いよいよ苦痛になり出した。

彼は、瑠璃子の顔色を窺いながら、オズオズ口を開いた。

「大変沈んでおられるようじゃが、そう心配せいでもようござんすよ。俺だって貴女が思っているほど、無情な人間じゃありません。貴女のお父様を、苛めて済まんと思っているのです。罪滅ぼしに、出来るだけのことはしようと思っているのです。貴女も、俺

を敵のように思わんでな。これも縁じゃからな。」

勝平は、誰に対しても、使ったことのないような、丁寧な訛のある言葉で、哀願するような口調でしみじみと話し出した。が、瑠璃子は、黙々として言葉を出さなかった。二人の間に重苦しい沈黙がしばらく続いた。

「実は恥を云わねばならないのだが、今年の春、俺の家の園遊会で、貴女を見てから、年甲斐もなく、はははは。それで、つい、心にもなく貴女のお父様までも、苦しめて、どうも何とも済まないことをしました。」

勝平は、瑠璃子の心を解こうとして心にもない嘘を云いながら、大きく頭を下げてみせた。

その刹那に、美しい瑠璃子の顔に、皮肉な微笑が動いたかと思うと、彼女の容子は、一瞬のうちに変っていた。

「そんなに云って下さると妾の方がかえって痛み入りますわ。妾のような者を、それほどまでして、望んで下さったかと思うと、ほほほほほ。」

と、車内の薄暗のうちでもハッキリと判るほど、瑠璃子は勝平の方を向いて、嫣然と笑ってみせた。勝平は、その一笑を投げられると、魂を奪われた人間のように、フラフラとしてしまった。

五

瑠璃子の嫣然たる微笑を浴びると、勝平は三鞭酒の酔いが、だんだん廻って来たその巨きい顔の相好を、たわいもなく崩してしまいながら、

「ああ、そうでがすか。貴女の心持はそうですか、それを知らんもんですから、心配したわい。」

彼は余りのうれしさに、生れ故郷の訛を、スッカリ丸出しにしながら、身体に似合わない優しい声を出した。

「貴女が心の中から、私のところへ、欣んで来て下さる。こんな嬉しいことはない。貴女のためなら俺の財産をみんな投げ出しても惜しみはせん。あはははは。」

荘田は、恥しそうに顔を俯している瑠璃子の、薄暗の中でも、くっきりと白い襟足を、貪るように見詰めながら、有頂天になって云った。

「貴女が来て下されば、俺も今までの三倍も五倍もの精力で、働きますぞ。うんと金を儲けて、貴女の身体をダイヤモンドで埋めて上げますよ。あはははは。」

荘田は、どうかして、瑠璃子の微笑と歓心とを贏ちえようと、懸命になって話しかけた。

十時を過ぎたお濠端の闇を、瑠璃子を乗せた自動車を先頭に、美奈子を乗せた自動車

を中に、召使達の乗った自動車を最後に、三台の自動車は、瞬くうちに、日比谷から三宅坂へ、三宅坂から五番町へとほとんど三分もかからなかった。

瑠璃子が、夫に扶けられて、自動車から宏壮な車寄せに、降り立った時、さすがにその覚悟した胸が、烈しくときめくのを感じた。単身敵の本城へ乗り込んで行く、刺客のような緊張と不安とを感じた。勝平に扶けられている手が、かすかに顫えるのを、彼女は必死に制しようとした。

瑠璃子が、勝平に従って、玄関へ上がろうとした時だった。そこに出迎えている、多数の召使の前に、ヌッとつッ立っている若者が、急に勝平に縋り付くようにして云った。

「お父さん！　お土産だい！　お土産だい！」

勝平は、縋り付かれようとする手を、瑠璃子の手前、きまり悪そうに、払い退けながら、

「ああ分っている、分っている。後で、沢山やるからな。さあ！　こっちへおいで。お前の新しいお母様が出来たのだからな。挨拶をするのだよ。」

勝平は、その若者を拉しながら先に立った。若者は、振向き振向き瑠璃子の顔をジロジロと珍しそうに見詰めていた。

勝平は先に立って、自分の居間に通った。

「美奈子も、ここへおいで。」

彼は、娘を呼び寄せてから、改めて瑠璃子に挨拶させた後、勝平はその見るからに傲

岸な顔に、恥しそうな表情を浮べながら、自分の息子を紹介した。

「これが俺の息子ですよ。御覧の通りの人間で、貴女にさぞ、御面倒をかけるだろうと思いますが、ゼヒ、面倒を見てやっていただきたいのです。少し足りない人間ですが、悪気はありませんよ。ごく単純で、こっちの云うことはかなり聴くのです。おい勝彦！これが、お前のお母様だよ。さあさあ挨拶するのだ。」

勝彦は、瑠璃子の顔を、ジロジロと見詰めていたが、父にそう促されると急に気が付いたように、

「お母様じゃないや。お母様は死んでしまったよ。お母様は、もっと汚い婆あだったよ。この人は綺麗だよ。この人は美奈ちゃんと同じように、綺麗だよ。お母様じゃないや、ねえそうだろう、美奈ちゃん。」彼は妹に同意を求めるように云った。妹は顔を、火のように赤くしながら、兄を制するように云った。

「お母様と申上げるのでございますよ。お父様のお嫁になって下さるのでございますよ。」

「なんだ、お父様のお嫁！　お父様は、ずるいや。俺に、お嫁を取ってくれると云っていながら、取ってくれないんだもの。」

彼は、約束した菓子を貰えなかった子供のように、すねてみせた。

瑠璃子は、その白痴な息子の不平を聞くと、勝平が中途から、世間体を憚って、自分を息子の嫁にと、云い出したことを、思い出した。金でもって、こんな白痴の妻――否

弄び物に、自分をしようとしたのだと思うと、勝平に対する憎悪がまた新しく心の中に蒸返された。

六

勝彦と美奈子とが、彼等自身の部屋へ去った頃には、夜は十一時に近く、新郎新婦が新婚の床に入るべき時刻は、刻々に迫っていた。

勝平は、さっきから全力を尽くして、瑠璃子の歓心を買おうとしていた。彼は、急に思い出したように、

「おおそうそう、貴女(あなた)に結婚進物(マリエイジプレゼント)として、差し上げるものがありましたっけ。」

そう云いながら、彼は自分の背後に据え付けてある小形の金庫から、一束の証書を取り出した。

「貴女のお父様に対する債権の証文は、みんな蒐めたはずです。さあ、これを今貴女に進上しますよ。」

彼は、その十五万円に近い証書の金額に、何の執着もないように、無造作に、瑠璃子の前に押しやった。

瑠璃子は、その一束を、チラリと見たが、さすがにその白い頬に、興奮の色が動いた。

彼女は、二三分の間、夫を見るともなく見詰めていた。

「あのマッチは、ございますまいか。」彼女は、突如そう訊いた。

「マッチ？」勝平は、瑠璃子の突然な言葉を解し得なかった。

「あのマッチでございますの。」

「ああマッチ！　マッチなら、いくらでもありますよ。」彼は、そう云いながら、身を反らして、そこの炉棚（マンテルピース）の上から、マッチの小箱を取って、瑠璃子の前へ置いた。

「マッチで、何をするのです。」勝平は不安らしく訊ねた。

瑠璃子は、その問を無視したように、黙って椅子から立ち上ると、鉄盤で掩うてあるストーヴの前に先刻三度目に着替えた江戸紫の金紗縮緬の袖を気にしながら、蹲（うずくま）った。

「貴君（あなた）、瓦斯（ガス）が出ますかしら。」彼女は、そこで突然勝平を、見上げながら、馴々（なれなれ）しげな微笑を浴びせた。

初めて、貴君（あなた）と呼ばれた嬉しさに、勝平はまた相好を崩しながら、

「出るとも、出るとも。瓦斯は止めてはないはずですよ。」

勝平が、そう答え了（おわ）らないうちに、瑠璃子の華奢な白い手の中に燐寸（マッチ）は燃えて、迸（ほとばし）り始めた瓦斯に、軽い爆音を立てて、移っていた。

瑠璃子は、その火影に白い顔をほてらせて、しばらく立っていたが、ふと身体を飜（ひるがえ）すと、卓の上にあった証書を、軽く無造作に、薪をでも投げるように、漸（ようや）く燃え盛りかけた火の中に投じてしまった。

呆気に取られている勝平を、嫣然と振り向きながら、瑠璃子は云った。

「水に流すということがございますね。妾達は、この証文を火で焼いたように、これまでのいろいろな感情の行き違いを、火に焼いてしまおうと思いますの……ほほほほ、火に焼く！　その方がよろしゅうございますわ。」

「ああそうそう、火に焼く、そうだ、後へ何も残さないということだな。そりゃ結構だ。今までのことは、スッカリ無いものにして、お互いに信頼し愛し合って行く。貴女が、その気でいてくれれば、こんな嬉しいことはない。」

そう云いながら、勝平は瑠璃子に最初の接吻をでも与えようとするように、その眸を異常に、輝かしながら、彼女の傍へ近よって来た。

そういう相手の気勢を見ると、瑠璃子は何気ないように、元の椅子に帰りながら、端然たる様子に帰ってしまった。

その時に、扉が開いた。

「あちらの御用意が出来ましたから。」

女中は、淑やかにそう云った。

絶体絶命の時が迫って来たのだ。

「じゃ、瑠璃さん！　あちらへ行きましょう。古風に盃事をやるそうですから、はははははは。」

勝平が、卑しい肉に飢えた獣のように笑ったとき、さすがに瑠璃子の顔は蒼ざめた。が、彼女の態度は少しも乱れなかった。

「あの、ちょっと電話をかけたいと思いますの。父のその後の容体が気になりますから。」

それは、この場合突然ではあるが、もっともな希望だった。

七

「電話なら、女中にかけさせるがいい。おい唐沢さんへ……」

と、勝平が早くも、女中に命じようとするのを、瑠璃子は制した。

「いいえ！ 妾(わたくし)が自身で掛けたいと思いますの。」

「自身で、うむ、それなら、そこに卓上電話がある。」

と、云いながら、勝平は瑠璃子の背後を指し示した。

いかにも、今まで気が付かなかったが、そこの小さい桃花心木(マホガニイ)の卓の上に、卓上電話が置かれていた。

瑠璃子は、淑(しと)やかに椅子から、身を起したとき、彼女の眉宇(びう)の間には、凄じい決心の色が、アリアリと浮んでいた。

「あのう。番町の二八九一番！」

瑠璃子は、送話器にその紅の色の美しい唇を、間近く寄せながら、低く呟くように言った。

「番町の二八九一番！」

　そう繰り返しながら、送話器を持っている瑠璃子の白い手は、かすかにかすかに顫えていた。彼女はしばらくの間、耳を傾けながら待っていた。やっと相手が出たようだった。

「ああ唐沢ですか。妾瑠璃子なのよ。貴女は婆や。」

　相手の言葉に聞き入るように、彼女は受話器にじっと、耳を押し付けた。

「そう。あなたの方から、電話を掛けるところだったの。それは、ちょうどよかったのね。それでお父様の御容体は。」

　そう云い捨てると、彼女はまたじっと聞き入った。

「そう！……それで……入沢さんが、いらしったの！……それで、なるほど……」

　彼女は、短い言葉で受け答えをしながらも、その白い面は、だんだん深い憂慮に包まれて行った。

「えい！　重体！　今夜中が……もっと、ハッキリと言って下さい！　聞えないから。なに、なに、お父様は帰って来てはいけないって！　でもお医者は何と仰しゃるの？　えい！　呼んだ方がいいって！　妾！　どうしようかしら。ああああ。」

　彼女は、もうスッカリ取り擾してしまったように、身を悶えた。

「どうしたのだ。どうしたのだ。」

　勝平は、さすがに色を変えながら、瑠璃子の傍に、近づいた。

「あのう、お父様が、宅の玄関で二度目の卒倒を致しましてから、容体が急変してしまったようでございますの。妾こうしてはおられませんわ。ねえ！　ちょっと帰って来ましてもようございましょう。お願いでございますわ。ねえ貴方！」

瑠璃子は、涙に濡れた頬に、淋しい哀願の微笑を湛えた。

「ああいいとも、いいとも。お父様の大事には代えられない。すぐ自動車で行って、しっかり介抱して上げるのだ。」

「そう言って下さると、妾本当に嬉しゅうございますわ。」

そう云いながら、瑠璃子は勝平に近づいて、肥った胸に、その美しい顔を埋めるような容子をした。勝平は、心の底から感激してしまった。

「ゆっくりと行っておいで、向うへ行ったら、電話で容体を知らしてくれるのだよ。」

「すぐお知らせしますわ。でも、こっちから訊ねて下さると困りますのよ。父は、荘田へは決して知らせてはならない。大切な結婚の当夜だから、死んでも知らしてはならないと申しているそうでございますから。」

「うむよしよし。じゃ、よく介抱して上げるのだよ。出来るだけの手当をして上げるのだよ。」

自動車の用意は、すぐ整った。

「容体がよろしかったら、今晩中に帰って参りますわ。悪かったら、明日になりましても御免あそばしませ。」

瑠璃子は、自動車の窓から、親しそうに勝平を見返った。

「もう遅いから、今宵は帰って来なくってもいいよ。明日は、俺が容子を見に行って上げるから。」

勝平は、もういつの間にか、親切な溺愛する夫になりきってしまっていた。

「そう。それは有難うございますわ。」

彼女は、爽やかな声を残しながら、戸外の闇に滑り入った。が、自動車が英国大使館前の桜並樹の樹下闇を縫うている時だった。彼女の面には、父の危篤を憂うるような表情は、痕も止めていなかった。人を思う通りに、弄んだ妖女の顔に見るような、必死な薄笑いが、その高貴な面に宿っていた。

護りの騎士

一

名ばかりの妻、これは瑠璃子が最初考えていたように、生易(なまやさ)しいことではなかった。彼女は、自分の操を守るために、あらゆる手段と謀計とを廻(めぐ)らさねばならなかった。

結婚後しばらくは、父の容体を口実に、瑠璃子は荘田の家に帰って行かなかった。勝平は毎日のように、瑠璃子を訪れた。日によっては、御前午後の二回に、この花嫁の顔を見ねば気が済まぬらしかった。

彼は訪問の度ごとに、瑠璃子の歓心を買うために、高価な贈物を用意することを、忘れなかった。

それが、ある時は金剛石(ダイヤ)入りの指輪だった。ある時は、白金(プラチナ)の腕時計だった。ある時は、真珠の頸飾だった。瑠璃子は、そうした贈物を、子供が玩具を貰うときのように、無邪気に何の感謝なしに受取った。

が、父の容体を口実に、いつまでも、実家に止まることは、許されなかった。それは、事情が許さないばかりでなく、彼女の自尊心が許さなかった。敵を避けていることが、勝気な彼女に心苦しかった。もっと、身体を危険に晒して勇ましく戦わなければならぬと思った。形式的にでも、結婚した以上、形の上だけではあくまでも、妻らしくしなければならないと思った。敵の卑怯に報いるに卑怯をもってしてはならない。こっちは、あくまでも、正々堂々と戦って勝たねばならない。そう思いながら、彼女は勝平が迎いの自動車に同乗した。

久しぶりに、瑠璃子と同乗した嬉しさに、勝平は訳もなく笑い崩れながら、

「あはははは。そんなに、実家を恋しがらなくてもいいよ。親一人子一人のお父様に別れるのは淋しいだろう。が、何も心配することはないよ。俺を恐がらなくってもいいよ。俺だって、こんな顔をしているが、お前さんを取って喰おうというのじゃないよ。娘！　そうだ、美奈子に新しい姉が出来たと思って、可愛がって上げようと思うのだ。あはははは。」と、勝平はどうかして、瑠璃子の警戒を解こうとして、心にもないことを云った。

勝平の言葉を聴くと、今まで捗々しい返事もしなかった瑠璃子は、甦ったように、快活な調子で云った。

「おほほほ、ほんとうに、娘にして下さるの、妾のお父様になって下さるの！　妾本当にそうお願いしたいのよ。ほんとうのお父様になっていただきたいのよ。」

そう云いながら、彼女はこぼるるような嬌羞を、そのしなやかな身体一面に湛えた。

「ああ、いいとも、いいとも。」勝平は、人の好い本当の父親のように肯いてみせた。

「ほほほほ。それは嬉しゅうございますわ、本当に、妾を娘にして下さいませ。それも、ほんの少しの間ですの。お約束しますわ。半年、本当に半年でいいのよ。でも、そうじゃございませんか。妾、まだ年弱の十八でございましょう。学校を出てから、まだ半年にしかなりませんのですもの。それに、今度の話でございましょう、それに、いろいろな事件で、興奮して、まだその興奮が続いているのでございましょう。結婚生活に対する何の準備も出来なかったのでございますもの。貴君の本当の妻になるのには、もう少し心の準備が欲しいと思いますの。貴君に対する愛情と信頼とを、もっと心の中で、準備したいと思いますの。だから、しばらくの間、本当に美奈子さんの姉にしておいて下さいませ。『源氏物語』に、末摘花というのがございましょう。あれでございますの。」

そう云いながら、瑠璃子は嫣然と笑った。勝平は、妖術にでもかかったように、ぼんやりと相手の美しい唇を見詰めていた。瑠璃子は相手を人とも思わないように傍若無人だった。

「ねえ！　お父様！　妾の可愛いお父様！　そうして下さいませ。」

そう云いながら、彼女はそのスラリとした身体を、勝平にしなだれるように、寄せかけながら、その白い手を、勝平の膝の上に置いて静かに軽く叩いた。

瑠璃子の処女の如く慎しく娼婦の如く大胆な媚態に、心を奪われてしまった勝平は、自分の答がどういうことを約束しているかも考えずに答えた。

「ああいいとも、いいとも。」

二

　勝平は心のうちで思った。どうせ籠《かご》の中に入れた鳥である。そのうちには、自分の強い男性としての力で征服してみせる。男性の強い腕の力には、すべての女性は、いつの間にか、摑み潰されているのだ。彼女も、しばらくの間、自分の掌中で、小鳥らしい自由を楽しむがいい。そのうちに、男性の腕の力がどんなに信頼すべきかが、だんだん分って来るだろう。

　勝平はそうした余裕のある心持で、瑠璃子の請いを容《い》れた。

　が、それが勝平の違算であったことが、すぐ判った。十日経ち二十日経つうちに、瑠璃子の美しさは勝平の心を、日に夜をついで悩ました。若い新鮮な女性の肉体から出る香が勝平の旺盛な肉体の、あらゆる感覚を刺戟せずにはいなかった。

　その夜も、勝平は若い妻を、帝劇に伴った。彼はボックスの中に瑠璃子と並んで、席を占めながら眼は舞台の方から、しばしば帰って来て、愛妻の白い美しい襟足から、そのほっそりとした撫肩《なでがた》を伝うて、膝の上に、慎しやかに置かれた手や、その手を載せているふくよかな、両膝を、貪るように見詰めていた。彼は、こうして妻と並んでいると、身も心も溶けてしまうような陶酔を感じた。そうした陶酔の醒め際に、彼の烈しい情火が、ムラムラと彼の身体全体を、嵐のように包むのだった。

瑠璃子は、勝平のそうした悩みなどを、少しも気が付かないように、雲雀のように快活だった。彼女は、勝平との感情の経緯を、もうスッカリ忘れてしまったように、ほんとうの娘にでも、なりきったように、勝平に甘えるように纏わっていた。

「おい瑠璃さん。もう、お父様ごっこも大抵にしてよそうじゃないか、貴女も、少しは私が判っただろう。はははは。約束の半年を一月とか二月とかに、縮めて貰えないものかねえ！」

勝平は、その夜、自動車での帰途、冗談のように、妻の柔かい肩を軽く叩きながら、囁いた。

「まあ！　貴君も、性急ですのねえ。妾達には約婚時代というものが、なかったのですもの。もっと、こうして楽しみたいと思いますもの。何かが来るということの方が、何かが来たということよりも、どんなに楽しいか。それに妾、本当はもっと処女でいたいのよ。ねえ、いいでしょう。妾のわが儘を、許して下さってもいいでしょう！」

そう云う言葉と容子とには、溢れるような媚びがあった。そうした言葉を、聴いていると、勝平は、タジタジとなってしまって、一言でも逆うことが出来なかった。

が、その夜、勝平は自分一人寝室に入ってからも、若い妻のすべてが、彼の眼にも、鼻にも、耳にもこびり付いて離れなかった。眼の中には、彼女の柔い白い肉体が、人魚のように、艶めかしい媚態を作って、いつまでもいつまでも、浮んでいた。鼻には、彼女の肉体の持っている芳香が、ほのぼのといつまでも、漂っていた。耳には、そうだ！　彼女の快活な湿りのある声や、機智に富んだ言葉などが、いつまでもいつまでも消えなかった。

彼は、そうした妄想を去って、どうかして、眠りを得ようとした。が、彼が努力すれば努力するほど、眼も耳も冴えてしまった。おしまいには、見上げている天井に、幾つも幾つも妻の顔が、現れて、媚びのある微笑を送った。

『彼女は、ただ恥かしがっているのだ。処女としての恥かしさに過ぎないのだ。それは、こちらから取り去ってやればそれでいいのだ！』

彼は、そう思い出すと、一刻も自分の寝台にじっと、身体を落ち着けていることが出来なかった。子供らしい処女らしい恥らいを、そのままに受け入れていた自分が、あまりにお人好しのように思われ始めた。

彼は、フラフラとして、寝台を離れて、夜更けの廊下へ出た。

三

廊下へ出てみると、家人達はみんな寝静まっていた。まだ十月の半ばではあったが、広い洋館の内部には、深夜の冷気が、ひやひやと、流れていた。が、烈しい情火に狂っている勝平の身体には、夜の冷たさも感じられなかった。彼は、自分の家の中を、盗人のように、忍びやかに、夢遊病者のように覚束なく、瑠璃子の部屋の方向へ歩いた。

彼女の部屋は、階下に在った。廊下の燈火は、大抵消されていたが、階段に取り付けられている電燈が、階上にも階下にも、ほのかな光を送っていた。

勝平は、彼女に与えた約束を男らしくもなく、取り消すことが心苦しかった。彼女に示すべき自分の美点は、男らしいということより、ほかには何もない。彼女の信頼を得るように、男らしく強く堂々と、行動しなければならない。それが、彼女の愛を得る唯一の方法だと勝平は心の中で思っていた。それだのに、彼女に一旦与えた約束を、取り消す。男らしくもなく破約する。が、そうした心苦しさも、勝平の身体全体に、今潮のように漲って来る烈しい慾望を、どうすることも出来なかった。

階段を下りて、左へ行くと応接室があった。右へ行くと美奈子の部屋があり、その部屋と並んで瑠璃子に与えた部屋があった。

瑠璃子の部屋に近づくに従って、勝平の心には烈しい動揺があった。それは、年若い少年が初めて恋人の唇を知ろうとする刹那のような、烈しい興奮だった。彼は、そうした興奮を抑えて、じっと瑠璃子の部屋へ忍び寄ろうとした。

ちょうど、その時に、勝平は我を忘れて『アッ』と叫び声を挙げようとした。それは、今彼が近づこうとしたその扉に、一人の人間が紛れもない一人の男性が、ピッタリと身体を寄せていたからである。冷たい悪寒が、勝平の身体を流れて、爪の先までをも顫わせた。彼は、電気に掛けられたように廊下の真中へ立ち竦んでしまった。

が、相手は勝平の近づくのを知っているはずだのに、ピクリとも身体を動かさなかった。扉に彫り付けられている木像か何かのように、闇の中にじっと立ち尽しているようだった。

『盗賊！』最初勝平は、そう叫ぼうかとさえ思ったが、彼の四十男に相当した冷静が彼の口を制したが、その次に、ムラムラと彼の心を閉したものは、漠然たる嫉妬だった。一人の男性が、妻の寝室の扉の前に立っている。それだけで、勝平の心を狂わすのに十分だった。

彼は、握りしめた拳を、顫わしながら、必死になって、一歩一歩扉に近づいた。が、相手は気味の悪いほど、冷静にピクリとも動かない。勝平が、最後の勇気を鼓して、相手の胸倉を摑みながら、低く、

「誰だ！」と、叱した時、相手は勝平の顔を見て、ニヤリと笑った。それは紛れもなく勝彦だったのである。

自分の子の卑しい笑い顔を見たときに、剛愎な勝平も、グンと鉄槌で殴られたように思った。言い現し方もないような不快な、あさましいといった感じが、彼の胸のうちに一杯になった。もっと、あさましいのは、自分の子があさましかった。が、あさましいのは、自分の子だけではなかった。

「お前！　何をしているのだ！　ここで。」

勝平は、低くうめくように訊いた。が、それは勝彦に訊いているのではなく、自分自身に訊いているようにも思われた。

勝彦は、離れの日本間の方で寝ているはずなのだ。が、それがもう夜の二時過ぎであるのに、瑠璃子の部屋の前に立っている。それは、勝平にとっては、堪えられないほど、不快なあさましい想像の種だった。

「何をしているのだ！　こんなところで。こんなに遅く。」いつもは、馬鹿な息子に対しかなり寛大である父であったが、今宵に限っては、彼は息子に対してかなり烈しい憎悪を感じたのである。

「何をしていたのだ！　おい！」

勝平は、鋭い眼で勝彦を睨みながら、その肩の所を、グイと小突いた。

四

「ここに何をしていたのだ、ここに！」

父が、必死になって責め付けているのにも拘らず、勝彦はただニヤリニヤリと、たわいもなく笑い続けた。薄気味のわるいとりとめもなき子の笑いが、ちょうど自分の恥しい行為を、嘲笑っているかのように、勝平には思われた。

彼は、瑠璃子やまた、すぐ次の扉のうちに眠っている美奈子の夢を破らないようにと、気を付けながらも、声がだんだん激しくなって行くのを抑えることが出来なかった。

「おい！　こんなに遅く、ここに何をしていたのだ。おい！」

そう云いながら、勝平は再び子の肩を突いた。父にそう突き込まれると、白痴相当に、勝彦は顔を赤らめて、口ごもりながら云った。

「姉さんの所へ来たのだ。姉さんの所へ来たのだ。」姉さん、勝彦はこの頃、瑠璃子をそう呼び慣っていた。

「姉さん！　姉さんの所へ！」

勝平は、そう云いながらも、自分自身地の中へ、入ってしまいたいような、浅ましさと恥しさとを感じた。が、それと同時に、韮を嚙むような嫉妬が、ホンの僅かではあるが、心のうちに萌して来るのを、どうすることも出来なかった。が、父のそうした心持を、嘲るように、勝彦はまたニタリニタリと愚かな笑いを、笑いつづけている。

「姉さんの所へ何をしに来たのだ。何の用があって来たのだ。こんなに夜遅く。」

勝平は、心の中の不愉快さを、じっと抑えながら、訊くところまで、訊き質さずにはいられなかった。

「何も用はない。ただ顔を見たいのだ。」

勝彦は、平然とそれが普通な当然なことででもあるように云った。

「顔を見たい！」

勝平は、そう口では云ったものの、眼が眩むように思った。他人は、誰も居合わさない場所ではあったが、自分の顔を、両手で掩い隠したいとさえ思った。

彼は、もうこの上、勝彦に言葉を掛ける勇気もなかった。が、今にして、息子のこうした心を、刈り取っておかないと、どんな恐ろしいことが起るかも知れないと思った。彼は不快と恥しさとを制しながら云った。

「おい！ 勝彦これから、夜中などに、お姉さんの部屋へなんか来たら、いけないぞ！ 二度とこんなことがあると、お父様が承知しないぞ！」

そう云いながら、勝平は、わが子を、恐ろしい眼で睨んだ。が、子はケロリとして云った。

「だって、お姉さまは、来てもかまわない！ と云ったよ。」勝平は、頭からガンと殴られたように思った。

「来てもかまわない！ いつ、そんなことを云った？ いつそんなことを云った？」

勝平は、思わず平常(ふだん)の大声を出してしまった。

「いつって、いつでも云っている。部屋の前になら、いつまで立っていてもいいって、番兵になってくれるのならいいって！」

「じゃ、お前は今夜だけじゃないのか。馬鹿な奴め！ 馬鹿な奴め！」

そう云いながらも、勝平は子に対して、かなり激しい嫉妬を懐かずにはいられなかった。

それと同時に、瑠璃子に対しても、恨みに似た烈しい感情を持たずにはいられなかった。

「そんなことを姉さんが云った！　馬鹿な！　瑠璃子に訊いてみよう。」

彼は、息子を押し退けながら、その背後の扉を、右の手で開けようとした。が、それは釘付けにでもされたように、ピタリとして、少しも動かなかった。彼は声を出して、叫ぼうとした。

その途端に、ガタリと扉が開く音がした。が、開いたのはその扉ではなくして、美奈子の寝室の扉であった。

純白の寝衣を付けた少女はまろぶように、父の傍に走り寄った。

「お父様！　何ということでございます。何も云わないで、お休みなさいませ。お願いでございます。お姉様にこんなところを見せては親子の恥ではございませんか。」

美奈子の心からの叫びに、打たれたように、勝平は黙ってしまった。

勝彦は、相変らず、ニヤリニヤリと妹の顔を見て笑っていた。

ちょうどこの時、扉の彼方の寝台の上に、夢を破られた女は、親子の間の浅ましい葛藤を、聞くともなく耳にすると、その美しい顔に、凄い微笑を浮べると、雪のような羽蒲団を、また再び深々と、被った。

五

自分の寝室へ帰って来てからも、勝平は悶々として、眠られぬ一夜を過してしまった。恋する者の心が、競争者の出現によって、焦り出すように、勝平の心も、今までの落着き、冷静、剛愎のすべてを無くしてしまった。競争者、それが何という堪らない競争者であろう。それが自分の肉親の子である。肉親の父と子が、一人の女を廻って争っている。親が女の許へ忍ぶと子が先廻りをしている。それは、勝平のような金のほかには、物質のほかには、何物をも認めないような堕落した人格者にとっても堪らないほどあさましいことだった。

もし、勝彦が普通の頭脳があり、道義の何物かを知っていれば、罵り恥しめて、反省させることも容易なことであるかも知れない。(もっとも、勝平に自分の息子の不道徳を責め得る資格があるかどうかは疑問であった。)が、勝彦は盲目的な本能と烈しい慾望のほかは、何も持っていない男である。相手が父の妻であろうが、何であろうが、ただ美しい女としか映らない男である。それに人並外れた強力を持っている彼は、どんな乱暴をするかも分らなかった。

その上に、勝平は自分の失言に対する苦い記憶があった。彼は、一時瑠璃子を勝彦の妻にと思ったとき、そのことを冗談のように勝彦に、云い聴かせたことがある。何事をも、すぐ忘れてしまう勝彦ではあったが、事柄が事柄であっただけに、その愚かな頭のどこかにこびり付かせているかも知れない。そう考えると、勝平の頭は、いよいよ重苦しく濁ってしまった。

『そうだ！　勝彦を遠ざけよう。葉山の別荘へでも追いやろう。何とか賺して、東京を遠ざけよう。』勝平はわが子に対して、そうした隠謀をさえ考え始めていた。

興奮と煩悶とに労れた勝平の頭も、四時を打つ時計の音を聴いた後は、いつしか朦朧としてしまって、寝苦しい眠りに落ちていた。

眼が覚めた時、それはもう九時を廻っていた。朗かな十月の朝であった。青い紗の窓掛けを透した明るい日の光が、室中に快い明るさを湛えた。

朝の爽やかな心持に、勝平は昨夜の不愉快な出来事を忘れていた。尨大な身体を、寝台から、ムクムクと起すと、上草履を突っかけて、朝の快い空気に吸い付けられたように、縁側に出た。彼は自分の宏大な、広々と延びている庭園を見ながら、両手を高く拡げて、快い欠伸をした。が、彼が拡げた両手を下した時だった。十間ばかり離れた若い楓の植込の中を、泉水の方へ降りて行く勝彦の姿を見た。彼に似て、尨大な立派な体格だった。が、歩いて行くのは勝彦一人ではなかった。勝彦の大きい身体の蔭から、時々ちらちら美しい色彩の着物が、見えた。勝平は、最初、それが美奈子であることを信じた。勝彦は白痴ではあったが、美奈子だけには、やさしい大人しい兄だった。勝平はいつもの通り兄妹の散歩であると思っていた。が、植込の中の道が右に折れ、勝平の視線と一直線になったとき、その男女は相並んで、後姿を勝平に見せた。女は紛れもなき瑠璃子だった。しかも彼女の白い、遠目にも、くっきりと白い手は、勝彦の肩、そうだ、肩よりも少し低い所へ、そっと後から当てられているのだった。

それを見たとき、勝平は煮えたぎっている湯を、飲まされたような、凄じい気持になっていた。ニヤリニヤリと悦に入っているらしいわが子の顔が、アリアリと目に見えるように思った。彼は、縁側（ヴェランダ）から飛び降りて、わが子の顔を思うさま、殴り付けてやりたいような恐ろしい衝動を感じた。

が、それにも増して、瑠璃子の心持が、グッと胸に堪えて来た。昨夜（ゆうべ）の騒ぎを知らぬはずがない、親子の間の、浅ましい情景（シーン）を知らぬはずがない。隣の部屋の美奈子さえ、眼を覚しているのに、瑠璃子が知らないはずはない。知っていながら、昨夜の今日勝彦をあんなに近づけている。

そう思うと、勝平は、瑠璃子の敵意を感ぜずにはいられなかった。そうだ！　自分が小娘として、つまらない油断や、約束をしたのが悪かったのだ。いわば降伏した敵将の娘を、妻にしているようなものである。美しい顔の下に、どんな害心を蔵しているかも知れない。

が、そう警戒はしながら、瑠璃子を愛する心は、少しも減じなかった。それと同時に、眼前の情景（シーン）に対する嫉妬の心は少しも減じなかった。

六

勝平が、縁側(ヴェランダ)の欄干に、釘付けにされながら、二人の後姿が全く見えなくなった若い楓の林を、じっと見詰めている時に、その林の向うにある泉水の畔(ほとり)から、瑠璃子の華やかな笑いが手に取るように聞えて来た。

それは、雲雀(ひばり)の歌うように、自由な快活な笑いだった。結婚して以来、もう一月以上の日が経つうち、勝平に対しては決して笑ったことのないような自由な快活な笑い声であった。ここからは見えない泉水のほとりで、たとえ馬鹿ではあるにしろ年齢(とし)だけは若い、身体だけは堂々と立派な勝彦が、瑠璃子と相並んで、打ち興じている有様が、勝平の眼に、マザマザと映って来るのであった。

彼が苦々(にがにが)しげに、二人に向ってでも吐くように、唾(つば)を遥かな地上へ吐いてから、その太い眉に、深い決心の色を凝(こ)めながら、階下へ降りて行った。

勝平は、抑え切れない不快な心持に、悩まされつつ、罪のない召使を、叱り飛ばしながら、漸く顔を洗ってしまうと、苦り切った顔をして、朝の食卓についた。いつも朝食を一緒にするはずの瑠璃子はまだ庭園から、帰って来なかった。

「奥さんはどうしたのだ。奥さんは！」勝平は、オドオドしている十五六の小間使を、噛み付けるように叱り飛ばした。

「お庭でございます。」

「庭から、早く帰って来るように云って来るのだ。俺が起きているじゃないか。」

「ハイ。」小さい小間使は、勝平の凄じい様子に、縮み上りながら、瑠璃子を呼びに出て行った。

瑠璃子が、入って来れば、この押え切れない憤りを、彼女に対しても、洩らそう。白痴の子を弄んでいるような、彼女の不謹慎を思い切り責めてやろう。勝平はそう決心しながら、瑠璃子が入って来るのを待っていた。

二三分も経たないうちに、衣ずれの音が、廊下にしたかと思うと、瑠璃子は少女のようにいそいそと快活に、馳け込んで来た。

「まあ！　お早う！　もう起きていらしったの。妾ちっとも、知らなかったのよ。お寝坊の貴方のことだから、どうせ十一時近くまでは大丈夫だと思っていたのよ。昨夜あんなに遅く帰って来たのに、よくまあ早くお目覚めになったこと。この花美しいでしょう。一番大きくて、一番色の烈しい花なのよ。妾これが大好き。」

そう云いながら、瑠璃子は右の手に折り持っていた、真紅の大輪のダリヤを、食卓の上の一輪挿に投げ入れた。

勝平は、どうかして瑠璃子をたしなめようと思いながらも、彼女の快活な言葉と、矢継早の微笑に、面と向うと、彼は我にもあらず、すべての言葉が咽喉のところに、からんでしまうように思った。

「昨夜、よくお眠りになって？　妾芝居で疲れましたでしょう、今朝まで、グッスリと寝入ってしまいましたのよ。こんなに、よく眠られたことはありませんわ、近頃。」

昨夜の騒ぎを、親子三人のあさましい騒ぎを、知っているのか知らないのか、瑠璃子はその美しい顔の筋肉を、一筋も動かさずに、華奢な指先で、軽く箸を動かしながら、勝平に話しかけた。

勝平は、心のうちに、わだかまっている気持を、瑠璃子に向って、洩すべき緒を見出すのに苦しんだ。相手が、昨夜の騒ぎを、少しも知らないと云うのに、それを材料として、話を進めることも出来なかった。

彼は、瑠璃子には、一言も答えないで、そのいらいらしい気持を示すように、自棄に忙しく箸を動かしていた。

勝平の不機嫌を、瑠璃子は少しも気に止めていないように、平然と、その美しい微笑を続けながら、

「妾、今日三越へ行きたいと思いますの。連れて行って下さらない？」

彼女は、プリプリしている勝平に、なお小娘か何かのように、甘えかかった。

「駄目です。今日は東洋造船の臨時総会だから。」

勝平は、瑠璃子に対して、初めて荒々しい言葉を使った。彼女はその荒々しい語気を跳ね返すように云った。

「あら、そう。それでは、勝彦さんに一緒に行っていただくわ。……いいでしょう。」

七

勝彦の名が瑠璃子の唇を洩れると、勝平の巨きい顔は、ますます苦り切ってしまった。相手のそうした表情を少しも眼中に置かないように、瑠璃子は無邪気にしつこく云った。

「勝彦さんに、連れて行っていただいたらいけませんの。一人だと何だか心細いのですもの。妾一人だと買物をするのに何だか定りが付かなくって困りますのよ。表面だけでもいいからいいとか何とか合槌を打って下さる方が欲しいのよ。」

「それなら、美奈子と一緒にいらっしゃい。」

勝平は、怒った牡牛のようにプリプリしながら、それでも正面から瑠璃子をたしなめることが出来なかった。

「美奈子さん。だって、美奈子さんは、三時過ぎでなければ学校から、帰って来ないのですもの。それから支度をしていては、遅くなってしまいますわ。」

瑠璃子は、大きい駄々っ子のような表情を見せながら、そのくせ顔だけは、微笑を絶たなかった。勝平はまた黙ってしまった。瑠璃子は追撃するように云った。

「どうして勝彦さんに一緒に行っていただいては、いけませんの。」

勝平の顔色は、咄嗟に変った。その顳顬の筋肉が、ピクピク動いたかと思うと、彼は顫える手で箸を降しながら、それでも声だけは、平静な声を出そうと努めたらしかったが、変に上ずッてしまっていた。

「勝彦！　勝彦勝彦と、貴女はよく口にするが、貴女は勝彦を一体何だと思っているのです。もう、一月以上この家にいるのだから、気が付いたでしょう。親の身として、口にするさえ恥かしいが、あれは白痴ですよ。白痴も白痴も、御覧の通り東西も弁じない白痴ですよ。ああいう者を三越に連れて行く。それはこの荘田の恥、荘田一家の恥を、世間へ広告して歩くようなものですよ。貴女も、動機はともかく、一旦この家の人となった以上、こういう馬鹿息子があるということを、広告して下さらなくってもいいじゃありませんか。」

勝平は、結婚して以来、初めて荒々しい言葉を、瑠璃子に対して吐いた。が、象牙の箸を飯椀の中に止めたまま、じっと聴いていた瑠璃子は、眉一つさえ動かさなかった。勝平の言葉が終ると、彼女は駭いたように、眼を丸くしながら、

「まあ！　あんなことを。そんな邪推していらっしゃるの。妾　勝彦さんを馬鹿だとか白痴だとか賤しめたことは、一度もありませんわ。あんな無邪気な純な方はありませんわ。それは、少し足りないことは足りないわ。それは、お父様の前でも申し上げねばなりません。でも、あんなに正直な方に、妾、初めてお目にかかりましたのよ。それに妾の云ったことなら、何でもして下さるのですもの。この間、お家が広いので、夜寝室の中に、一人いると何だか寂しく心細くなると、申しますと、勝彦さんは、それなら毎晩

部屋の外で番をしてやろうと仰しゃるのですよ、妾、冗談だとばかり、思っていますと、一昨夜二時過ぎに、廊下に人の気勢がするので、扉を開けてみますと、勝彦さんが立っていらっしゃるじゃありませんか。それが、ちょうど中世紀の騎士が、貴婦人を護る時のように、儼然として立っていらっしゃるのですもの。妾、可笑しくもあれば、有難くも思ったわ。妾、この頃、智恵のある怜悧な方には、飽き飽きしていますの、また、その智恵を、人を苦しめたり陥れたりすることに使う人達に、飽き飽きしていますのよ。また、人が傷つけ合ったり陥れ合ったりする世間そのものにも、愛想が尽きていますのよ。妾、勝彦さんのような、のんびりとした太古の心で、生きている方が、大好きになりましたのよ。貴方の前でございますが、どうして勝彦さんを捨てて、貴方を選んだかと思うと、後悔していますのよ。おほほほほほほ。」

爽やかな五月の流れが、蒼い野を走るように、瑠璃子は雄弁だった。黙って聴いていた勝平の顔は、怒りと嫉妬のために、黒ずんで見えた。

余りに脆き

一

勝平は、冗談かそれとも真面目かは分らないが、人を馬鹿にしているように、からかっているように、勝彦を賞める瑠璃子の言葉を聞いていると、思わずカッとなってしまって、手に持っていた茶碗や箸を、彼女に擲(なげ)つけてやりたいような烈しい嫉妬と怒りとを感じた。が、口先ではそんな厭がらせを云いながらも、顔だけはこの頃の秋の空のように、澄み渡った麗(うら)かな瑠璃子を見ていると、不思議に手が竦んで、茶碗を投げ付くることはおろか、一指を触るることさえも、為(な)し得なかった。

が、勝平は心の中で思った。このままにしておけば、瑠璃子と勝彦とは、日増しに親しくなって行くに違いない。そして自分を苦しめるのに違いない。少くとも、当分の間、自分と瑠璃子とが本当の夫婦となるまで、どうしても二人を引き離しておく必要がある。勝平は、咄嗟にそう考えた。

「あはははは。」彼は突然取って付けたように笑い出した。「まあいい！　貴女がそんなに馬鹿が好きなら連れて行くもよかろう。貴女のようなのは、天邪鬼というのだ。あははははは。」

勝平は、嫉妬と憤怒とを心の底へと、押し込みながら、何気ないように笑った。

「どうも、有難う。やっと、お許しが出ましたのね。」瑠璃子も、サラリと何事もなかったように微笑した。

その時に、勝平は急に思い付いたように云った。

「そうそう。貴女に話すのを忘れていた。この間中頭が重いので、一昨日、近藤に診て貰うと、神経衰弱の気味らしいと云うのだ。海岸へでも行って、少し静養したらどうだと云うのだがね、そう云われると、俺もこの七月以来会社の創立や何かで、毎日のように飛び廻っていたものだからね、精力主義の俺もかなりグダグダになってしまっているのだ。神経衰弱だなんて、大したこともあるまいと思うが、まあしばらく葉山へでも行って、一月ばかり遊んで来ようかと思うのだ。もっとも、あそこからじゃ、毎日東京に通っても訳はないからね。それについては、ぜひ貴女に一緒に行っていただきたいと思うのだがね。」勝平は、熱心に、退っ引きならないように瑠璃子に云った。

「葉山へ！」と云ったまま、さすがに彼女は二の句を云い淀んだ。

「そうです！　葉山です。あそこに、林子爵が持っていた別荘を、この春譲って貰ったのだが、この夏美奈子が避暑に行っただけで、俺はまだ二三度しか宿っていないのだ。

秋の方が、静かでよいそうだから、ゆっくり滞在したいと思うのだが。」

勝平は、落ち着いた口調で言った。葉山へ行くことは、何の意味もないように云った。が、瑠璃子には、その言葉の奥に潜んでいる勝平のよからぬ意思を、明らかに読み取ることが出来た。葉山で二人だけになる。それがどういう結果になるかは瑠璃子にはかなりハッキリ分るように思った。が、彼女はそうした危機を、未然に避くることを、潔しとしなかった。どんな危機に陥っても、自分自身を立派に守ってみせる。彼女には、女ながらそうした烈しい最初の意気が、ピクリとも揺いでいなかった。

「結構でございますわ。妾も、そんな所で静かな生活を送るのが大好きでございますのよ。」

彼女は、その清麗な面に、少しの曇りも見せないで、爽やかに答えた。

「ああ行ってくれるのか。それは有難い。」

勝平は、心から嬉しそうにそう云った。葉山へさえ、伴って行けば、当分勝彦と引き離すことが出来る上に、そこでは召使を除いたほかは、瑠璃子と二人切りの生活である。殊に、鍵のかかり得るような西洋室はない。瑠璃子を肉体的に支配してしまえば、高が一個の少女である。普通の処女がどんなに嫌い抜いていても、結婚してしまえば、男の腕に縋り付くように、彼女も一旦その肉体を征服してしまえば、余りに脆き一個の女性であるかも知れない。勝平はそう思った。

「それならちょうどようございますわ。三越へ行って、あちらで入用な品物を揃えて参りますわ。」

彼女は、身に迫る危険な場合を、少しも意に介しないように、むしろいそいそとしながら云った。

二

愛し合った夫であるならば、それは楽しい新婚旅行であるはずだけれども、瑠璃子の場合は、そうではなかった。勝平と二人きりで、東京を離れることは、彼女にとっては死地に入ることであった。東京の邸では、人目が多いだけに、勝平も一旦与えた約束の手前、理不尽な振舞に出ることは出来なかったが、葉山では事情が違っていた。今までは敵と戦うのに、地の利を得ていた。小さいながらも、彼女の城廓があった。殊に盲目的に、彼女を譲っている勝彦という番兵もあった。が、葉山には、何もなかった。彼女は赤手にして、敵と渡り合わなければならなかった。勝敗は、天に委せて、とにかくに、最後の必死的な戦いを、戦わねばならなかった。

そうした不安な期待に、心を擾(みだ)されながらも、彼女はいろいろと、別荘生活に必要な準備を整えた。彼女は、当座の着替や化粧道具などを、一杯に詰め込んだ大きなトランクの底深く、一口(ひとふり)の短剣を入れることを忘れなかった。それが、夫と二人きりの別荘生活に対する第一の準備だった。

父の男爵が、瑠璃子の烈しい執拗な希望に、とうとう動かされて、不承不承に結婚の承諾を与えて、最愛の娘を、憎み賤しんでいた男に渡すとき、男爵は娘に最後の贈り物として、一口の短剣を手渡した。

「これは、お前のお母様が家へ来るときに持って来た守り刀なのだ。昔の女は、常に懐刀(ふところがたな)を離さずに、それで自分の操を守ったものだ。貴女も普通の結婚をするのなら、こんなものは不用だが、今度のような結婚には、ぜひ必要かもしれない。これで、貴女の現在の決心を、しっかりと守るようになさい。」

父の言葉は簡単だった。が、意味は深かった。彼女はその匕首(あいくち)を身辺から離さないで、最後の最後の用意としていた。そうした最後の用意が、いかなる場合にも、彼女を勇気付けた。牡牛のように巨きい勝平と相対していながら、彼女は一度だって、怯れたことはなかった。

瑠璃子がしばらく東京を離れるということが分ると、一番に驚いたのは勝彦だった。彼は瑠璃子が準備をし始めると、自分も一緒に行くのだと云って、父の大きいトランクを引っぱり出して来て、自分の着物や持物を目茶苦茶に詰め込んだ。おしまいには、自分の使っている洗面器までも、詰め込んで召使達を笑わせた。彼は、瑠璃子に捨てておかれないようにと、一瞬の間も瑠璃子を見失わないように後(あと)へ後へと付き纏った。

それを見ると、勝平は眉を顰(ひそ)めずにはいられなかった。

出立の朝だった。自分が捨てておかれるということが分ると、勝彦は狂人のように暴れ出した。毎年一度か二度は、発作的に狂人のようになってしまう彼だった。彼は瑠璃子と父とが自動車に乗るのを見ると、自分も跣足で馳け降りて来ながら、扉を無理矢理に開けようとした。執事や書生が三四人で抱き止めようとしたが、馬鹿力の強い彼は、後から抱き付こうとする男を、二三人もそこへ振り飛ばしながら、自動車に縋り付いて離れなかった。

白痴でありながらも、必死になっている顔色を見ると、瑠璃子はかなり心を動かされた。主人に慕い纏わって来る動物に対するようないじらしさを、この無智な勝彦に対して、懐かずにはいられなかった。

「あんなに行きたがっていらっしゃるのですもの。連れて行って上げてはいけないのですか。」

瑠璃子は夫を振返りながら云った。その微笑が、ちょっと皮肉な色を帯びるのを、彼女自身制することが出来なかった。

「馬鹿な！」

勝平は、苦り切って、一言に斥けると、自動車の窓から顔を出しながら云った。

「遠慮をすることはない。グングン引き離してあっちへ連れて行け。暴れるようだったら、いつかの部屋へ監禁してしまえ。当分の間、監視人をつけておくのだぞ、いいか。」

勝平は、叱り付けるように怒鳴ると、ちょうど勝彦の身体が、多勢の力で車体から引き離されたのを幸いに、運転手に発車の合図を与えた。

動き出した車の中で瑠璃子はちょっと居ずまいを正しながら、背後に続いている勝彦のあさましい怒号に耳を掩わずにはいられなかった。

三

葉山へ移ってから、二三日の間は、麗かな秋日和が続いた。東京では、とても見られないような薄緑の朗かな空が、山と海とを掩うていた。海は毎日のように静かで波の立たない海面は、時々緩やかなうねりが滑らかに起伏していた。海の色も、真夏に見るような濃藍の色を失って、それだけ親しみ易い軽い藍色に、はるばると続いていた。その端に、伊豆の連山が、淡くほのかに晴れ渡っているのだった。

十月も終りに近い葉山の町は、洗われたように静かだった。どの別荘も、どの別荘も堅く閉されて人の気勢がしなかった。

御用邸に近い海岸にある荘田別荘は、裏門を出ると、もうそこの白い砂地には、崩れた波の名残りが、白い泡沫を立てているのだった。

勝平は、葉山からも毎日のように、東京へ通っていた。夫の留守の間、瑠璃子は何人にも煩わされない静寂のうちに、浸っていることが出来た。

瑠璃子はよく、一人海岸を散歩した。人影の稀な海岸には、自分一人の影が、寂しく砂の上に映っていた。遥かに遥かに悠々と拡がっている海や、その上を限りなく広大に掩うている秋の朗かな大空を見詰めていると、人間の世のあさましさが、しみじみと感ぜられて来た。自分自身が、復讐に狂奔して、心にもない偽りの結婚をしていることが、あさましい罪悪のように思われて、とりとめもなく、心を苦しめることなのであった。

葉山へ移ってから、三四日の間、勝平は瑠璃子を安全地帯に移し得たことに満足したのであろう。人のよい好々爺(こうこうや)になりきって、夕方東京から帰って来る時には、瑠璃子の心を欣(よろこ)ばすような品物や、おいしい食物などをお土産にすることを忘れなかった。

葉山へ移ってから、ちょうど五日目の夕方だった。その日は、午(ひる)過ぎから空模様があやしくなって、海岸へ打ち寄せる波の音が、刻一刻凄じくなって来るのだった。別(し)荘番の老爺(じいや)は暗く澱んでいる海の上を、低く飛んで行く雲の脚を見ながら、『今宵は時化(け)かもしれないぞ。』と、幾度も幾度も口ずさんだ。

海に馴れない瑠璃子には、高く海岸に打ち寄せる波の音が、何となく不安だった。夕刻に従って、風は段々吹き募って来た。暗く暗く暮れて行く海の面(おもて)に、白い大きい浪がしらが、後から後から走っていた。瑠璃子は硝子(ガラス)戸のうちから、不安な眉をひそめながら、海の上を見詰めていた。烈しい風が砂を捲いて、パラパラと硝子戸に打ち突けて来た。

「ああ早く雨戸を閉めておくれ。」

瑠璃子は、狼狽して、召使に命じると、ピッタリと閉ざされた部屋の中に、今宵に限って、妙に薄暗く思われる電燈の下に、小さく縮かまっていた。人間同士の争いでは、非常に強い瑠璃子も、こうした自然の脅威の前には、普通の女らしく臆病だった。海岸に立っている、地形の脆弱な家は、時々今にも吹き飛ばされるのではないかと思われるほど、打ち揺いだ。海岸に砕けている波は、今にもこの家を呑みそうに轟々たる響きを立てている。

瑠璃子には、結婚して以来、初めて夫の帰るのが待たれた。いつもは、夫の帰るのを考えると、妙に身体が、引き緊ってムラムラとした悪感が、胸を衝いて起るのであったが、今宵に限っては、不思議に夫の帰るのが待たれた。勝平の鉄のような腕が何となく頼もしいように思えた。逗子の停車場から自動車で、危険な海岸伝いに帰って来ることが何となく危まれ出した。

「こう荒れていると、鐙摺のところなんか、危険じゃないかしら。」と女中に対して瑠璃子は、我にもあらず、そうした心配を口に出してしまった。

その途端に、吹き募った嵐は、かなり宏壮な建物を打ち揺すった。鎖で地面へ繋がれている廂が、吹きちぎられるようにメリメリと音を立てた。

四

「こんなに荒れると、本当に自動車はお危のうございますわ。いっそこんな晩は、あちらでお宿りになるとおよろしいのでございますが。」

女中も主人の身を案ずるようにそう云った。が、瑠璃子はぜひにも帰って貰いたいと思った。いつもは、顔を見ているだけでも、ともすればムカムカとして来る勝平が、何となく頼もしく力強いように感ぜられるのであった。

日が、トップリ暮れてしまった頃から、嵐はますます吹き募った。海はしきりに轟々と吼え狂った。波は岸を超え、常には干乾びた砂地を走って、別荘の土堤の根元まで押し寄せた。

「潮が満ちて来ると、もっと波がひどくなるかも知れねえぞ!」

海の模様を見るために出ていた、別荘番の老爺は、漆のように暗い戸外から帰って来ると、不安らしく呟いた。

「まさか、この間のような大暴風雨にはなりますまいね。」

女中も、それに釣り込まれたように、オドオドしながら訊いた。皆の頭に、まだ一月にもならない十月一日の暴風雨の記憶がマザマザと残っていた。それは、東京の深川本所に大海嘯を起して、多くの人命を奪ったばかりでなく、湘南各地の別荘にも、かなりヒドイ惨害を蒙らせたのであった。

「まさか先度のような大暴風雨にはなるまいかと思うが、時刻も風の方向もよく似ているでなあ!」

老爺は、心なしか瑠璃子達を脅すように、首を傾げた。

夜に入ってから、間もなく雨戸を打つ雨の音が、ボツリボツリと聞え出したかと思うと、それがたちまち盆を覆すような大雨となってしまった。天地を洗い流すような雨の音が、瑠璃子達の心を一層不安に充たしめた。

恐ろしい風が、グラグラと家を吹き揺すったかと思う途端に、電燈がふっと消えてしまった。こうした場合に、燈火の消えるほど、心細いものはない。女中は闇の中から手探りにやっと、洋燈を探し当てて火を点じたが、ほの暗い光は、一層瑠璃子の心を滅入らしてしまった。

暗い燈火の下に蒐まっている瑠璃子と女中達を、もっと脅かすように、風は空を狂い廻り、波は断なしに岸を嚙んで殺到した。

風は少しも緩みを見せなかった。雨を交えてからは、有力な見方でもが加わったように、ますます暴威を加えていた。風と雨と波とが、三方から人間の作った自然の邪魔物を打ち砕こうとでもするように力を協せて、この建物を強襲した。

ガラガラと、どこかで物の砕け落ちる音がしたかと思うと、それに続いて海に面している廂が吹き飛ばされたとみえ、ベリベリという凄じい音が、家全体を震動した。今までは、それでも、慎しく態度の落着きを失っていなかった瑠璃子もつい度を失ったように立ち上った。

「どうしようかしら、今のうちに避難しなくてもいいのかしら。」

そう云う彼女の顔には、恐怖の影がアリアリと動いていた。人間同士の交渉では、烈女のように、強い彼女も、自然の恐ろしい現象に対しては、女らしく弱かった。

女中達も、色を失っていた。女中は声を挙げて別荘番の老爺を呼んだけれども、風雨の音に遮られて、別荘番の家までは、届かないらしかった。その度に、家がグラグラと今にも吹き飛ばされそうに揺いだ。

ちょうど、この時であった。瑠璃子の心が、不安と恐怖のどん底に陥って、藁にでも縋り付きたいように思っている時だった。凄じい風雨の音にも紛れない、勇ましい自動車の警笛が、暗い闇を衝いてかすかにかすかに聞えて来た。

「ああお帰りになった！」瑠璃子は甦ったように、思わず歓喜に近い声を挙げた。その声には、夫に対する妻としての信頼と愛とが籠っていることを否定することが出来なかった。

五

風雨の烈しい音にも消されずに、警笛の響きはたちまちに近づいた。門内の闇がパッと明るく照されて、その光のうちに雨が銀糸を列ねたように降っていた。

瑠璃子と女中達二人とは、その燦然と輝く自動車の頭光に吸われたように、玄関へ馳け付けた。

微醺を帯びた勝平は、その赤い巨きい顔に、暴風雨などは、少しも心に止めていないような、悠然たる微笑を湛えながら、のっそりと車から降りた。

「お帰りなさいまし、まあ大変でございましたでしょうね。お道が。」

　瑠璃子のそうした言葉は、平素のように形式だけのものではなく、それに相当した感情が、ピッタリと動いていた。

「なに、大したことはなかったよ。それよりもね、貴女(あなた)が蒼くなっているだろうと思ってね。この間の大暴風雨(あらし)で、みんなビクビクしている時だからね。いや、鎌倉まで一緒に乗り合わして来た友人にね、この暴風雨(あらし)じゃ道が大変だから、鎌倉で宿(とま)って行かないかと、云われたけれどもね。やっぱりこっちが心配でね。ぜひ葉山へ行くと云ったら、冷かされたよ。美しい若い細君を貰うと、それだから困るのだと、はははははは。」

　凄じい風の音、烈しい雨の音を、聞き流しながら、勝平は愉快に哄笑した。自然の脅威を挑ね返しているような勝平の態度に接すると、瑠璃子は心強く頼もしく思わずにはいられなかった。男性の強さが、今始めて感ぜられるように思った。

「妾(わたくし)どうしようかと思いましたの。廂がベリベリと吹き飛ばされるのですもの。」

　瑠璃子は、まだ不安そうな眼付をしていた。

「なに、心配することはない。十月一日の暴風雨の時だって、土堤が少しばかり、崩されただけなのだ。あんな大暴風雨が、二度も三度も続けて吹くものじゃない。」

　勝平は、瑠璃子が後から、着せかけた褞袍(どてら)に、くるまりながら、どっかりと腰を降ろした。

が、勝平のそうした言葉を、裏切るように、風は刻々吹き募って行った。かなり、ピッタリと閉されている雨戸までが、今にも吹き外されそうに、バタバタと鳴り響いた。

「さあ！　お酒の用意をして下さらんか、こうした晩は、お酒でも飲んで、大いに暴風雨と戦わなければならん、ははははは。」

勝平は、暴風雨の音に、怯えたように耳を聳てている瑠璃子にそう云った。

酒盃の用意は、整った。勝平は吹き飛ぶ暴風雨の音に、耳を傾けながら、チビリチビリと盃を重ねていた。

「妾、本当に早く帰って下さればいいと思っていましたのよ。男手がないと何となく心細くってよ。」

「ははは、瑠璃子さんが、俺を心から待ったのは今宵が初めてだろうな、はははは。」

勝平は機嫌よく哄笑した。

「まあ！　あんなことを、毎日心からお待ちしているじゃありませんか。」

瑠璃子は、ついそうした心易い言葉を出すような心持になっていた。

「どうだか。分りゃしませんよ。老爺め、なるべく遅く帰って来ればいいのに。こう思っているのじゃありませんか。はははは。」

瑠璃子の今宵に限って、温かい態度に、勝平は心から悦に入っているのだった。

「それも、無理はありません。貴女が内心俺を嫌っているのも、全く無理はありません。当然です、当然です。俺も嫌がる貴女を、いつまでも名ばかりの妻として、束縛していたくはないのです。これが、どんな恐ろしい罪かということが分っているのです。ところがですね。始めはホンの意地から、結婚した貴女が、一旦形式だけでも同棲してみると、……一旦貴女を傍に置いてみると、死んでも貴女を離したくないのです。いや、死んでも貴女から離れたくないのです。」

余程酒が進んで来たとみえ、勝平は管を捲くように云った。

六

風はますます吹き荒れ雨はますます降り募っていた。が、勝平は戸外のそうした物音に、少しも気を取られないで、瑠璃子が酌いでやった酒を、チビリチビリと嘗めながら、熱心に言葉を継いだ。

「まあ、簡単に云ってみると、スッカリ心から貴女に惚れてしまったのです！　俺は今年四十五ですが、この年まで、本当に女というものに心を動かしたことはなかったのです。勝彦や美奈子の母などとも、ただ、在来の結婚で、給金のいらない高等な女中をでも、傭ったように考うて、接していたのです。金が出来るのに従って、金で自由になる女とも沢山接してみましたが、どの女もどの女も、ただ玩具か何かのように、弄んでいたのにすぎないのです。俺は女などというものは、酒や煙草などと同じに、我々男子の事業の疲れを慰めるために存在している者にすぎないとまで高を括っていたのです。ところがです、俺のそうした考えは貴女に会った瞬間に、見事に打ち破られていたのです。男子のために作られた女でなくして、女自身のために作られた女、俺は貴女に接していると、すぐそういう感じが頭に浮んだのです。男の玩具として作られた女ではなくして、男を支配するために作られた女、俺は貴女を、そう思っているのです。それと一緒に、今まで女に対して懐いていた侮蔑や軽視は、貴女に対してはだんだん無くなって行くのです。その反対に、一種の尊敬、まあそういった感じが、だんだん胸の中に萌して来たのです。結婚した当座は、何のこの小娘が、俺を嫌うなら嫌ってみろ！　今に、征服してやるから。と、こう思っていたのです。ところが、今では貴女の前でなら、どんなに頭を下げても、いいと思い出したのです。貴女の愛情を、得るためになら、どんなに頭を下げても、いいと思い始めたのです。どうです、瑠璃子さん！　俺の心が少しはお分りになりますか。」

勝平は、そう云って言葉を切った。酔ってはいたが、その顔には、一本気な真面目さが、アリアリと動いていた。こうした心の告白をするために、故意と酒盃を重ねているようにさえ、瑠璃子に思われた。

「俺は、世の中に金より貴いものはないと思っていました。俺は金さえあれば、どんなことでも出来ると思っていました。実際貴女を妻にすることが、出来た時でさえ、金があればこそ、貴女のような美しい名門の子女を、自分の思い通りにすることが出来るのだと思っていたのです。が、俺が貴女を、金で買うことが出来たと想ったのは、俺の考え違いでした。金で俺の買い得たのは、ただ妻という名前だけです。貴女の身体をさえ、まだ自分の物に、することが出来ないで苦しんでいるのです。まして、貴女の愛情の断片でも、俺の自由にはなっていないのです。俺は貴女の俺に対する態度を見て、つくづく悟ったのです。俺の全財産を投げ出しても、貴女の心の断片をも、買うことが出来ないということを、つくづく悟ったのです。が、そう思いながらも、俺は貴女を思い切ることが出来ないのです。俺は金で買い損ったものを、俺の真心で、買おうと思い立ったのです。いや、買うのではない、貴女の前に跪いて、買うことの出来なかったものを哀願しようとさえ思っているのです。また、そうせずにはいられないのです。さっきも申しました通り、もう一刻も貴女なしには生きられなくなったのです。」

変に言葉までが改まった勝平は、恋人の前に跪いている若い青年か、何かのように、激していた。彼の巨きい真赤な顔は、どこにも偽りの影がないように、真面目に緊張していた。彼は大きい眼を剥きながら、瑠璃子の顔を、じっと見詰めていた。敵意のある凝視なら、睨み返し得る瑠璃子であったが、そうした火のような熱心の凝視にはかえって堪えかねたのであろう、彼女は、眩しいものを避けるように、じっと顔を俯けた。

「どうです！　瑠璃子さん！　俺の心を、少しは了解して下さいますか。」

勝平の声は、瑠璃子の心臓を衝くような力が籠っていた。

七

酒の力を借りながら、その本心を告白しているらしい勝平の言葉を、聴いていると、今までは獣的な、俗悪な男、精神的には救われるところのない男だと思い捨てていた勝平にも、人間的な善良さや弱さを、感ぜずにはいられなかった。

あれだけ、傲岸で黄金の万能を、主張していた男が、金で買えない物が、世の中に儼として存在していることを、潔く認めている。金では、人の心の愛情の断片をさえ、買い得ないことを告白している。彼は、今自分の非を悟って、瑠璃子の前に平伏して彼女の愛を哀願している。敵は脆くも、降ったのだ。そうだ！　敵は余りにも、脆くも降ったのだ、瑠璃子は心のうちで思わず、そう叫ばずにはいられなかった。

「瑠璃子さん！　俺はお願いするのだ。俺は、俺の前非を悔いて貴女に、お願いするのじゃ。貴女は、心から俺の妻になって下さることは出来んでしょうか。これまでの偽りの結婚を、俺の真心で浄めることは出来んでしょうか。俺は、この結婚を浄めるために、どんなことをしてもいい。俺の財産を、みんな投げ出してもいい。いや俺の身体も生命もみんな投げ出してもいい。俺は、貴女から、夫として信頼され愛されさえすれば、どんな犠牲を払ってもいいと思っているのです。俺は、さっき自動車から降りて、貴女と顔を見合せた時、俺は結婚して以来初めて幸福を感じたのです。今日だけは、貴女が心から俺を迎えてくれている。貴女の笑顔が心からの笑顔だと思うと、俺は初めて結婚の幸福を感じたのです。が、それも落ち着いて考えてみると、貴女が俺を喜んで迎えてくれたのも、夫としてではない、ただこんな恐ろしい晩に必要な男手として喜んでいるのだと思うと、また急に情なくなるのです。俺が貴女を、賤しい手段で、妻にしたという罪を、俺の貴女に対する現在の真心で浄めさせて下さい！」

勝平は、酒のために、気が狂ったのではないかと思われるほどに激昂していた。瑠璃子は相手の激しい情熱に咽せたようにいつの間にか知らず知らず、それに動かされていた。

「瑠璃子さん、貴女も今までのことは、心から水に流して、俺の本当の妻になって下さい。貴女が心ならずも、俺の妻になったことは、不幸には違いない。が、一旦妻になった以上、貴女が肉体的には、妻でないにしろ、世間では誰も、そうは思っていないのです。社会的に云えば、貴女はあくまでも、荘田勝平の妻です。貴女も、そうした羽目に陥ったことを、不幸だと諦めて、心から俺の妻になって下さらんでしょうか。」

勝平の眼は、熱のあるように輝いていた。瑠璃子も、相手の激情に、ついフラフラと動かされて、思わず感激の言葉を口走ろうとした。が、その時に彼女の冷たい理性が、やっとそれを制した。

『相手が余りに脆いのではない！　お前の方が余りに脆いのではないか。お前は、最初のあれほど烈しい決心を忘れたのか。正義のために、私憤ではなくして、むしろ公憤のれ、相手を倒そうという強い決心を忘れたのか。勝平の口先だけの懺悔に動かされて、余りに脆くお前の決心を捨ててしまうのか。お前は勝平の態度を疑わないのか。彼は、お前に降伏したような様子を見せながら、お前を肉体的に、征服しようとしているのだ。兜を脱いだような風を装いながら、お前に飛び付こうとしているのだ。お前が、勝平の告白に感激して、お前の手を与えて御覧！　彼は、その手を戴くような風をしながら、いつの間にかお前を踏み躙ってしまうのだ。お前は敵の暴力と戦うばかりでなく、敵の甘言とも戦わなければならぬ。敵は、お前の誇りに媚びながら、逆にお前を征服しようとしているのだ。余りに脆いのは敵でなくしてお前だ。』

瑠璃子の冷たい理性は、覚めながらそう叫んだ。彼女は、ハッと眼が覚めたように、居ずまいを正しながら云った。

「あら、あんなことを仰しゃって？　最初から、本当の妻ですわ。心からの妻ですわ。」

そう云いながら、彼女は冷たい、しかしながら、美しい笑顔を見せた。

嵐を衝いて

一

勝平は、瑠璃子の言葉だけは、打ち解けていても、笑顔は氷のように冷たいのを見ると、絶望したように云った。

「ああ貴女は、どうしても俺を理解して下さらぬのじゃ。俺の最初の罪をどうしても許して下さらぬのじゃ。貴女は、俺と勝彦とを、操って俺に、畜生道の苦しみを見せようとしているのじゃ。よい、それならよい！　それならそれでよい！　貴女が、いつまでも俺を敵と見るのなら、俺も、俺も敵になっていてもいい。俺が貴女の前に、跪いてこれほどお願いしているのに、貴女は俺の真心を受け容れて下さらんのじゃから。」

もう先刻から、一升以上も飲み乾している勝平は、濁った眸を見据えながら、威丈高に瑠璃子にのしかかるような態度を見せた。相手が下手から出ると、ついホロリとしてしまう瑠璃子であったが相手が正面からかかってくれれば、一足だって踏み退く彼女ではなかった。

相手の態度が急変すると、瑠璃子はさっきの勝平の神妙な態度は、ただ自分を説き落すための、偽りの手段であったことが、ハッキリしたように思った。

「あら、あんなことを仰しゃって、貴君の真心は、初めから分っているじゃありませんか。」

瑠璃子は、相手の脅しを軽く受け流すように、嫣然と笑った。

「ああ、貴女のその笑顔じゃ。それは俺を悩ますと同時に、嘲り恥しめ罵っているのじゃ。ああ俺は貴女のその笑顔に堪えない。俺は貴女のその笑顔を、初めはどんなに楽しんでいたか分らないが、だんだん見ていると、貴女のその美しい笑顔の皮一つ下には、俺に対する憎悪と嘲笑とが、一杯に充ちているのだ。貴女の笑顔ほど皮肉なものはない。貴女の笑顔ほど、俺の心を突き刺すものはない。貴女は、その笑顔で俺を悩まし殺そうとしているのだ。いや、俺ばかりじゃない！　あの馬鹿の勝彦をまで悩ましておるのじゃ。」

勝平の態度には、いよいよ乱酔の萌しが見えていた。彼の眸は、怪しい輝きを帯び、狂人か何かのように瑠璃子をジロジロと見詰めていた。

風も雨も、海岸のこの一角に、その全力を蒐めたかのように、ますます吹き荒び降り増った。が瑠璃子は人と人との必死の戦いのために、そうした暴風雨の音をも、聞き流すことが出来た。

「疑心暗鬼ということがございますね。貴君のは、それですよ。妾を疑ってかかるから、妾の笑顔までが、夜叉の面か何かのように見えるのでございますよ。」

そう云いながらも、瑠璃子はその美しい冷たい笑いを絶たなかった。勝平は、その巨きい身体をのたうつようにして云った。

「貴女は、俺をあくまでも、馬鹿にしておられるのじゃ。貴女は人間としての俺を信用しておられんのじゃ。貴女は、俺の人格を信じておられないのじゃ。俺に人間らしい心のあることを信じておられないのじゃ。よし、貴女が俺を人間として扱って下さらないなら、俺は獣として、貴女に向って行くのじゃ。俺は獣のように、貴女に迫って行くのじゃ。」

勝平の眸は燃ゆるように輝いた。

「そうだ！　俺は獣として貴女に迫って行くほかはない！」

そう云ったかと思うと、勝平は羆が人間を襲う時のように、のッと立ち上った。

瑠璃子も弾かれたように、立ち上った。

立ち上った勝平は、フラフラと蹌めいてやっと踏み堪えた。彼はその凄じい眸を、真中に据えながら、瑠璃子の方へジリジリと迫って来た。

かよわい瑠璃子の顔は、真蒼だった。身体はかすかに顫えていたけれども、怯びれたところは少しもなかった。その美しい眉宇は、きっと、緊きしまって、許すまじき色が、アリアリと動いた。

ちょうど、その時だった。風に煽られた大雨が一しきり沛然として降り注いで来た。

二

荒るるままに、夜は十二時に近かった。

台所にいるはずの女中達は、眠りこけてでもいるのだろう。話声一つ聞えて来なかった。ただ吹き暴るる大風雨のうちに勝平と瑠璃子とだけが、取り残されたように、睨みながら、相対していた。

空に風と雨とが、戦っているように、地に彼等は戦っているのだった。瑠璃子は戦うべき力もなかった。武器も持ってはいなかった。ただ彼女の態度に備わる天性の美しい威厳一つが、勝平の獣的な攻撃を躊躇させていた。が、その躊躇も、永く続くはずはなかった。勝平の眼が、段々狂暴な色を帯びるとともに、彼は勢い猛に瑠璃子に迫って来た。彼女は、相手の激しい勢いに圧されるようにジリジリと後退りをせずにはいられなかった。

勝平の今少し前の懺悔や告白が、こうした態度に出るまでの径路であった――一旦下手から説いてみて、それで行かなければ腕力に訴える――かと思うと、勝平に対して、懐いていた一時の好感は、煙のようになくなって、ただ苦い苦い憎悪の滓だけが、残っていた。指一つ触れさせてなるものか、そうした堅い決意が、彼女の繊細な心臓を、鉄のように堅くしていた。

が、彼女の精神的な強さも、勝平の肉体の上の優越に打ち勝つことが出来なかった。いつの間にか追い詰められたように、部屋の一方に、海に面した硝子戸の方へ、逃る道のない硝子戸の方へ、瑠璃子は圧し付けられている自分を見出した。

そこで、追い詰められた牝鹿と獅子とのように、二人はしばらくは相対していた。

暴風雨は、少しも勢いを減じていなかった。岸を噛んで殺到する波濤の響きが、前よりも、もっと恐ろしく聞えて来た。が、相争っている二人の耳には、波の音も風の音も聞えては来なかった。

「何をなさるのです。貴君は？」

勝平が、その堅肥りの巨きい手を差し出そうとした時、瑠璃子は初めて声を出して叱した。

「何をしようと、俺の勝手だ。夫が妻を、生かそうが殺そうが。」

勝平は、そう云いながら、再び猿臂を延ばして、瑠璃子の柔かな、やさ肩を摑もうとしたが、軽捷な彼女に、ひらりと身体を避けられると、酒に酔った足元は、ふらふらと二三歩蹌めいて、のめりそうになった。

「恥をお知りなさい！　恥を！　妻ではございましても奴隷ではありませんよ。暴力を振うなんて。」

彼女は、汚れた者を叱するように、吐き捨てるように云った。彼女の声は、さすがにわなわなと顫えていた。

「なに！　恥を！　恥も何もあるものか、俺はもう獣になりきっているのじゃ。」

勝平は、そう云ったかと思うと前よりももっと烈しい勢いで瑠璃子に迫った。こうしたあさましい人間の争いを、讃美するかのように、風は空中に凄じい歓声を挙げ続けている。

瑠璃子は、ふとその時護り刀のことを思い出した。こうした非常な場合には、それを抜き放って自分を護るほかはない。が、そう思い付いたものの、それはトランクの底深く、蔵ってあるので、急場の今は、何の援けにもならなかった。

彼女は、最後の手段として、声を振り搾って女中を呼んだ。が、彼女の呼び声は、風雨の音に消されてしまって、台所の方からは、物音も聞えて来なかった。

瑠璃子が、いよいよ窮したのを見ると、勝平はいよいよ威丈高になった。彼は、獣そのままの形相を現していた。ほの暗い洋燈の光で、眼が物凄く光った。

「あれ！」と、瑠璃子が身を避けようとした時、勝平の強い腕は、彼女の弱い二の腕を、グッと握りしめていた。

「何をするのです。お放しなさい！」

彼女は必死になって、振りほどこうとした。が、強い把握は、容易に解けそうもなかった。

「何を！　何をするのです！」

瑠璃子は、死物狂いになって突き放した。が、突き放された勝平は、前よりも二倍の狂暴さで、再び瑠璃子に飛びかかった。

その時だった。瑠璃子の背後の雨戸と硝子戸とが、バタバタと音を立てて外れると、恐ろしい一陣の風が、サッと室の中へ吹き込んだ。

洋燈はたちまちに消えてしまった。が、灯の消える刹那だった。風と共に飛び込んで来た一個の黒影が今瑠璃子に飛びかかろうとする勝平に、横合からどうと組み付くのが、灯の消ゆるたゆたいの瞬間に瞥見された。

三

硝子戸の外れるのとともに、室の中へ吹き入った風と雨とは、たちまちに、二十畳に近い大広間に渦巻いた。床の間の掛軸が、バラバラと吹き捲られて、挑ね落ちると、ガタガタと烈しい音がして、鴨居の額が落ちる、六曲の金屏風が吹き倒される。一旦吹き込んだ風は逃れ口がないために、室内の闇を縦横に馳け廻って、いつまでもいつまでも狂奔した。

しかも、この風雨の暴れ狂う漆黒の闇の中に、勝平は飛び込んだ黒影と、必死の格闘を続けていたのだ。

「貴様は誰だ！　誰だ！」

不意の襲撃に驚いたらしく勝平は、狼狽して怒号した。が、相手は黙々として返事をしなかった。

肉と肉とが、相搏つ音が、風雨の音にも紛れず、凄じい音を立てた。身体と身体とが、打ち合う音、筋肉と筋肉とが、軋み合う音、それは風雨の争いにも、負けないほどに恐ろしかった。

そのうちにどうと家中を揺がせる地響きを打って、一方が投げ出される音が聞えた、それに続いて転がり合いながら、格闘する凄じい音が続いた。

「強盗だ！　強盗だ！　早く老爺を呼んで来い！　瑠璃子！　瑠璃子！」

戦いが不利と見えて、勝平の声は悲鳴に近かった。

瑠璃子は、物事の烈しい変化に、気を奪られたように、ボンヤリ闇の中に立っていた。身に迫った危険を、思いがけなく脱し得た安心と、新しく突発した危険に対する不安とで、心が一種不思議な動乱の中に在った。

勝平の悲鳴を聴いていると、助けてやらねばならぬと思いながら、一種の小気味よさを感ぜずにはいられなかった。自分に獣の如く迫って来た彼が、突然の侵入者によって、脆くも取って伏せられている。そう思うと瑠璃子の動乱した胸にも皮肉な快感が、ぞくぞくとこみ上げて来る。

格闘はなお続いた。組み合いながら、座敷中をのたくっている恐ろしい物音が絶えなかった。

「瑠璃子！　瑠璃子！　早く、早く。」

援けを呼ぶ勝平の声は、だんだん苦しそうに喘いで来た。

瑠璃子の心のうちに、もっと勝平を苦しませてやれ、こうした不意の出来事によって、もっと彼を懲してやれという、勝平に対する憎悪の心持と、平生の憎悪はとにかく、不時の災難に苦しんでいる相手を、援けてやろうという人間的な心持とが、相争った。

そのうちに、ゼイゼイと息も絶えそうに、喘ぎ始めた勝平の声が、聞え出した。

「苦しい！　苦しい！　人殺し！　人殺し！」

勝平は、とうとう最後の悲鳴を出してしまった。そうした声を聞くと、瑠璃子の心にも、勝平に対する憐憫が湧かずにはいなかった。彼女は、初めて我に返ったように、台所の方に駆け出しながら、大声を出した。

「老爺！　老爺！　早く来ておくれ！　泥棒！　泥棒！」

瑠璃子の声も、スッカリ上ずってしまっていた。が、そう叫んだ時、彼女の頭の中に突然恋人の直也のことが閃いた。彼は、勝平を射とうとして誤って、美奈子を傷つけたため、危く罪人となろうとしたのを、勝平に対する父の子爵の哀訴のために、告訴されることを免れた。が、彼は敵の勝平からそうした恩恵を受けたことを、死ぬほど恥しがって、学業を捨ててしまって、遠縁の親戚が経営しているボルネオの護謨園に走ろうとしている。瑠璃子は、そんな噂を、耳にはさんでいる。が、あの多血性な恋人は、そうした逃避的な態度を、捨てて、その恋の敵を倒すために、再び風雨の夜に乗じて迫ったのであろうか。否、自分に訣別するため、外ながら自分を見ようとした時、偶然自分が危難に遭遇したため、前後の思慮もなく飛び込んだのではないだろうか。

強盗！　泥棒！　強盗や泥棒が、ああした襲撃をなすだろうか。もし、あれが直也だったら、たとい、勝平を倒したにしろ、彼の一生はムザムザと埋れてしまうのだ。もっとも、今でも自分のために、半分埋れかけているのだが。

そう思うと、瑠璃子は老爺を呼ぶ声も出なくなってしまって、再びそこへ立ち竦んだ。が、瑠璃子の声に騒ぎ立った女中は、声を振り搾って老爺を呼んだ。

四

叫び立てる女中達の声に、別荘番の老爺は驚いて馳け付けて来た。強盗だと聴くと、いきなり取って返して、古い狩猟用の村田銃を持って来た。彼は手早く台所の棚から、カンテラを取り出すと、取り乱す容子もなく、灯を点じて、戸外同様に風雨の暴れ狂う広間の方へと、勇ましく立ち向った。もう六十を越した老人ではあったが、根が漁師育ちであるだけに、胆力はがっしりと据っていた。

瑠璃子は、勝平と相搏っている相手が、もしや恋人の直也でありはしないかと思うと、この一徹の老人が、一気に銃口を向けやしないかと思う心配で、心が怪しく擾れた。それかといって、強盗であるかも知れぬ闖入者を、庇うような口は利けなかった。台所に顫えている女中を後に残しながら、固唾を飲みながら、老人の後から、随いて行った。

座敷は、風雨で滅茶苦茶になっていた。室の中に渦巻く風のために、硝子戸が三枚も外れていた。そこから吹き入る雨のために、水を流したように、濡れた畳が、カンテラの光に物凄く映っていた。今にも、天井が吹き抜かれるように、バリバリと恐ろしい音を立てて、鳴り続けた。

老人は、カンテラの光を翳しながら、

「旦那！　旦那！　喜太郎が参りましたぞ！」と次の間から、まず大声で怒鳴った。

が、勝平はそれに対して、何とも答えなかった。ただ勝平が発しているらしい低いうめき声が聞えるだけだった。

「旦那！　旦那！　しっかりなさい！」

そう云いながら、喜太郎は暗い座敷の中を、カンテラで照しながら、駈け込んだ。その光で、ほの暗く照し出された大広間の中央に、勝平は仰向けに打ち倒れながら、苦しそうにうめいているのだった。

「旦那！　旦那！　しっかりなさい！　喜太郎が参りましたぞ！　泥棒はどうしただ！」

喜太郎は、勝平の耳許で勢いよく叫んだ。が、勝平はただ低く、喘息病みか何かのように咽喉のところで、低くうめくだけだった。

「旦那！　怪我をしたか。どこだ！　どこだ！」

老人は、狼狽しながら、その太い堅い手で、勝平の身体を撫で廻した。が、どこにも傷らしい傷はなかった。が、それにも拘わらず、半眼に開かれている勝平の眼は、白く釣り上っている。

「ああ！　こりゃいけねえ。奥様、こりゃいけねえぞ。」

そう云いながら、老人は勝平の身体を半ば抱き起すようにした。が、巨きい身体は少しの弾力もなく石の塊か何かのように重かった。

瑠璃子は、さすがに驚いた。

「もし、貴君！　もし貴君！　貴君！」

彼女は、名ばかりの夫の胸に、縋り付くようにして叫んだ。が、勝平の身体に残っている生気は、こうしている間にも、だんだん消えて行くように思われた。

おずおず顫えながら、座敷へ近づいて来た女中を顧みながら、瑠璃子はハッキリと少しも取り擾さない口調で云った。

「ブランデーの壜を大急ぎで持っておいで。それから、吉川様へすぐおいで下さるように電話をおかけなさい！　すぐ！　主人が危篤でございますからと。」

女中の一人は、すぐブランデーの壜を持って来た。瑠璃子は、それをコップに酌ぐと、甲斐甲斐しく勝平の口を割って、口中へ注ぎ入れた。

勝平の蒼ざめていた顔が、心持赤く興奮するように見えた。彼の釣り上った眼が、ほんの僅かばかり、人間の眼らしい光を恢復したように見えた。

「旦那！　旦那！　相手はどうしただ。強盗ですか。どちらへ逃げました。」

老人の別荘番は、主人の敵を取りたいような意気込みで訊いた。

勝平はその大きい声が、消えかかる聴覚に聞えたのだろう、口をモグモグさせ始めた。

「何でございますか。何でございますか。」

瑠璃子も、勝平を励ますために、そう叫ばずにはいられなかった。

その時に、室の薄暗い一隅で、何者とも知れずカラカラと悪魔の嗤うように声高く笑った。

五

カンテラの光の届かない部屋の一隅から、急にカラカラと頓狂に笑い出す声を聴くと、元気のある度胸の据った喜太郎までが、ハッと色を変えた。村田銃の方へ差し延した左の手が、二三度銃身を摑み損っていた。勝気な瑠璃子の襟元をも、気味の悪い冷たさが、ぞっと襲って来た。

「誰だ！　誰だ！」

喜太郎は狼狽えながら、しわがれた声で闇の中の見知らぬ人間を誰何した。が、相手はまだ笑い声を収めたまま、じっとしている。

「誰だ！　誰だ！　黙っていると、射ち殺すぞ！」

相手が黙っているので、勢いを得た喜太郎は、村田銃を取り上げながら、その方へ差し向けた。

暗い片隅に蹲っている人間の姿が、差し向けられたカンテラの灯で、朧げながら判って来た。

「誰だ！　誰だ！　出て来い！　出て来い！　出て来ないと射つぞ！」

喜太郎は、ますます勢いを得ながらそれでも飛び込んで行くほどの勇気もないとみえて、間を隔てながら、叫んでいた。

相手が、割に落ち着いているところをみると、それが強盗でないことは、判っていた。が、不意に耳を襲った頓狂な笑い声によっては、それが何人であるかは、瑠璃子にも判らなかった。彼女は、じっと眸を凝して、それが自分の怖れている如く、恋人の直也ではありはしないかと、闇の中を見詰めて居た。

ちょうどその時に、喜太郎の大きい怒声によって、朧気な意識を恢復したらしい勝平は、低くうめくように云った。

「射つな、射ったらいけないぞ！」

それは、一生懸命な必死な言葉だった。そう云ってしまうと、勝平はまたグタリと死んだようになってしまった。

主人の言葉を聴くと、喜太郎は何かを悟ったように鉄砲を、投げ出すと、じりじりと見知らぬ男の方に近づいた。男は、喜太郎が近づくと、だんだん蹲ったままで、身を退かしていたが、壁の所まで、追い詰められると、矢庭に、スックと立ち上った。瑠璃子は、また恐ろしい格闘の光景を想像した。が、瑠璃子の想像はたちまち裏切られた。

「やあ！　若旦那じゃねえか！」

喜太郎は、驚駭とも何とも付かない、調子外れの声を出した。

瑠璃子も、その刹那弾かれたように立ち上った。

「奥様！　若旦那だ！　若旦那だ。」

喜太郎は、意外なる発見に、狂ったように叫び続けた。瑠璃子も思わず、瀕死の勝平の傍を離れると、二人が突っ立ちながら、相対している方へ近づいた。

いかにも、その男は勝彦だった。いつも見馴れている大島の不断着が、雨でズブ濡れに濡れている。髪の毛も、雨を浴びて黒く凄く光っている。日頃は、無気味な顔ではあるが、何となく温和であるのが、今宵は殺気を帯びている。それでも、瑠璃子の顔を見ると、少し顔を赤らめながら、ニタリと笑った。

しばらくの間は、瑠璃子も言葉が出なかった。が、すべては明らかだった。東京の家に監禁せられていた彼は、瑠璃子を慕うの余り、監禁を破って、東京から葉山まで、風雨を衝いて、やって来たのに違いなかった。

「お父様をあんなにしたのは、貴君でしたか。」

瑠璃子は、かなり厳粛な態度でそう訊いた。

勝彦は、黙って肯いた。

「東京から、一人で来たのですか。」

勝彦は黙って肯いた。

「汽車に乗ったのですか。」

勝彦は、また黙って肯いた。

「お父様を、どうしてあんなにしたのです。どうしてあんなにしたのです。」

瑠璃子に、そう問い詰められると、勝彦は顔を赤らめながら、モジモジしていた。もし勝彦が、聡明な青年であったならば、簡単に率直に、しかも貴夫人を救った騎士(ナイト)のように勇ましく、

『貴女を救うために。』と答え得たのであるが。

六

瑠璃子から、何と訊かれても、勝彦は何とも返事はしないで、ただ、ニタリニタリと笑い続けているだけだった。

老人の喜太郎は、張り詰めていた勇気が、急に抜け出してしまったように云った。

「しようのない若旦那だ。こんな晩に東京から、飛び出して来て、旦那をとっちめるなんて、理窟のねえことをするのだから、始末におえねえや。奥様！　こんな人に介意(かま)っているよりか旦那の容体が大事だ！」

喜太郎は、勝彦を嚙んで捨てるように非難しながら、座敷の真中に、生死も判らず横たわり続けている勝平の方へ行った。

が、瑠璃子は喜太郎のように心から勝彦を、非難する気には、なれなかった。口では勝彦を咎めるようなことを云いながら、心の中ではこの勇敢な救い主に、一味温かい感謝の心を持たずにはいられなかった。

ちょうど、その時に、勝平のうめき声が、急に高くなった。瑠璃子は思わず、その方に引き付けられた。

彼の顔面の筋肉が、しきりに痙攣し、太い巨きい四肢は、最後のありたけの力を籠めたように、烈しく畳の上にのたうった。

「水！　水！」

勝平は、苦しそうな呻き声を洩した。

女中が、転がるように持って来た水を、コップのまま口へ注ごうとしたが、思い通りにはならないらしい口辺の筋肉は、あてがわれたコップの水を、咽喉の辺から胸にかけて溢してしまった。瑠璃子は、それを見ると、コップの水を一息飲みながら、口移しに勝平の口中へ注いでやった。名ばかりではあるが、妻としての情であった。

水によって、湿おされた勝平の咽喉は、初めてハッキリした苦悶の言葉を発した。

「ああ苦しい。胸が苦しい。切ない。」

彼は、そう叫びながら、心臓の辺りを幾度も掻きむしった。

「すぐ医者が参ります。もう少しの御辛抱です。」

瑠璃子も、オロオロしながら、そう答えた。瑠璃子の言葉が、耳に通じたのだろう。彼は、空虚(うつろ)な視線を妻の方に差し向けながら、

「瑠璃子さん、俺(わし)が悪かった。みんな、俺が悪かった。許して下さい！」

彼は、身体中に残った精力を蒐めながら、やっと切れ切れに云った。つい一時間前の告白を疑った瑠璃子にも、男子のこうした瀕死の言葉は疑えなかった。瑠璃子の冷たく閉じた心臓にも、それが針のように刺し貫いた。

「ああ苦しい。切ない！　心臓が裂けそうだ！」

勝平は、心臓を両手を抱くようにしながら、畳の上を、二三回転げ廻った。

「美奈子！　美奈子はいないか！」

彼は、突如苦しそうに、半身を起しながら、座敷中を見廻した。しかし美奈子がそこにいる訳はなかった。二三秒間身体を支え得ただけで、またどうと後へ倒れた。

「美奈子さんもすぐ来ます。電話で呼びますから。」

瑠璃子は、耳許に口を寄せながら、そう云った。

「ああ苦しい！　もういけない！　苦しい！　瑠璃子さん！　頼みます、美奈子と勝彦のこと。貴女は、俺(わし)を憎んでいても、子供達は憎みはしないでしょう。貴女を頼むよりほかはない！　俺の罪を許して子供達を見てやって下さい！　頼みます！　勝彦！　勝彦！」

彼は、そう云いながら、再び身体を起そうとした。愚かなる子に、最後の言葉をかけようとしたのであろう。が、愚かなる子は、父の臨終の苦しみを外に、以前のままに、ケロリとして立ったまま、この場の異常な光景を、ボンヤリと凝視しているだけであった。

「ああ苦しい！　切ない！」

勝平は最後の苦痛に入ったように、何物かを掴もうとして、二三度虚空を掴んだ。瑠璃子は、その時初めて心から、夫のために、その白い二つの手を差し述べた。勝平は、瑠璃子の白い腕に触れるとそれを生命の最後の力で握りしめながら、また差し延べられた手に、瑠璃子からの宥を感じながら、妻からの情を感じながら、最後の呼吸を引き取ってしまったのである。

七

勝平の最後の息が絶えようとしている時に、医師がやって来た。レインコートの下へまで、激しい雨が浸み入ったと見え、洋服の所々から、雫がタラタラと落ちていた。

「車で来ようと思ったのですが、家を二間ばかり離れると、すぐ吹き倒されそうになりましたから、徒歩で来ました。風が北へ廻ったようですから、もう大丈夫です。まさか、先度のようなことはありませんでしょう。」

医師は、さすがに職業的な落着きを見せながら、女中達の出迎えを受けて、座敷へ通って来た。

「お電話じゃ十分判りませんでしたが、どうなさったのです。強盗と組打ちをなさったというのは本当ですか。」

医師は、横たわっている勝平の傍近く、膝行り寄りながら、瑠璃子にそう訊いた。

瑠璃子は、さすがに落着きを失わなかった。

「いいえ！　女中が狼狽えて、そんなことを申したのでございましょう。強盗などは嘘でございます。お恥かしいことでございますが、つい息子と……」

そう云ったものの、後は続け得なかった。医師はすぐその場の事情を呑み込んだように、勝平の身体に手をやって、一通り検めた。

「どこもお負傷はないのですね。」

「はい！　負傷はないようでございます。」瑠璃子は静かに答えた。

「御心配はありません。どこか打ち所が悪くって気絶をなさったのです。」

医師は事もなげにそう云いながら、その夜目にも白い手を脈に触れた。五秒十秒、医師はじっと耳を傾けていた。それと同時に、彼の眸に、勝平の蒼ざめて行く顔色が映ったのだろう。彼は、急に狼狽したように前言を打ち消した。

「ああこりゃいけない！」

そう云いながら、彼は手早く聴診器を、鞄の中から、引きずり出しながら、勝平の肥りきった胸の中の心臓を、探るように、幾度も幾度も当てがった。

「あありゃいけない！」

彼は再び絶望したような声を出した。

「いけませんでございましょうか。」

そう訊いた瑠璃子の声にも、深い憂慮（うれい）が含まれていた。

「こりゃいけない！　心臓麻痺らしいです。いつか診察したときにも、よく御注意しておいたはずですが、かなり酷（ひど）い脂肪心だから、よく御注意なさらないと、すぐ心臓麻痺を起しやすいと、幾度も云ったはずですが。喧嘩だとか格闘だとか、興奮するようなことは、一切してはならないと、注意しておいたのですがね。」

医師は、いかにも、自分の与えた注意が守られなかったのが、遺憾に堪えないように、耳は聴診器に当てがいながら、幾度も繰り返した。

「心臓の周囲に、脂肪が溜（たま）ると、非常に心臓が弱くなってしまうのです。火事の時などに、駈け出しただけで、倒れてしまう人があるのです。それに酒を召し上っていたのですね。酒を飲んでいる上に、烈しい格闘をやっちゃ堪りません。お子さんとなら、また何だって早くお止めにならなかったのです。」

そう云われると、瑠璃子の良心は、グイと何かで突き刺されるように感じた。

「もう駄目だとは思いますが、諦めのために、カンフル注射をやってみましょう。」

医師は、手早くその用意をしてしまうと、今肉体を去ろうとして、たゆとうている魂を、呼び返すために、巧みに注射針を操って、一筒のカンフルを体内に注いだ。

医師は、注射の反応を待ちながらも、二三度人工呼吸を試みた。が、勝平の身体は、刻一刻、人間特有の温みと生気とを失いつつあった。その巨きい顔に、死相がアリアリと刻まれていた。

「お気の毒ですが、もう何とも仕方がありません。」

医師は、死に対する人間の無力を現すように、悄然と最後の宣告を下した。

八

戦は終った。不意に突然に意外に、敵は今彼女の眼前に、何の力もなく何の意地もなく土塊（つちくれ）の如くに横たわっている。

彼女は見事に勝った。勝ったのに違いなかった。傲岸な、金の力によって、人間の道を蔑（なみ）しようとした相手は倒れている。そうだ！　勝利は明らかだ。

が、勝平の死顔をじっと見詰めている時に、彼女の心に湧いて来たものは、勝ちの欣びではなくしてむしろ勝ちの悲しみだった。勝利の悲哀だった。確かに勝っている。が、勝平の肉体に勝った如く、彼の精神にも勝ち得ただろうか。勝平は、その瀕死の刹那に於て、精神的にも瑠璃子に破られていただろうか。

否！　否！　瑠璃子自身の良心が、それを否定している。否。いよいよ、死が迫って来た時の勝平の心は、彼の一生のすべての罪悪を償い得るほどに、美しく輝いていたではないか。

彼は、自分の容しを瑠璃子に乞うた上、二人の愛児の行末を、瑠璃子に頼んでいる。彼は名ばかりの妻から、夫として堪えがたき反抗を受けながら、なお彼女に美しき信頼を置こうとしている。

それよりも、もっと瑠璃子の心を穿ったものは、彼が臨終の時に示した子供に対する、綿々たる愛だった、格闘の相手が――従って彼の死の原因が――勝彦であることを知りながらも、この愚かなる子の行末を、苦しき臨終の刹那に気遣っている。彼の人間らしい心は、その死床に於て、燦然として輝いたではないか。

彼を敵として結婚し、結婚してからも、彼に心身を許さないことによって、彼に悶々の悩みを嘗めさせ、それが半ば偶然であるとは云え、勝彦を操ることによって、畜生道の苦しみを味わわせた自分を死の刹那に於て心から信頼している。そうした言葉を聴いたとき、瑠璃子の良心は、かなり深い痛手を負わずにはいられなかった。

悪魔だと思って刺し殺したものは、意外にも人間の相を現している。が、刺し殺した瑠璃子自身は、刺し殺す径路に於て、刺し殺した結果に於て、悪魔に近いものになっている。

自分の一生を犠牲にして、倒したものは、意外にも倒し甲斐のないものだった。恋人を捨てて、処女としての誇りを捨てて、世の悪評を買いながら、全力を尽くして、戦った戦いは、戦い栄のしない無名の戦だった。

負けた勝平は、負けながら、その死床に人間として救われている。が、見事に勝った瑠璃子は、救われなかった。

自分の一生を賭してかかった仕事が、空虚な幻影であることが、分った時ほど、人間の心が弛緩し堕落することはない。

彼女の心は、その時以来別人のように荒んだ。清浄なる処女時代に立ち帰ることは、その肉体は許しても、心が許さなかった。敵と戦うために、自分自身心に塗った毒は、いつの間にか、心のうち深く浸み入って消えなかった。

その上に、もっと悪いことには、名ばかりの妻として、擅にした物質上の栄華が、いつの間にか、彼女の心に魅力を持ち始めていた。

彼女は、荒んだ心と、処女としての新鮮さと、未亡人としての妖味とを兼ね備えた美しさと、その美を飾るあらゆる自由とをもって、いつとなく、世間のあらゆる男性の間に、孔雀の如く、その双翼を拡げていた。

怪頭醜貌の女怪ゴルゴンは、見る人をして悉く石に化せしめたと希臘神話は伝えている。

黒髪皓歯清麗真珠の如く、艶容人魚の如き瑠璃子は、その聡明なる機智と、その奔放自由なる所作とをもって、彼女を見、彼女に近づくものを、果して何物に化せしめるであろうか。

魅惑

一

　奇禍のために死んだ青年の手記を見た後も、美しき瑠璃子夫人は、なお信一郎の心に、一つの謎として止まっていた。手記によれば、青年を翻弄し、彼をして、形は奇禍であるが、心持の上では、自殺を遂げしめた彼女なる女性が、瑠璃子夫人であるようにも思われた。が、夫人その人は、信一郎の目前で、青年の最後の怨み(こも)が籠っているはずの、時計の持主であることを否定していた。

　信一郎は、夫人の白いしなやかな手で、軽く五里霧中のうちへ、突き放されたように思った。血腥い(ちなまぐさ)青木淳の死と、美しい夫人とを、不思議な糸が、結び付けて、その周囲を、神秘な霧が幾重にも閉ざしている。その霧の中に、チラチラと時折、瞥見(べっけん)するものは、半面紫色になった青年の死顔と、艶然たる微笑を含んだ夫人の皎玉(こうぎょく)の如き美観とであった。

青年から、瀕死の声で、返すことを頼まれた時計は、——青年の怨みを籠めて、返さなければならぬ時計は、あやふやな口実のもとに、謎の夫人の手に、手軽に手渡されている。信一郎は、死んだ青年に対する責任感からも、この謎を一通りは解かねばならぬと思った。時計が、その真の持主に、青年の望んだ通りの意味で、返されることのために、出来るだけは尽さねばならぬことを感じた。

が、その謎を解くべき、唯一の手がかりなる時計は、既に夫人の手に渡っている。ただ、それの受取のように、夫人から贈られた慈善音楽会の一葉の入場券が、信一郎の紙入に、何の不思議もなく残っているだけである。

が、この何の奇もない入場券と、『ぜひおいで下さいませ。その節お目にかかりますから。』という夫人の言葉とが、今の場合夫人に近づく、従って夫人の謎を解くべき唯一の心細い頼りない手がかりだった。夫人と信一郎とを結び付けている細い細い蜘蛛の糸のような、継ぎであった。もっとも、どんなに細くとも、蜘蛛の糸には、それ相応の粘着力はあるものだが。

音楽会の期日は、六月の最後の日曜だった。その日の朝までも、信一郎の心には、妙に躊躇する心持もあった。お前は、青年に対する責任感からだと、お前の行為を解釈しているが、本当は一度言葉を交えた瑠璃子夫人の美貌に惹き付けられているのではないか。彼の心のうちで、反噬するそうした叫びもあった。その上、今日までは、こうした会合へ出るときは、きっと新婚の静子を伴わないことはなかった。が、今日は妻を伴うことは、考えられないことだった。会場で出来るだけ、夫人に接近して夫人を知ろうとするためには、妻を同伴することは、足手纏いだった。

　昼食を済ましてからも、信一郎は音楽会に行くことを、妻に打ち明けかねた。が、外出をするためには、着替をすることが、必要だった。

「ちょっと散歩に。」と云ってブラリと、着流しのまま、外出する訳には行かなかった。

「ちょっと音楽会に行って来るよ。着物を出しておくれ。」

　そうした言葉が、どうしても気軽に出なかった。それは、何でもない言葉だった。が、信一郎にとっては、妻に対して吐かねばならぬ最初の冷たい言葉だった。

「音楽会に行くから、お前も支度をおしなさい。」

　そうした言葉だけしか、聞かなかった静子には、それがかなり冷たく響くことは、信一郎には余りによく判っていた。

　彼は、ぼんやり縁側に立っているかと思うと、また、何かを思い出したように二階へ上った。が、机の前に坐っても、少しも落ち着かなかった。彼は、思い切って妻に云う積りで、再び階下へ降りて来た。

　が、解き物をしながら、階段を降りて来る夫の顔を見ると、心のうちの幸福が、自然と弾み出るような微笑を浮べる妻の顔を見ると、手軽に云って退けるはずの言葉が、またグッと咽喉にからんでしまった。

「あら！　貴君、さっきから何をそんなに、ソワソワしていらっしゃるの？」

無邪気な妻は夫の図星を指してしまった。指されてしまうと、信一郎はかえって落ち着いた。

「うっかり忘れていたのだ。今日は専務が米国へ行くのを送って行かなければならないのだった！」

彼は、咄嗟に今日出発するはずの専務のことを思い出したのだ。

「何時の汽車？　これから行っても、間に合うのでございますか？」

静子はちょっと心配そうに云った。

「間に合うかも知れない。確か二時に新橋を立つはずだから。」

そう云いながら、信一郎は柱時計を見上げた。それは、一時を廻ったばかりだった。

「じゃ、早くお支度なさいまし。」解き物を、掻きやって、妻は、甲斐甲斐しく立ち上った。

信一郎は、最初の冷たい言葉を云う代りに、最初の嘘を云ってしまった。その方が、ズッと悪いことだが。

二

その日の音楽会は、露西亜（ロシア）のピアニスト若きセザレウィッチ兄妹の独奏会だった。去年から今年にかけて、故国の動乱を避けて、漂泊（さすらい）の旅に出た露西亜の音楽家達が、幾人も幾人も東京の楽壇を賑わした。その中には、ピアノやセロやヴァイオリンの世界的名手さえ交っていた。セザレウィッチ兄妹もやっぱり、漂泊の旅の寂しさを、背負っている人だった。殊に、妹のアンナ・セザレウィッチのどこか東洋的な、日本人向きの美貌が、兄妹の天才的な演奏とともに、楽壇の人気を浚っていた。その日の演奏は、確か三四回目の演奏会だった。上流社会の貴夫人達の主催にかかる、その日の演奏会の純益は、東京にいる亡命の露人達の窮状を救うために、投ぜられるはずだった。

信一郎が、その日の会場たる上野の精養軒の階上の大広間の入口に立った時、会場はザッと一杯だった。が、人数は三百人にも足らなかっただろう。七円という高い会費が、今日の聴衆を、かなり貴族的に制限していた。極楽鳥のように着飾った夫人や令嬢が、ズラリと静粛に並んでいた。その中に諸所瀟洒なモーニングを着て、楽譜を手に持っている、音楽研究の若殿様といったような紳士が、二三人ずつ交じっていた。信一郎は聴衆を一瞥した刹那に、すぐ油に交じった水のような寂しさを感じた。こうした華やかな群の中に、女王のように立ち働いている荘田夫人が、自分に——片隅に小さく控えている自分に、少しでも注意を向けてくれるかと思うと、妻の手前を繕ってまで、出席した自分が、何だか心細く馬鹿馬鹿しくなって来た。

信一郎が、席に着くと間もなく、妹の方のアンナが、華やかな拍手に迎えられて壇上に現れた。スラヴ美人の典型といってもいいような、碧い眸と、白い雪のような頰とを持った美しい娘だった。彼女は微笑を含んだ会釈で喝采に応えると、水色のスカートを纎しながら、快活にピアノに向って腰を降ろした。と、思うと、その白い蠟のような繊手は、すぐ霊活な蜘蛛か何かのように、鍵盤の上を、駈け廻り始めた。曲は、露西亜の国民音楽家の一人として名高いボロディンの譚歌だった。

その素朴な、軽快な旋律に、耳を傾けながら、信一郎の注意は、半ば聴衆席の前半の方に走っていた。彼は、若い婦人の後姿を、それからそれと一人一人検めた。が、たった一度、相見ただけの女は、後姿によっては、すぐそれと分りかねた。

妹の演奏が終ると、美しい花環が、幾つも幾つも、壇上へ運ばれた。露西亜の少女は、それを一々溢れるような感謝で受取ると、子供のように欣びながら、ピアノの上へ幾つも幾つも置き並べた。余り沢山置き並べるので、演奏の邪魔になりそうなので、司会者が周章て取り降した。聴衆が、この少女の無邪気さをどっと笑った。信一郎も、少女の美しさと無邪気さとに、引きずられて、つい笑ってしまった。

ちょうどその途端、信一郎の肩を軽く軟打するものがあった。彼は駭いて、振り顧った。そこに微笑する美しき瑠璃子夫人の顔があった。

「よくいらっしゃいましたのね。先刻からお探ししていましたのよ。」

信一郎の言うべきことを、向うで言いながら、瑠璃子は、信一郎と並んでそこに空いていた椅子に腰を下した。

「あまりお見えにならないものですから、いらっしゃらないのかと思っていましたのよ。」

信一郎の方から、改めて挨拶する機会のないほど、向うは親しく馴々しく、友達か何かのように言葉をかけた。

「先日は、どうも失礼しました。」

信一郎は、遅ればせに、ドギマギしながら、挨拶した。

「いいえ！　妾こそ。」

彼女は、小波一つ立たない池の面か何かのように、落ち着いていた。

ちょうど、その時に兄のニコライ・セザレウィッチが壇上に姿を現した。が、瑠璃子夫人は立とうとはしなかった。

「妾、しばらくここで聴かせていただきますわ。」

彼女は、信一郎に云うともなく独言のように呟いた。

三

ちょうどその時、兄のセザレウィッチの奏き始めた曲は、ショパンの前奏曲だった。聴衆は、水を打ったような静寂のうちに、全身の注意を二つの耳に蒐めていた。が、その中で、信一郎の注意だけは、彼の左半身の触覚に、溢れるように満ち渡っていた。彼の左側には、瑠璃子夫人が、坐っていたからである。彼女は、故意にそうしているのかと思われるほどに、その華奢な身体を、信一郎の方へ寄せかけるように、坐っていた。

信一郎は、淡彩に夏草を散らした薄葡萄色の、金紗縮緬の着物の下に、軽く波打っている彼女の肉体の暖かみをさえ、感じ得るように思った。

彼女は、演奏が始まると、すぐ独語のように、「雨滴（レインドロップス）のプレリュウドですわね。」と、軽く小声で云った。それは、いかにもショパンの数多い前奏曲の中、『雨滴の前奏曲』として、知られたる傑作だった。

彼女は、演奏が進むにつれて、彼女の膝の、夏草模様に、実物剝製（はくせい）の蝶が、群れ飛んでいる辺りを、そこに目に見えぬ鍵盤が、あるかのように、白い細い指先で、軽くしなやかに、打ち続けているのだった。しかも、それと同時に、彼女の美しい横顔（プロフィイル）は、本当に音楽が解るものの感ずる恍惚たる喜悦で輝いているのだった。そこには日本の普通の女性には見られないような、精神的な美しさがあった。思想的にも、感覚的にも、開発された本当に新しい女性にしか、許されていないような、神々（こうごう）しい美しさがあった。

信一郎は、時々彼女の横顔を、そのくっきりと通った襟足を、そっと見詰めずにはいられないほど、彼女独特の美しさに、心を惹かされずにはいられなかった。

曲が、終りかけると、彼女は何人（なんぴと）よりも、先に慎しい拍手を送った。

快い緊張から夢のように醒めながら、彼女は信一郎を顧みた。

「妹の方が、技巧は確かですけれども、どうも兄の方が、奔放で、自由で、それだけ天才的だと思いますのよ。」

「僕も同感です。」信一郎も、心からそう答えた。

「貴君、音楽お好き？　ほほほほ、わざわざ来て下さったのですもの、お好きに定っていますわね。」

彼女は、二度目に会ったばかりの信一郎に、少しの気兼もないように、話した。

「好きです。高等学校にいたときは、音楽会の会員だったのです。」

「ピアノお奏きになって？」

「簡単なバラッドや、マーチくらいは奏けます。はははは。」

「ピアノお持ちですか。」

「いいえ。」

「じゃ、妾の宅へ時々、奏きにいらっしゃいませ。誰も気の置ける人はいませんから。」

彼女は、薄気味の悪いほど、馴々しかった。その時に、壇上には、妹のアンナが立っていた。

「バラキレフの『イスラメイ』を演るのですね。随分難しいものを。』

そう云いながら、彼女は立ち上った。

「みんなが、妾を探しているようですから、失礼いたしますわ。会が終りましたら、階下の食堂でお茶を一緒に召上りませんか。約束して下さいますでしょうね。」

「はあ！　結構です。」

信一郎は、何かの命令をでも、受けたように答えた。

「それでは後ほど。」

彼女は、軽く会釈すると、静まり返っている聴衆の間の通路を、怯れもせず遥か前方の自分の席へ帰って行った。信一郎はかなり熱心な眼付で、彼女を見送った。

彼女が、席に着こうとしたとき彼女の席の周囲にいた、多くの男性と女性とは、彼女が席に帰って来たのを、女王でもが、帰還したように、銘々に会釈した。彼女が多くの男性に囲まれているのを見ると、信一郎の心は、妙な不安と動揺とを感ぜずにはいられなかったのである。

四

それから、演奏が終ってしまうまで、信一郎は、ピアノの快い旋律と、瑠璃子夫人の残していった魅惑的な移り香との中に、恍惚として夢のような時間を過してしまった。最後の演奏が終って、華やかな拍手とともに、皆が立ち上ったとき、信一郎は夢から、さめたように席を立ち上った。

彼は、自分からさっきの約束を守るために、瑠璃子夫人を探し求めるほど大胆ではなかった。それかといって、そのまま帰ってしまうには、彼は夫人の美しさに、支配され過ぎていた。彼は聴衆に先立って階段を降りたものの、階段の下で誰かを待ってでもいるように、躊躇していた。

美しい女性の流れが、しばらくは階段を滑っていた。が、待っても、待っても夫人の姿は見えなかった。

彼が、待ちあぐんでいるうちに、聴衆は降りきってしまったと見え、下足の前に佇んいる人の数がだんだん疎らになって来た。

彼は『一緒にお茶を飲もう。』ということが、ただちょっとした、夫人のお世辞であったのではないかと思った。それを金科玉条のように、一生懸命に守って、待ちつづけていた自分が、少し馬鹿らしくなった。夫人は、きっと混雑を避けて、別の出口から、もうとっくに帰り去ったに違いない。そう思って、彼は軽い失望を感じながら、踵を返そうとした時だった。階段の上から、軽い靴音と、やさしい衣擦の音と、流暢な仏蘭西語の会話とが聞えて来た。彼が、軽い駭きを感じて、見上げると、階段の中途を静かに降りかかっているのは、今日の花形なるアンナ・セザレウィッチと瑠璃子夫人とだった。その二人の洗い出したような鮮やかさが、信一郎の心を、深く深く動かした。一種敬虔な心持をさえ懐かせた。白皙な露西亜美人と並んでも、瑠璃子夫人の美しさは、その特色を立派に発揮していた。殊に、そのスラリとして高い長身は、すべての日本婦人が白人の女性と並び立った時の醜さから、彼女を救っていた。

信一郎は、うっとりとして、名画の美人画をでも見るように、しばらくは見詰めていた。それと同じように、彼を駭かしたものは瑠璃子夫人の暢達な仏蘭西語であった。仏法出の法学士である信一郎は、かなり会話にも自信があった。が、水の迸るように、自然に豊富に、美しい発音をもって、語られている言葉は、信一郎の心を魅し去らずにはいなかった。

瑠璃子は、階段の傍に、ボンヤリ立っている信一郎には、一瞥も与えないで、アンナを玄関まで送って行った。

そこで、後から来た兄のセザレウィッチを待ち合わすと、兄妹が自動車に乗ってしまうまで、主催者の貴婦人達と一緒に見送っていた。彼女一人、兄妹を相手に、始終快活に談笑しながら。

兄妹を乗せた自動車が、去ってしまうと、彼女は、初めて信一郎を見付けたように、いそいそと彼の傍へやって来た。

「まあ！　待っていて下さいましたの。随分お待たせしましたわ。でも兄妹を送り出すまで、幹事として責任がございますの。」

彼女は、そう云いながら、帯の間から、時計を取り出して見た。それはやっぱり白金（プラチナ）の時計だった。それを見た刹那、不安ないやな連想が、雷火（いなずま）のように、信一郎の心を走（は）せ過ぎた。

「おやもう、六時でございますわ。お茶なんか飲んでいますと、遅くなってしまいますわ。如何でございます。あのお約束は、またのことにして下さいませんか。ねえ！　それでいいでございましょう。」

「はあ！　それで結構です。」

信一郎は、従順な僕（しもべ）のように答えた。

「貴君(あなた)！ お宅はどちら！」

「信濃町です。」

「それじゃ、院線で御帰りになるのですか。」

「市電でも、院線でもどちらででも帰れるのです。」

「それじゃ、院線で御帰りなさいませ。万世橋でお乗りになるのでしょう。妾(わたくし)の自動車で万世橋までお送りいたしますわ。」

彼女は、それが何でもないことのように、微笑しながら云った。

五

わずか二度しか逢っていない、しかも確かな紹介もなく妙な事情から、知己(しりあい)になっている男性に――その職業も位置も身分も十分分っていない男性に、突然自動車の同乗を勧める瑠璃子夫人の大胆さに、勧められる信一郎の方が、かえってタジタジとなってしまった。信一郎は、ちょっと狼狽しながら、急いでそれを断ろうとした。

「いいえ恐れ入ります。電車で帰った方が勝手ですから。」

「あら、そんなに改まって遠慮して下さると困りますわ。妾(わたくし)本当は、お茶でもいただきながら、ゆっくりお話がしたかったのでございますよ。それだのに、ついこんなに遅くなってしまったのですもの。せめて、一緒に乗っていただいて、お話したいと思いますの。死んだ青木さんのことなども、お話したいことがございますのよ。」

「でも御迷惑じゃございませんか。」

信一郎は、もうかなり、同乗する興味に、動かされながら、それでも口先ではこう云ってみた。

「あら、御冗談でございましょう。御迷惑なのは、貴君(あなた)ではございませんか。」

夫人の言葉は、銘刀のように鮮やかな冴えを持っていた。信一郎が、夫人の奔放な言葉に圧せられたように、モジモジしている間に、夫人はボーイに合図した。ボーイは、玄関に立って、声高く自動車を呼んだ。

暮れなやむ初夏の宵の夕暗(ゆうやみ)に、今点火したばかりの、眩しいような頭光(ヘッドライト)を輝かしながら、青山の葬場で一度見たことのある青色大型の自動車は、軽い爆音を立てながら、玄関へ横付けになった。会衆は悉く(ことごと)散じ去って、供待(ともまち)する俥も自動車も一台も残っていなかった。

「さあ！　貴君(あなた)から。」

信一郎の確かな承諾をも聴かないのにも拘わらず、夫人はそれに定(きま)ったことのように、信一郎を促した。

そう勧められると、信一郎は不安と幸福とが、半分ずつ交ったような心持で、胸が掻き乱された。彼は、心から同乗することを欲していたのにも拘わらず、乗ることが何となく不安だった。その踏み段に足をかけることが、何だか行方知らぬ運命の岐路へ、一歩を踏み出すように不安だった。

「あら、何をそんなに遠慮していらっしゃるの。じゃ、妾が御先に失礼しますわ。」

そう云うと、夫人は軽やかに、紫のフェルトの草履で、踏台を軽く踏んで、ヒラリと車中の人になってしまった。

「さあ！　早くお乗りなさいませ。」

彼女は振り顧って、微笑とともに信一郎を麾いた。

相手が、そうまで何物にも囚われないように、奔放に振舞っているのに、男でありながら、こだわり通しにこだわっていることが、信一郎自身にも、厭になった。彼は、思い切って、踏台に足を踏みかけた。

信一郎は、車中に入ると、夫人と対角線的に、前方の腰かけを、引き出しながら、腰を掛けようとした。

夫人は駭いたように、それを制した。

「あら、そんなことをなさっちゃ、困りますわ。まあ、殿方にも似合わない、何という遠慮深い方でしょう。さあこちらへおかけなさい！　妾と並んで。そんなに遠慮なさるものじゃありませんよ。」

信一郎を、窘めるように、叱るように、夫人の言葉は力を持っていた。信一郎は、今は止むを得ないといったように、夫人とすれすれに腰を降した。夫人の身体を掩うている金紗縮緬のいじり痒いような触感が、衣服越しに、彼の身体に浸みるように感ぜられた。

給仕やボーイなどの挨拶に送られて、自動車は滑るように、玄関前の緩い勾配を、公園の青葉の闇へと、進み始めた。

給仕人達の挨拶が、耳に入らないほど、信一郎は、烈しい興奮のうちに、夢みる人のように、恍惚としていた。

六

つい知り合ったばかりの女性、しかも美しく高貴な女性と、たった二度目に会ったときに、もう既に自動車に、同乗するということが、信一郎には、さながら美しい夢のような、二十世紀の伝奇譚(ロマンス)の主人公になったような、不思議な歓びを与えてくれた。万世橋駅までの三四分が、彼の生涯に再び得がたい貴重な三四分のように思われた。彼の生涯を通じて、宝石のように輝く、尊い瞬間のように思われた。彼は、その時間を心の底から、享(う)け入れようと思っていた。が、そう決心した刹那に、もう自動車は、公園の蒼い樹下闇(このしたやみ)を、後に残して、上野山下に拡がる初夏の夜、そうだ、豊かに輝ける夏の夜の描けるが如き、光と色との中に、馳け入っているのだった。時は速い翼を持っている。が、この三四分の時間は、電光そのもののように、アッという間もなく過ぎ去ろうとしている。

試験の答案を書く時などに、時間が短ければ短いほど、冷静に筆を運ばなければならないのに、時間があまりに短いと、かえってわくわくして、少しも手が付かないように、信一郎も飛ぶが如くに、過ぎ去ろうとする時間を前にして、ただ茫然と手を拱いているだけだった。

しかるに、瑠璃子夫人は悠然と、落ち着いていた。親しい友達か、でなければ自分の夫とでも、一緒に乗っているように、微笑を車内の薄暗に、漂わせながら、急に話しかけようともしなかった。

ちょうど、自動車が松坂屋の前にさしかかった時、信一郎は、やっと――と言っても、ただ一分間ばかり黙っていたのにすぎないが――会話の緒を見付けた。

「先刻、ちょっと立ち聴きしただけですが、大変仏蘭西語が、お上手でいらっしゃいますね。」

「まあ！　お恥かしい。聴いていらしったの。動詞なんか滅茶苦茶なのですよ。単語を並べるだけ。でもあのアンナという方、大変感じのいい方よ。大抵お話が通ずるのですよ。」

「どうして滅茶苦茶なものですか。大変感心しました。」

信一郎は心でもそう思った。

「まあ！　お賞めに与って有難いわ。でも、本当にお恥かしいのですよ。ほんの二年ばかり、お稽古しただけなのですよ。貴君は仏法の出身でいらっしゃいますか。」

「そうです。高等学校時代から、六七年もやっているのですが、それで会話ときたら、丸切り駄目なのです。よく、会社へ仏蘭西人が来ると、私だけが仏蘭西語が出来るというので、応接を命ぜられるのですが、その度ごとに、閉口するのです。奥さんなんか、このますぐ外交官夫人として、巴里辺の社交界へ送り出しても、立派なものだと思います。」

信一郎は、つい心からそうした讃辞を呈してしまった。

「外交官の夫人！　ほほほ、妾などに。」

そう云ったまま、夫人の顔は急に曇ってしまった。外交官の夫人。彼女の若き日の憧れは、未来の外交官たる直也の妻として、遠く海外の社交界に、日本婦人の華として、咲き出ることではなかったか。彼女が、仏蘭西語の稽古をしたことも、みんなそうした日のための、準備ではなかったか。それもこれも、今では煙の如く空しい過去の思い出となって了っている。外交官の夫人と云われて、彼女の華やかな表情が、急に光を失ったのも無理はなかった。

瞬間的な沈黙が、二人を支配した。自動車は御成街道の電車の右側の坦々たる道を、速力を加えて疾駆していた。万世橋までは、もう三町もなかった。

信一郎は、もっとピッタリするような話がしたかった。

「仏蘭西文学は、お好きじゃございませんか。」

信一郎は、夫人の顔を窺うように訊いた。

「あのう――好きでございますの。」

そう云ったとき、夫人の曇っていた表情が、華やかな微笑で、拭い取られていた。

「大好きでございますの。」

夫人は、再び強く肯定した。

七

「仏蘭西文学が大好きですの。」と、夫人が答えた時、信一郎はそこに夫人に親しみ近づいて行ける会話の範囲が、急に開けたように思った。文学の話、芸術の話ほど、人間を本当に親しませる話はない。同じ文学なり、同じ作家なりを、両方で愛しているということは、ある未知の二人をかなり親しみ近づけることだ。

信一郎は、初めて夫人と交すべき会話の題目が見付かったように欣びながら、勢いよく訊き続けた。

「やはり近代のものをお好きですか、モウパッサンとかフローベルなどとか。」

「はい、近代のものとか、古典(クラシックス)とか申し上げるほど、沢山はよんでおりませんの。でも、モウパッサンなんか大嫌いでございますわ。どうも日本の文壇などで、仏蘭西文学とか露西亜文学だとか申しましても、英語の廉価版(チープエジション)のある作家ばかりが、流行(はや)っているようでございますわね。」

信一郎は、瑠璃子夫人の辛辣な皮肉に苦笑しながら訊いた。

「モウパッサンが、お嫌いなのは僕も同感ですが、じゃ、どんな作家がお好きなのです?」

「一等好きなのは、メリメですわ。それからアナトール・フランス、オクターヴ・ミルボーなども嫌いではありませんわ。」

「メリメは、どんなものがお好きです。」

「みんないいじゃありませんか。カルメンなんか、日本では通俗な名前になってしまいましたが、原作はほんとうにいいじゃありませんか。」

「あの女主人公をどうお考えになります。」

「好きでございますよ。」

言下にそう答えながら、夫人は嫣然と笑った。

「妾そう思いますのよ。女に捨てられて、女を殺すなんて、本当に男性の暴虐だと思いますの。男性の甚だしいわがままだと思いますの。大抵の男性は、女性から女性へと心を移していながら、平然と済ましていますのに、女性が反対に男性から男性へと、心を移すと、すぐ何とか非難を受けなければなりませんのですもの。妾、ホセに刺し殺されるカルメンのことを考える度ごとに、男性のわがままと暴虐とを、憤らずにはいられないのです。」

夫人の美しい顔が、興奮していた。やや薄赤くほてった頬が、悩ましいほどに、魅惑的であった。

信一郎は生れて初めて、男性と対等に話し得る、立派な女性に会ったように思った。彼は、はしなくも、自分の愛妻の静子のことを考えずにはいられなかった。彼女は、愛らしく慎しく従順貞淑な妻には違いない。が、趣味や思想の上では、自分との間に手の届かないように、広い広い隔りが横たわっている。天気の話や、衣類の話や、食物の話をするときには立派な話相手に違いない。

が、話が少しでも、高尚になり精神的になると、もう小学生と話しているような、もどかしさと頼りなさがあった。同伴の登山者が、わずか一町か二町か、離れているのなら、麾（さしまね）いてやることも出来れば、声を出して呼んでやることも出来た。が、二十町も三十町も離れていれば、どうすることも出来ない。信一郎は、趣味や思想の生活では、静子に対してそれほどの隔りを感ぜずにはいられなかった。

が、彼は今までは、諦めていた。日本婦人の教養が現在の程度で止まっている以上、そうしたことを、妻に求めるのは無理である。それは妻一人の責任ではなくして、日本の文化そのものの責任であると。

が、彼は今瑠璃子夫人と会って話していると、日本にも初めて新しい、趣味の上から云っても、思想の上から云っても優に男性と対抗し得るような女性の存在し始めたことを知ったのである。夫人と話していると、妻の静子によって充たされなかった欲求が、わずか三四分の同乗によって、十分に充たされたように思った。

そう思ったとき、その貴い三四分間は、過ぎていた。自動車は、万世橋の橋上を、やや速力を緩めながら、走っていた。

「いやどうも、大変有難うございました。」

信一郎は、そう挨拶しながら、降りるために、腰を浮かし始めた。

その時に、瑠璃子夫人は、突然何かを思い出したように云った。

「貴君(あなた)！　今晩お暇じゃなくって？」

八

「貴君！　今晩お暇じゃなくって。」

と、いう思いがけない問に、信一郎は立ち上ろうとした腰を、つい降してしまった。

「閑暇(ひま)と云いますと。」

信一郎は、夫人の問の真意を解しかねて、ついそう訊き返さずにはいられなかった。

「何かお宅に御用事があるかどうか、お伺いいたしましたのよ。」

「いいえ！　別に。」

信一郎は夫人が、何を云い出すだろうかという、軽い好奇心に胸を動かしながら、そう答えた。

「実は……」夫人は、微笑を含みながら、ちょっと云い澱んだが、「今晩、演奏が済みますと、あの兄妹の露西亜人を、晩餐かたがた帝劇へ案内してやろうと思っていましたの。それでボックスを買っておきましたところ、向うが止むを得ない差支えがあると云って、辞退しましたから妾一人でこれから参ろうかと思っているのでございますが、一人ボンヤリ見ているのも、何だか変でございましょう。いかがでございます、もし、およろしかったら、付き合って下さいませんか。どんなに有難いか分りませんわ。」

夫人は、心から信一郎の同行を望んでいるように、余儀ないように誘った。

信一郎の心は、そうした突然の申出を聴いた時、かなり動揺せずにはいなかった。今までの三四分間でさえ彼にとってどれほど貴重な三四分間であるか分らなかった。夫人の美しい声を聞き、その華やかな表情に接し、女性として驚くべきほど、進んだ思想や趣味を味わっていると、彼には今まで、閉されていた楽しい世界が、夫人との接触によって、洋々と開かれて行くようにさえ思われた。

そうした夫人と、今宵一夜を十分に、語ることが出来るということは、彼にとってどれほどな、幸福と欣びを意味しているか分らなかった。

彼は、すぐ同行を承諾しようと思った。が、その時に妻の静子の面影が、チラッと頭を掠め去った。新橋へ、人を見送りに行ったという以上、二時間もすれば帰って来るべきはずの夫を、夕餉の支度を了えて、ボンヤリと待ちあぐんでいる妻の邪気ない面影が、しばらく彼の頭を支配した。その妻を、十時過ぎ、恐らく十一時過ぎまでも待ちあぐませることが、どんなに妻の心を傷ませることであるかは、彼にもハッキリと分っていた。

「いかがでございます。そんなにお考えなくっても、手軽に定めて下さっても、およろしいじゃありませんか。」

夫人は躊躇している信一郎の心に、拍車を加えるように、やや高飛車にそう云った。信一郎の顔をじっと見詰めている夫人の高貴な厳かに美しい面が、信一郎の心の内の静子の慎しい可愛い面影を打ち消した。

「そうだ！　静子と過すべき晩は、これからの長い結婚生活に、幾夜だってある。飽きするほど幾夜だってある。が、こんな美しい夫人と、一緒に過すべき機会がそう幾度もあるだろうか。こんな浪漫的な美しい機会が、そう幾度だってあるだろうか。生涯に再びとは得がたいただ一度の機会であるかも知れない。こうした機会を逸しては……」

そう心の中で思うと、信一郎の心は、籠を放れた鳩か何かのように、フワフワとなってしまった。彼は思いきって云った。

「もし貴女さえ、御迷惑でなければお伴いたしてもいいと思います。」

「あらそう。付き合って下さいますの。それじゃ、すぐ、丸の内へ。」

夫人は、彼の言葉を、運転手へ通ずるように声高く云った。

自動車は、緩みかけた爆音を、再び高く上げながら、車首を転じて、夜の須田町の混雑の中を泳ぐように、馳けり始めた。

電車道の鋪石が悪くなっているせいか、車台はしきりに動揺した。信一郎の心も、それにつれて、軽い動揺を続けている。

車が、小川町の角を、急に曲ったとき、夫人は思い出したように、とぼけたように訊いた。

「失礼ですが、奥様おありになって?」

「はい。」

「御心配なさらない! 黙っていらしっては?」

「いいえ。決して。」

信一郎は、言葉だけは強く云った。が、その声には一種の不安が響いた。

九

帝劇の南側の車寄せの階段を、夫人と一緒に上るとき、信一郎の心は、再び動揺した。この晴れがましい建物の中に、そこにはどんな人々がいるかも知れない群衆の中へ、こうした美しい、それだけ人目を惹き易い女性と、たった二人連れ立って、公然と入って行くことが、かなり気になった。

が、信一郎のそうした心遣いを、救けるように、舞台では今ちょうど幕が開いたと見え、廊下には、遅れた二三の観客が、急ぎ足に、座席へ帰って行くところだった。

夫人と並んで、広い空しいボックスの一番前方に、腰を下したとき、信一郎はやっと、自分の心が落ち着いて来るのを感じた。舞台が、煌々と明るいのに比べて、観客席が、ほの暗いのが嬉しかった。

夫人は席へ着いたとき、二三分ばかり舞台を見詰めていたが、ふと信一郎の方を振返ると、

「本当に御迷惑じゃございませんでしたの。芝居はお嫌いじゃありませんの。」

「いいえ！　大好きです。もっとも、今の歌舞伎芝居にはかなり不満ですがね。」

「妾も、そうですの。ほかに行くところもありませんからよく参りますが、妾達の実生活と歌舞伎芝居の世界とは、もう丸きり違っているのでございますものね。歌舞伎に出て来る女性といえば、みんな個性のない自我のない、古い道徳の人形のような女ばかりでございますのね。」

「同感です。全く同感です。」

信一郎は、心から夫人の秀れた見識を讃嘆した。

「親や夫に臣従しないで、もっと自分本位の生活を送ってもいいと思いますの。古い感情や道徳に囚われないで、もっと解放された生活を送ってもいいと思いますの。英国のある近代劇の女主人公が、男が雲雀のように、多くの女と戯れることが出来るのなら、女だって雲雀のように、多くの男と戯れる権利があると申しておりますが、そうじゃございませんでしょうか。妾もそう思うことがございますのよ。」

夫人は、周囲の静けさを擾さないように、出来るだけ信一郎の耳に口を寄せて語りつ

づけた。夫人の温かい薫るような呼吸が、信一郎のほてった頰を、柔かに撫でるごとに、信一郎は身体中が、溶けてしまいそうな魅力を感じた。

「でも、貴君なんか、そうした女性は、お好きじゃありませんでしょうね。」そう、信一郎の耳に、あたたかく囁いておきながら、夫人は顔を少し離して嫣然と笑ってみせた。男の心を、搔き擾してしまうような媚が、そのスラリとした身体全体に動いた。

夫人の大胆な告白と、美しい媚のために、信一郎は、目が眩んだように、フラフラとしてしまった。美しい妖精に魅せられた少年のように、信一郎は顔を薄赤く、ほてらせながら、ただ茫然と黙っていた。

夫人は、ひらりと身を躱すように、真面目なしんみりとした態度に帰っていた。

「でも、妾、こんな打ち解けたお話をするのは、貴君が初めてなのよ、文学や思想などに、理解のない方に、こんなお話をすると、すぐ誤解されてしまうのですもの。妾、かねてから、貴君のようなお友達が欲しかったの。本当に妾の心持を、聴いて下さるような男性のお友達が、欲しかったの、二人の異性の間には、真の友情は成り立たないなどというのは嘘でございますわね、異性の間の友情は、恋愛への段階だなどというのは、嘘でございますわね。本当に自覚している異性の間なら、立派な友情がいつまでも続くと思いますの。貴君と妾との間で、先例を開いてもいいと思いますわ。ほほほほ。」

夫人は、真の友情を説きながらも、その美しい唇は、悩ましきまでに、信一郎の右の頰近く寄せられていた。信一郎は、うっとりとした心持で、阿片吸入者が、毒と知りながら、その恍惚たる感覚に、身体を委せるように、夫人の蜜のように甘い呼吸と、音楽のように美しい言葉とに全身を浸していた。

客間の女王

一

帝劇のボックスに、夫人と肩を並べて、過した数時間は、信一郎にとっては、夢とも現（うつつ）とも分ちがたいような恍惚たる時間だった。夫人の身体全体から出る、馥郁（ふくいく）たる女性の香が、彼の感覚を爛し、彼の魂を溶かしたと云ってもよかった。

彼は、その夜、半蔵門まで、夫人と同乗して、そこで新宿行の電車に乗るべく、彼女と別れたとき、自動車の窓から、夜目にもくっくりと白い顔を、のぞかしながら、「それでは、この次の日曜にきっとお訪ね下さいませ。」と、媚びるような美しい声で叫んだ夫人の声が、彼の心の底の底まで徹するように思った。彼は、そこに化石した人間のように立ち止まって、葉桜の樹下闇（このしたやみ）を、ほのぼのと照し出しながら、遠く去って行く自動車の車台の後の青色の灯を、いつまでもいつまでも見送っていた。彼の頬には、なお夫人の甘い快い呼吸の匂いが漂うていた。彼の耳の底には、夫人のこの世ならぬ美しい声の余韻が残っていた。彼の感覚も心も、夫人に酔うていた。

彼の耳に囁かれた夫人の言葉が、甘い蜜のような言葉が、一つ一つ記憶のうちに甦えって来た。『自分を理解してくれる最初の男性』とか、『そんな女性をお好きじゃありませんの』といったような馴々しい言葉が、それが語られた刹那の夫人の美しい媚のある表情と一緒に、信一郎の頭を悩ました。

自分が、生れて初めて会ったと思うほどの美しい女性から、唯一人の理解者として、馴々しい信頼を受けたことが、彼の心を攪乱し、彼の心を有頂天にした。

彼の頭のうちには、もう半面紫色になった青木淳の顔もなかった。謎の白金の時計もなかった。愛している妻の静子の顔までが、この臈たけた瑠璃子夫人の美しい面影のために、しばしば掻き消されそうになっていた。

十二時近く帰って来た夫を、妻はいつものように無邪気に、何の疑念もないように、いそいそと出迎えた。そうした淑かな妻の態度に接すると、信一郎はかなり、心の底に良心の苛責を感じながらも、しかも今まではかなり美しく見えた妻の顔が、平凡に単純に、見えるのをどうともすることが出来なかった。

その次の日曜まで、彼は絶えず、美しい夫人の記憶に悩まされた。食事などをしながらも、彼の想像は美しい夫人を頭の中に描いていることが多かった。

「あら、何をそんなにぼんやりしていらっしゃいますの、今度の日曜は何日？　と云ってお尋ねしているのに、ただ『うむ！　うむ！』云っていらっしゃるのですもの。何をそんなに考えていらっしゃるの？」

静子は、夫がボンヤリしているのが、可笑しいと云いながら、給仕をする手を止めて、笑いこけたりした。夫が、他の女性のことを考えて、ボンヤリしているのを、可笑しいと云って無邪気に笑いこける妻のいじらしさが、分らない信一郎ではなかったが、それでも彼は刻々に頭の中に、浮んで来る美しい面影を拭い去ることが出来なかった。

とうとう夫人と約束した次の日曜日が来た。その間の一週間は、信一郎にとっては、一月も二月もに相当した。彼は、自分がその日曜を待ちあぐんでいるように、夫人がやっぱりその日曜を待ち望んでいてくれることを信じて疑わなかった。

夫人が、自分を唯一人の真実の友達として、選んでくれる。夫人と自分との交情が発展して行く有様が、いろいろに頭の中に描かれた。異性の間の友情は、恋愛の階段であると、夫人が云った。もしそれがそうなったら、どうしたらよいだろう。あの自由奔放な夫人は、きっと云うだろう。

「それが、そうなったって、別に差支えはないのよ。」

夫のない夫人はそれで差支えがないかもしれない。が、自分はどうしたらいいだろう。妻のある自分は。結婚して間もない愛妻のある自分は。

信一郎は、そうした取りとめもない空想に頭を悩ましながら、七月の最初の日曜の午後に、夫人を訪ねるべく家を出た。

夫人を訪ねるのも、二度目であった。が、妻を欺くのも二度目であった。

「社の連中と、午後から郊外へ行く約束をしたのでね。新宿で待ち合わして、多摩川へ行くはずなのだよ。」

帽子を持って送って出た静子に、彼は何気なくそう云った。

二

電車に乗ってからも、妻を欺いたという心持が、かなり信一郎を苦しめた。が、あの美しい夫人が自分を尋ねて行くのを、じっと待っていてくれるのだと思うと、電車の速力さえ平素よりは、鈍いように思われた。

夫人と会ってからの、談話の題目などが、頭の中に次から次へと、浮んできた。文芸や思想の話についても、今日はもっと、自分の考えも話してみよう。自分の平生の造詣を、十分披瀝してみよう、信一郎はそう考えながら、夫人のそれに対する溌剌たる受け答えや表情を絶えず頭の中に描き出しながらいつの間にか五番町の宏壮な夫人の邸宅の前に立っている自分を見出した。

お濠の堤の青草や、向う側の堤の松や、大使館前の葉桜の林などには、十日ほど前に来たときなどよりも、もっと激しい夏の色が動いていた。

十日ほど前には、かなりビクビクと潜った花崗石らしい大石門を、今日はかなり自信に充ちた歩調で潜ることが出来た。

楓を植え込んである馬車廻しの中に、ただ一本の百日紅（さるすべり）が、もうかなり強い日光の中に、赤く咲き乱れているのが目に付いた。

さすがに、大理石の柱が、並んでいる車寄せに立ったとき、胸があやしく動揺するのを感じた。が、夫人が別れ際に、再び繰り返して、

「本当にお暇なとき、いつでもいらしって下さい。誰も気の置ける人はいませんのよ。妾（わたくし）がお山の大将をしているのでございますから。」と、言った言葉が、彼に元気を与えた。その上に、あれほど堅く約束した以上、きっと心から待っていてくれるに違いない。心から、歓び迎えてくれるに違いない。そう思いながら、彼は「押せ（プッセ）！」と、仏蘭西（フランス）語で書いてある呼鈴に手を触れた。

この前、来たときと同じように、小さい軽い靴音が、それに応じた。扉（ドア）が静かに押し開けられると、一度見たことのある少年が、名刺受の銀の盆を、手にしながら、笑靨（えくぼ）のある可愛い顔を現した。

「あのう、奥様にお目にかかりたいのですが。」

信一郎が、そう言うと少年は待っていたと言わんばかりに、

「失礼でございますが、渥美さまとおっしゃいますか。」

信一郎は軽く肯いた。

「渥美さまなら、すぐどうかお通り下さいませ。」

少年は、慇懃に扉を開けて、奥を指した。

「どうかこちらへ。今日は奥の方の客間にいらっしゃいますから。」

敷き詰めてある青い絨毯の上を、少年の後から歩む信一郎の心は、かなり激しく興奮した。自分の名前を、ちゃんと玄関番へ伝えてある夫人の心遣いが、嬉しかった。一夜夫人と語り明かしたことさえ生涯に二度と得がたい幸福であると思っていた。それが、一夜限りの空しい夢と消えないで、実生活の上に、ちゃんとした根を下して来たことが、信一郎にはこの上なく嬉しかった。彼は絨毯の上を、しっかりと歩んでいた積りであったが、もし傍観者があったならば、その足付が、宛然躍っているように見えたかもしれない。夫人と、美しい客間で二人限り、何の邪魔もなしに、日曜の午後を愉快に語り暮すことが出来る。そうした楽しい予感で、信一郎の心は、はち切れそうに一杯だった。

長い廊下を、十間ばかり来たとき、少年は立ち止まって、そこの扉を指した。

「こちらでございます。」

信一郎は、その中に瑠璃子夫人が、腕椅子に身体を埋ませるように掛けながら、自分を待っているのを想像した。

彼は、興奮の余り、かすかに顫えそうな手を扉の把手にかけた。彼が、胸一杯の幸福と歓喜とに充たされて、その扉を静かに開けたとき、部屋の中から、波の崩れるように、ワーッと彼を襲って来たものは、数多い男性が一斉に笑った笑い声だった。

彼は、不意に頭から、水をかけられたように、ゾッとして立ち竦んだ。

三

彼がハッと立ち竦んだ時には、もう半身は客間の中に入っていた。

すべてが、意外だった。瑠璃子夫人の華奢なスラリとした、身体の代りに、そこに十人に近い男性が色々な椅子に、いろいろな姿勢でもって陣取っていた。瑠璃子夫人はと見ると、これらの惑星に囲まれた太陽のように、客間の中央に、女王のような美しさと威厳とをもって、大きい、彼女の身体を埋めてしまいそうな腕椅子に、ゆったりと腰を下していた。

楽しい予想が、滅茶滅茶になってしまった信一郎は、もし事情が許すならば、一目散に逃げ出したいと思った。が、彼が一足踏み入れた瞬間に、もうみんなの視線は、彼の上に蒐（あつ）まっていた。

「ああ、お前もやって来たのだな。」と、いったような表情が、薄笑いとともに、彼等の顔の上に浮んでいた。信一郎は、そうした表情によってかなり傷つけられた。

瑠璃子夫人は、さすがに目敏く彼を見ると、すぐ立ち上った。

「あ、よくいらっしゃいました。さあ、どうぞ。お掛け下さいまし。先刻からお待ちしていました。」

そう云いながら、彼女は部屋の中を見廻して、空椅子を見付けると、その空椅子のす

ぐ傍にいた学生に、

「ああ阿部さん、ちょっとその椅子を！」と、云った。

するとその学生は、命令をでも受けたように、その椅子を、夫人の美しい眼で、命ずるままに、夫人の腕椅子のすぐ傍へ持って来た。

「はい！」と、云って気軽に立ち上ると、その椅子を、夫人の美しい眼で、命ずるままに、夫人の腕椅子のすぐ傍へ持って来た。

「さあ！　お掛けなさいませ。」

そう云って、夫人は信一郎を麾いた。どちらかといえば、小心な信一郎は、多くの先客を押し分けて、夫人の傍近く坐ることが、かなり心苦しかった。彼は、自分の頬が、かなりほてって来るのに気が付いた。

信一郎が椅子に着こうとすると夫人はちょっと押し止めるようにしながら云った。

「そうそう。ちょっと御紹介しておきますわ。この方、法学士の渥美信一郎さん。三菱へ出ていらっしゃる。それから、ここにいらっしゃる方は、――そう右の端から順番に起立していただくのですね、さあ小山さん！」

と彼女は傍若無人といってもよいように、一番縁側の近くに坐っている、若いモーニングを着た紳士を指した。紳士は、柔順にモジモジしながら立ち上った。

「外務省に出ていらっしゃる小山男爵。その次の方が、洋画家の永島龍太さん。その次の方が、帝大の文科の三宅さん、作家志望でいらっしゃる。その次の方が、慶応の理財科の阿部さん、第一銀行の重役の阿部保さんのお子さん。その次の方が日本生命へ出ていらっしゃる深井さん、高商出身の。その次の方が、寺島さん、御存じ？　近代劇協会にいたことのある方ですわ。その次の方は、芳岡さん！　芳岡伯爵の長男でいらっしゃる。あそこに一人離れていらっしゃる方が、富田さん！　政友会の少壮代議士として有名な方ですわ。みんな妾のお友達ですわ。」

夫人は、夫人の眼に操られて、次から次へと立ち上る男性を、出席簿でも調べるように、淀みなく紹介した。

信一郎は、かなり激しい失望と幻滅とで、夫人の言葉が、耳に入らぬほど不愉快だった。自分一人を友達として選ぶと云った夫人が、十人に近い男性を、友人として自分に紹介しようとは、彼は憤怒と嫉妬との入り交じったような激昂で、眼が眩（くら）めくようにさえ感じた。彼はすぐ席を蹴って帰りたいと思った。が、何事もないように、こぼれるように微笑している夫人の美しい顔を見ていると、胸の中の激しい憤怒が春風に解くるように、いつの間にか、消えてゆくのを感じた。

コロネーションに結った黒髪は、夫人の身長にピッタリと似合っていた。黒地に目も醒めるような白い棒縞のお召が、夫人の若々しさを一層引立てていた。白地の仏蘭西縮緬の丸帯に、施された薔薇の刺繍は、匂い入りと見え、人の心を魅するような芳香が、夫人の身辺を包んでいる。

信一郎の失望も憤怒も、夫人の鮮やかな姿を見ていると、いつの間にか撫でられるように、和（なご）んで来るのだった。

四

「渥美さん！　今大変な議論が始まっているのでございますよ。明治時代第一の文豪は、誰だろうという問題なのでございますよ。貴君の御説も伺わして下さいませな。」

夫人は、信一郎を会話の圏内に入れるように、取り做してくれた。が、初めて顔を合わす未知の人々を相手にして、すぐおいそれ！　と文学談などをやる気にはなれなかった。その上に、夫人から、帝劇のボックスで聴いた「こんなに打ち解けた話をするのは、貴君が初めてなのよ。」と、いうような、今となっては白々しい嘘が、彼の心を抉るように思い出された。

「だって奥さん！　独歩には、いい芽があるかもしれません。が、しかしあの人は先駆者だと思うのです。本当に完成した作家ではないと思うのです。」

信一郎が、何も云い出さないのをみると、三宅という文科の学生が、かなり熱心な口調でそう云った。先刻から続いて、明治末期の小説家国木田独歩を論じているらしかった。

「それに、独歩のような作品は、外国の自然派の作家にはいくらでもあるのだからね。先駆者というよりも、ある意味では移入者だ。日本の文学に対して、ある新鮮さを寄与したことは確かだが、それがあの人の創造であるとは云われないね。外国文学の移植なのだ。ねえ！　そうではありませんか、奥さん！」

モーニングを着た小山男爵は、自分の見識に対する夫人の賞讃を期待しているように、自信に充ちて云った。

「でも妾（わたくし）、かなり独歩を買っていますのよ。明治時代の作家で、本当に人生を見ていた作家は、独歩のほかにそう沢山はないように思いますのよ。ねえ、そうじゃございませんか。渥美さん。」

夫人は、多くの男性の中から、信一郎だけを、選んだように、信一郎の賛意を求めた。が、信一郎は不幸にも、独歩の作品を、余り沢山読んでいなかった。四五年も前に、『運命論者』や『牛肉と馬鈴薯』などを読んだことがあるが、それがどういう作品であったか、もう記憶にはなかった。が、夫人に話しかけられて、ただ盲従的に返答することも出来なかった。その上、彼は周囲の人達に対する手前、何かかにか自分の意見を云わねばならぬと思った。

「そうかも知れません。が、明治文壇の第一の文豪として推すのには、少し偏しているように思うのです。やはり、月並ですが、明治の文学は紅葉などに代表させたいと思うのです。」

「尾崎紅葉！」小山男爵は、『クスッ』と冷笑するような口調で云った。

「『金色夜叉』なんか、今読むと全然通俗小説ですね。」

文科の学生の三宅が、その冷笑を説明するように、吐出すように云った。

瑠璃子夫人は、三宅の思いきった断定を嘉納するように、ニッと微笑を洩した。信一郎は初めて、口を入れて、すぐ横面を叩かれたように思った。瑠璃子夫人までが、微笑でもって、相手の意見を裏書したことが、更に彼の心を傷つけた。彼は思わず、ムカムカとなって来るのをどうともすることが出来なかった。彼は、自分の顔色が変るのを、自分で感じながら、死身になって口を開いた。

「『金色夜叉』を通俗小説だと云うのですか。」

彼の口調は、詰問になっていた。

「無論、それは読む者の趣味の程度によることだが、僕には全然通俗小説だと思われるのです。」

若い文科大学生は、何の遠慮もしないで、彼の信念を昂然と語った。

「それは、貴君が作品と時代ということを考えないからです。現在の文壇の標準から云えば、『金色夜叉』の題目なんか、通俗小説に違いないです。が、しかしそれは『金色夜叉』の書かれた明治三十五年から、現在まで二十年も経過しているからです。現在の文壇で、貴君が芸術的小説だと信じているものでも、二十年も経てば、みんな通俗小説になってしまうのです。過去の作品を論ずるのには、時代ということを考えなければ駄目です。『金色夜叉』は今読めば通俗小説かもしれませんが、明治時代の文学としては、立派な代表的作品です。」

信一郎は、思いのほかに、スラスラと出て来る自分の雄弁に興奮していた。

「過去の文学を論ずるには、やはり文学史的に見なければ駄目です。」

彼は、きっぱりと断定するように云った。

「それもそうですわね。」

瑠璃子夫人は、信一郎の素人離れした主張を、感心したように、しみじみそう云った。

信一郎は俄（にわか）に勇敢になって来た。

五

瑠璃子夫人が、新来の信一郎に、殊に文学などの分りそうもない会社員の信一郎の言葉に、賛成したのをみると、今度は三宅と小山男爵との二人が、躍気（やっき）になった。

殊に青年の三宅は、その若々しい浅黒い顔を、心持薄赤くしながらかなり興奮した調子で云った。

「時代が経てば、どんな芸術的小説でも、通俗小説になる。そんな馬鹿な話があるものですか。芸術的小説はいつが来たって、芸術的小説ですよ。日本の作家でも、西鶴などの小説には、いつが来ても亡びない芸術的分子がありますよ。天才的な閃きがありますよ。それに比べると、尾崎紅葉なんか、徹頭徹尾通俗小説ですよ。紅葉の考え方とか物の観方というものは、常識の範囲を、一歩も出ていないのですからね。ただ、洗煉された常識にすぎないのですよ。例えば『三人妻』などいう作品だっていかにも三人の妻の性格を描き分けてあるけれども、それが世間にありふれた常識的型に過ぎないのですからね。紅葉をもって、明治時代の文学的常識を、代表させるのなら差支えないが、第一の文豪として、紅葉を推すくらいなら、むしろ露伴柳浪美妙、そんな人の方を僕は推したいね。」

三宅の語り終るのを待ち兼ねたように、小山男爵は、横から口を入れた。

「第一『金色夜叉』なんか、あんなに世間で読まれているということが、通俗小説である第一の証拠だよ。万人向きの小説なんかに、碌なものがある訳はないからね。」

二人の、攻撃的な挑戦的な口調を聴いていると、信一郎もつい、ムカムカとなってしまった。瑠璃子夫人はと見ると、その平静な顔に、嗾けるような微笑を湛えて、『貴君も負けないで、しっかりおやりなさい。』と、いうように信一郎の顔を見ていた。

「それは可笑しいですな。」

そう云いながら、信一郎はどこか貴族的な傲慢さが、漂うている小山男爵の顔をじっと見た。

「そんな暴論はありませんよ。広く読まれているのが、通俗小説の証拠ですって、そんな暴論はないと思いますね。そういう議論をすれば、沙翁の戯曲だって、通俗戯曲だということになるじゃありませんか。ホーマアの詩だって、ダンテの神曲だって、みんな広く読まれているという点で、通俗的作品ということになりそうですね。僕は、そうは思いませんよ。それと反対に、立派な芸術的作品ほど、時代が経てば、だんだん通俗化して行くのだと思うのですね。トルストイの作品が日本などでも段々通俗化して来たように、通俗化して行かない作品こそ、かえって何かの欠陥があると思うのですね。御覧なさい！　馬琴でも西鶴でも、通俗化して行けばこそ、後代に伝わるのじゃありませんか。『金色夜叉』が通俗化しているからといって、あの小説の芸術的価値を否定することは出来ませんよ。僕は芸術的に秀れていればこそ、民衆の教養が進むに従って、段々通俗化して行ったのだと思うのです。紅葉の考え方や、観方はいかにも常識的かもしれません。が、しかし作品全体の味とかその表現などにこそ、かえって芸術的な価値があるのじゃありませんか。あの作品の規模の大きさからいっても、画面的に描き出す手腕からいっても、明治時代無二の作家と云ってもよいと思うのです。いや、あの鼈甲牡丹のように、絢爛華麗な文章だけをとっても、優に明治文学の代表者として、推す価値が十分だと思うのです。」

信一郎は、かなり熱狂して喋った。法科に籍を置いていたが、高等学校に入学の当時には、父の反対さえなければ、欣んで文科をやったはずの信一郎は、文学については自分自身の見識を持っていた。

信一郎の意外な雄弁に、半可な文学通に過ぎない小山男爵は、もうとっくに圧倒されたと見え、その白い頬を、心持赤くしながら、不快そうに黙ってしまった。

三宅は、云い込められた口惜しさを、どうかして晴らそうと、駁論の筋道を考えているらしく口の辺りをモグモグさせていた。

「渥美さんは、本当に立派な文芸批評家でいらっしゃる。妾(わたくし)全く感心してしまいましたわ。」

瑠璃子夫人は、心から感心したように、賞讃の微笑を信一郎に注いだ。

信一郎は、女王の御前仕合で、見事な勝利を獲た騎士のように、晴れがましい揚々たる気持になっていた。

「しかし……」と、三宅という青年が、必死になって駁論を始めようとした時だった。廊下に面した扉(ドア)を、外からコツコツと叩く音がした。

六

「どなた?」

夫人は、扉(ドア)を叩く音に応じてそう云った。

「僕です。」

外の人は明晰な、美しい声でそう答えた。

「あら、秋山さんなの。ちょうどよいところへ。」

夫人は、そう云いながら、いそいそと椅子を離れた。信一郎が、入って来たときは、夫人はただ椅子から、腰を浮かしただけだったのに。

夫人が手ずから扉(ドア)を開けると、『僕です。』と、名乗った男は、軽く会釈をしながら、入って来た。信一郎は、一目見たときに、どこかで見覚えのある顔だと思ったが、ちょっと思い出せなかった。が、一目見ただけで、作家か美術家であることは、すぐ解った。白い面長な顔に、黒い長髪を獅子の立髪か何かのように、振り乱していた。が、頭は極端に奔放であるにも拘わらず、薩摩上布の衣物に、鉄無地の絽の薄羽織を着た姿は、かなり瀟洒たるものだった。夫人はその男とは、立ちながら話した。

「しばらく御無沙汰致しました。」

「ほんとうに長い間お見えになりませんでしたのね。箱根へおいでになったって、新聞に出ていましたが、いらっしゃらなかったの。」

「いや、どこへも行きやしません。」

「それじゃ、やっぱり例の長篇で苦しんでいらしったの。本当に、妾の家へいらっしゃる道を忘れておしまいになったのかと思っていましたの。ねえ！　三宅さん。」

夫人は、三宅という学生を顧みた。

「やあ！」

「やあ！」

三宅とその男とは顔を見合わして挨拶した。

「本当に、しばらくお見えになりませんでしたね。貴君が、いらっしゃらないと、ここの客間も淋しくていけない。」

三宅は、後輩が先輩に迎合するような、口の利き方をした。

「さあ！　秋山さん！　こっちへお掛けなさいませ。本当によいところへいらしったわ。今貴君に断定を下していただきたい問題が、起っていますのよ。」

そう云いながら、今度は夫人自ら、空いた椅子を、自分の傍へ、置き換えた。

「さあ！　お掛けなさいませ！　貴君の御意見が、伺いたいのよ。ねえ！　三宅さん！」

信一郎に、説き圧されていた三宅は、援兵を得たように、勇み立った。

「さあ、ぜひ秋山さんの御意見を伺いたいものです。ねえ！　秋山さん、今明治時代の第一の小説家は、誰かという問題が、起っているのですがね、貴君のお考えは、どうでしょう。こういう問題は、専門家でなければ駄目ですからね。」

三宅は、最後の言葉を、信一郎に当てこするように云った。瑠璃子夫人までが、その最後の言葉を説明するように信一郎に云った。

「この方、秋山正雄さん、御存じ！　あの赤門派の新進作家の。」

秋山正雄、そう云われてみれば、最初見覚えがあると思ったのは、間違っていなかったのだ。信一郎が一高の一年に入った時、その頃三年であった秋山氏は文科の秀才として、いつも校友会雑誌に、詩や評論を書いていた。それが、大学を出ると、見る間に、メキメキと売り出して、今では新進作家の第一人者として文壇を圧倒するような盛名を馳せている。その上、教養の広く多方面な点では若い小説家としては珍しいと云われている人だった。

信一郎は、自分が有頂天になって、喋った文学論が、こうした人によって、批判される結果になったかと思うと、かなりイヤな羞しい気がした。有頂天になっていた彼の心持はたちまち奈落の底へまで、引きずり落された。場合によっては、この教養の深い文学者――しかも先輩に当っている――と、文学論を戦わせなければならぬかと思うと、彼は思わず冷汗が背中に湧いて来るのを感じた。

信一郎の心が、不快な動揺に悩まされているのをよそに、秋山氏は、今火を点けた金口の煙草を燻らしながら、落ち着いた調子で云った。

「それは、大問題ですな。僕の意見を述べる前に、とにかく皆様の御意見を承ろうじゃありませんか。」

そう云いながら、秋山氏は額に掩いかかる長髪を、二三度続けざまに後へ掻き上げた。

七

「大分いろいろな御意見が出たのですがね。ここにいらっしゃる渥美君、確かそう仰しゃいましたね。」三宅は、ちょっと信一郎の方を振り顧った。「大変紅葉をお説きになるのです。紅葉を措いて明治時代の文豪は、ほかにないだろうと、こう仰しゃるのです。文章だけをとっても、鼈甲牡丹のような絢爛さがあるとか何とか仰しゃるのです。」

三宅が、秋山氏に信一郎の持説を伝えている語調の中には、『この素人が』と云った語気が、ありありと動いていた。秋山氏は、いかにも小説家らしく澄んだ眼で、信一郎の方をジロリと一瞥したが、吸いさしの金口の火を、鉄の灰皿で、擦り消しながら、

「鼈甲牡丹の絢爛さ！　なるほど、うまい形容だな。だが、擬（まがい）の鼈甲牡丹なら三四十銭で、そこらの小間物屋に売っていそうですね。」

瑠璃子夫人を初め、一座の人々が、秋山氏の皮肉を、どっと笑った。

「紅葉山人の絢爛さも、きイちゃん、みイちゃん的読者を欣ばせる擬（まがい）の鼈甲牡丹じゃありませんかね。ちょっと見は、光沢（つや）があっても、触ってみると、牛の骨か何かだということが、すぐ分りそうな。」

秋山氏が、文壇での論戦などでも、自分自身の溢れるような才気に乗じて、常に相手を馬鹿にしたような、おひゃらかしてしまうような態度に出ることは、信一郎はかねがね知っていた。それが、妙な羽目から、自分一人に向けられているのだと思うと、信一郎は不愉快とも憤怒とも付かぬ気持で、胸が一杯だった。が、こうした文学者を相手に、議論を戦わす勇気も自信もなかった。相手の辛辣な皮肉を黙々として、聴いているほかはなかった。ただ、文壇の花形ともある秋山氏が、自分などの素人を捕えて、真向から皮肉を浴びせているのが、かなり大人気ないようにも思われて、それが恨めしくも、憤ろしくもあった。

「第一『金色夜叉』なんか、今読んでみると全然通俗小説ですね。」

秋山氏は、一刀の下に、何かを両断するように云った。

瑠璃子夫人は、『おや。』といったような軽い叫びを挙げながら云った。

「三宅さんも、さっきそんなことを云ったのよ。あ、分った！　三宅さんのは秋山さんの受け売りだったのね。」

三宅は、赤面したように、頭を掻いた。一座は、信一郎を除いて、皆ドッと笑った。

秋山氏は、皮肉な微笑を浮べながら、

「いや、三宅君と期せずして意見を同じくしたのは、光栄ですね。」

一座は、秋山氏の皮肉を、またドッと笑った。その笑いが静まるのを待ち兼ねて、三宅が云った。

「今僕が、その『金色夜叉』通俗小説論を持ち出したのです。すると、渥美さんが云われるのです。現在の我々の標準で律すれば、『金色夜叉』は通俗小説かも知れない。が、作品を論ずるには、その時代を考えなければならない。文学史的に見なければならない、こう仰しゃるのです。」

「文学史的に見る。それは卓見だ。」秋山氏は、ニヤニヤと冷笑とも微笑とも付かぬ笑いを浮べながら云った。

「だが、紅葉山人と同時代の人間が、みんな我々の眼から見て、通俗小説を書いているのなら、『金色夜叉』が通俗小説であっても、一向差支えないが、紅葉山人と同時代に生きていて、我々の眼から見ても、立派な芸術小説をかいている人がほかにあるのですからね。いくら文学史的に見ても、紅葉を第一の小説家として、許すことは僕には出来ませんね。文学史的に見れば、紅葉山人などは、明治文学の代表者というよりも、徳川時代文学の殿将ですね。あの人の考え方にも、観方にも描き方にも、徳川時代文学の殻が、こびりついているじゃありませんか。」

さすがの信一郎も、黙っていることは出来なかった。

「そういう観方をすれば、明治時代の文学は、全体として徳川時代の文学の伝統を引いているじゃありませんか。何も、紅葉一人だけじゃないと思いますね。」

「いや、徳川時代文学の糟粕(そうはく)などを、少しも嘗(な)めないで、明治時代独特の小説をかいている作家がありますよ。」

「そんな作家が、本当にありますか。」

信一郎もかなり激した。

「ありますとも。」

秋山氏は、水の如く冷たく云い放った。

汝妖婦よ

一

「誰です。一体その人は。」

信一郎は、かなり急き込んで訊いた。

が、秋山氏は落着いたまま、冷然として云った。

「しかし、こういう問題は、銘々の主観の問題です。僕が、この人がこうだと云っても、貴君にそれが分らなければ、それまでの話ですが、とにかく云ってみましょう。それは、誰でもありません。あの樋口一葉です。」

秋山氏は、それに少しの疑問もないように、ハッキリと云い切った。

瑠璃子夫人は、それを聴くと、躍り上るようにして欣んだ。

「一葉！　妾スッカリ忘れていましたわ。そうそう一葉がいますね。妾が、今まで読んだ小説の女主人公の中で、あの『たけくらべ』の中の美登利ほど好きな女性はないのですもの。」

「ごもっともです。勝気で意地っ張りなところが貴女に似ているじゃありませんか。」

秋山氏は、夫人を揶揄するように云った。

「まさか。」

と、夫人は打ち消したが、その比較が、彼女の心持に媚び得たことは明らかだった。

「一葉！　そうそうあれは天才だ、夭折した天才だ！　一葉に比べると、紅葉なんか才気のある凡人にすぎませんよ。」

小山男爵は、信一郎に云い伏せられた腹癒がやっと出来たように、得々として口を挟んだ。

「そうだ！『たけくらべ』と『金色夜叉』とを比べてみると、どちらが通俗小説で、どちらが芸術小説だか、ハッキリと分りますね。渥美さんの御意見じゃ、『金色夜叉』よりも六七年も早く書かれた『たけくらべ』の方が、もっと早く通俗小説になっているはずだが、我々が今読んでも『たけくらべ』は通俗小説じゃありませんね。決してありませんね。」

三宅も、信一郎の方を意地悪く見ながら、そう云った。

そこにいた多くの人々も、銘々に口を出した。

「『たけくらべ』！　ありゃ明治文学第一の傑作ですね。」

「ありゃ、僕も昔読んだことがある。ありゃ確かにいい。」

「ああそう、吉原の附近が、光景になっている小説ですか、それなら私も読んだことがある。坊さんの息子か何かがいたじゃありませんか。」

「女主人公が、それを潜かに恋している。が、勝気なので、口には云い出せない。そのうちに、ちょっとした意地から不和になってしまう。」

「信如とか何とかいう坊さんの子が、下駄の緒を切らして困っていると、美登利が、紅入友禅か何かの布片を出してやるのを、信如が妙な意地と遠慮とで使わない。あの光景なんか今でもハッキリと思い出せる。」

代議士の富田氏までが、そんなことを云い出した。こうした一座の迎合を、秋山氏は冷然と、聴き流しながら、最後の断案を下すように云った。

「とにかく、明治の作家のうちで、本当に人間の心を描いた作家は、一葉のほかにはありませんからね。硯友社の作家が、文章などに浮身を窶して、本当に人間が描けなかった中で、一葉だけは嶄然として独自の位置を占めていますからね。一代の驕児高山樗牛が、一葉だけには頭を下げたのも無理はありませんよ。僕は明治時代第一の文豪として一葉を推しますね。」

秋山氏は、いかにも芸術家らしい冷静と力とをもって、昂然とそう云い放った。

信一郎は、もう先刻からじりじりと湧いて来る不愉快さのために、一刻もじっとしてはいられないような心持だった。すべてが不愉快だった。すべてが、癪に触った。樫の棒をでも持って、一座の人間を片ッ端から、殴り付けてやりたいようにいらいらしていた。

そうした信一郎の心持を、知ってか知らずにか、夫人は何気ないように微笑しながら、

「渥美さん! しっかり遊ばしませ。大変お旗色が悪いようでございますね。」

二

信一郎が、フラフラと立ち上るのを見ると、皆は彼が大いに論じ始めるのかと思っていた。が、今彼の心には、樋口一葉も尾崎紅葉もなかった。ただ、瑠璃子夫人に対する——夫人の移り易きこと浮草の如き不信に対する憎しみと、恨みとで胸の中が燃え狂っていたのだった。

彼は一刻も早くこの席を脱したかった。彼はそこに蒐まっている男性に対しても、激しい憎悪と反感とを感ぜずにはいられなかった。

「奥さん! 僕は失礼します。僕は。」

彼は、感情の激しい渦巻のために、何と挨拶してよいのか分らなかった。

彼は、吃りながら、そう云ってしまうと、泳ぐような手付きで、並んだ椅子の間を分けながら扉の方へ急いだ。

さすがに一座の者は固唾を飲んだ。今まで瑠璃子夫人を挟さんで、鞘当て的な論戦の花が咲いたことは幾度となくあったが、そんな時に、形もなく打ち負かされた方でも、

こんなにまで取り擾したものは一人もなかった。真蒼な顔をして、憤然として、立ち出でて行く信一郎を、皆は呆気に取られて見送った。

信一郎は、もう美しい瑠璃子夫人にも何の未練もなかった。後に残した華やかな客間を、心の中で唾棄した。夫人の艶美な微笑も蜜のような言葉も、今は空の空なることを知った。否、空の空なるか、ではなくして、その中に恐ろしい毒を持っていることを知った。それは、目的があって、目的のための毒ではなくして、毒のための毒であることを知った。彼女は、目的があって、男性を翻弄しているのではなく、ただ翻弄することの面白さに、翻弄していることを知った。自分の男性に対する魅力を、楽しむために、無用に男性を魅していることを知った。ちょうど、激しい毒薬の所有者が、その毒の効果を自慢してみだりに人を毒殺するように。

『汝妖婦よ！』

信一郎は、心の中で、そう叫び続けた。彼は、客間から玄関までの十間に近い廊下を、電光の如くに歩んだ。

周章てて見送ろうとする玄関番の少年にも、彼は一瞥をも与えなかった。

彼は突き破るような勢いで、玄関の扉に手をかけた。

が、その刹那であった。

信一郎の興奮した耳に、冷水を注ぐように、

「渥美さん！　渥美さん！　ちょっとお待ち下さい。」と、云う夫人の美しい言葉が聞えて来た。信一郎はそれを船人の命を奪う妖魚の声として、そのまま聞き流して、戸外へ飛び出そうと思った。が、彼のそうした決心にも拘わらず、彼の右の手は、しびれたように、扉の把手にかかったまま動かなかった。

「どうなすったのです。本当にびっくりいたしましたわ。何をそんなにお腹立ち遊ばしたの。」夫人は小走りに信一郎に近づきながら、可愛い小さい息をはずませながら云った。

心配そうに見張った黒い美しい眸、象牙彫りのように気高い鼻、端正な唇、皎い艶やかな頰、こうした神々しい﨟たけた夫人の顔を見ていると、彼女の嘘、偽りが、夢にもあろうとは思われなかった。彼女の微笑や言葉の中に、微塵賤しい虚偽が、潜んでいようとは思われなかった。

「どうして、そんなに早くお帰り遊ばすの。妾、皆さんがお帰りになった後で、貴君とだけで、ゆっくりお話していたかったの。秋山さんという方は、本当にあまんじゃくよ。反対のために反対していらっしゃるのですもの。それをまた、みんなが迎合するのだから、厭になってしまいますわね。客間にいらっしゃるのがお厭なら、図書室の方へ、御案内いたしますわ。あなたのお好きな『紅葉全集』でも、お読みになって、待っていらっしゃいませ。妾、もう三十分もすれば、何とか口実を見付けて、皆さんに帰っていただきますわ。ほんの少しの間、待っていて下さらない？」

三

『ほんの少し待っていて下さらない？』と、云う夫人の言葉を聴くと、『汝妖婦よ！』と、心の中で叫んでいた信一郎の決心も、またグラグラと揺ごうとした。

が、彼は揺ごうとする自分の心を、辛うじて、最後のところで、グッと引き止めることが出来た。お前はもう既に、夫人の蜜のような言葉に乗ぜられて、散々な目にあったではないか。再びお前は、夫人から何を求めようとしているのだ。お前が夫人の言葉を信ずれば、信ずるほど、夫人のお前に与うるものは、幻滅と侮辱とのほかには、何もないのだ。男性の威厳を思え！　今日夫人から受けた幻滅と侮辱とは、まだ夫人に対するお前の幻覚を破るのに足りなかったのか。男性の威厳を思え！　夫人の言葉をスッパリと突き放してしまえ！　信一郎の心の奥に、弱いながら、そう叫ぶ声があった。

信一郎は、心の中に夫人の美しさに、抵抗し得るだけの勇気を、やっと蒐めながら云った。

「でも、奥さん！　私、このままお暇(いとま)いたした方がいいように思うのです。ああした立派な方が蒐まっている客間には、私のような者は全く無用です。どうも、大変お邪魔しました。」

信一郎は、かなりキッパリと断りながら、急いで踵(くびす)を返そうとした。

「まあ！　貴君、何をそんなにお怒り遊ばしたの、何か妾が貴君のお気に触るようなことをいたしましたの、折角いらして下すって、すぐお帰りになるなんて、あんまりじゃありませんか。客間に蒐まっていらっしゃる方なんて、妾、仕方なくお相手いたしておりますのよ。妾が、妾の方から求めてお友達になりたいと思ったのは、本当は貴君お一人なのですよ。」

信一郎は、そう云いながら、何事もないように、笑っている夫人の美しさに、ある凄味をさえ感じた。夫人の口吻から察すれば、夫人は周囲に集まっている男性を、蠅同様に思っているのかも知れない。もし、そうだとすると、信一郎なども、新来の初心な蠅として、ただちょっとした珍しさに引き止められているのかも知れない。そうした上部だけの甘言に乗って、ウカウカと夫人の掌上などに、止まっているうちには、あの象牙骨の華奢な扇子か何かで、ビシャリと一打ちにされるのが、当然の帰結であるかも知れないと信一郎は思った。

「でも、今日は帰らせていただきたいと思います。また改めて伺いたいと思いますから。」

信一郎は、かなり強くなって、キッパリと云った。

夫人も、さすがにそれ以上は、勧めなかった。

「あらそう。どうしてもお帰りになるのじゃ仕方がありませんわ。やっぱり、妾の心持が、貴君にはよく分らないのですね。じゃ、さようなら。」

夫人は、淡々として、そう云い切ると、グルリと身体を廻(めぐ)らして、客間の方へ歩き出した。

夫人から引き止められているうちは、それを振り切って行く勇気があった。が、こうあっさりと軽く突き放されると、信一郎は何だか、拍子抜けがして淋しかった。

夫人と別れてしまうことによって、異常な絢爛な人生の悦楽を、味わう機会が、永久に失われてしまうようにも思われた。自分の人生に、明けかかった冒険(ロマンス)の曙が、またそのまま夜の方へ、逆戻りしたようにも思われた。

が、危険な華やかな毒草の美しさよりも、慎しい、しおらしい花の美しさが、今彼の心のうちによみがえった。

淋しいしかし安心な、暗いしかし質素な心持で、彼は大理石の丸柱の立った車寄せを静かに下った。もうこの家を二度と訪(おとな)うことはあるまい。あの美しい夫人の面影に、再び咫尺(しせき)することもあるまい。彼がそんなことを考えながら、トボトボと門の方へ歩みかけた時だった。彼はふと、門への道に添う植込みの間から、左に透けて見える庭園に、語り合っている二人の男性を見たのである。彼は、その人影を見たときに、ゾッとしてそこに立ち止まらずにはいられなかった。

四

信一郎が、駭いて立ち竦んだのも、無理ではなかった。玄関から門へと道に添う植込みの間から、透けて見える、キチンと整った庭園のちょうど真中に、庭石に腰かけながら、語り合っている二人の男を見たのである。

二人の男を見たことに、不思議はなかった。が、その二人の男が、両方とも、彼の心に恐ろしい激動を与えた。

彼の方へ面を向けて、腰を下している学生姿の男を見た時に、彼は思わず『アッ！』と、声を立てようとした。品のよい鼻、白皙の面、それは自分の介抱を受けながら、横死した青木淳と瓜二つの顔だった。それが、白昼の、かほど、けざやかな太陽の下の遭遇でなかったならば、彼はそれを不慮の死を遂げた青年の亡霊と思い過ったかも知れなかった。

が、彼の理性が働いた。彼は一時は、駭いたもののすぐその青年が、いつかの葬場で見たことのある青木淳の弟であることに、気が付いた。

しかし、彼が最初の駭きから、やっと恢復した時、今度は第二の駭きが彼を待っていた。青年と相対して語っている男は、紛れもなく海軍士官の軍服を着けている。海軍士官の軍服に気が付いたとき、信一郎の頭に、電光のように閃いたものは、村上海軍大尉という名前であった。青年が、遺して行った手記の中に出て来る村上海軍大尉という名前だった。

青木淳が、烈しい忿恨をもって、ノートに書き付けた文句が、信一郎の心に、アリアリと甦って来た。

『昨日自分は、村上海軍大尉とともに、彼女の家の庭園で、彼女の帰宅するのを待っていた。その時に、自分はふと、大尉がその軍服の腕を捲り上げて、腕時計を出して見ているのに気が付いた。よく見ると、その時計は、自分の時計に酷似しているのである。自分はそれとなく、一見を願った。自分が、その時計を、大尉の頑丈な手首から、取り外したときの駭きは、どんなであったろう。もし、大尉がそこに居合せなかったら、自分は思わず叫声を挙げたに違いない。』

信一郎は、青木淳の弟と語っている軍服姿の男を見たときに、それが手記の中の村上大尉であることに、もう何の疑いもなかった。もし、それが、村上海軍大尉であるとしたならば、青木淳と大尉との双方に、同じ白金の時計を与えて、『これは、妾の貴君に対する愛の印として、貴君に差し上げますのよ。本当は、かけ替えのない秘蔵の品物ですけれど。』と、云いながら二人を翻弄し去った女性が、果して何人であるかが、信一郎にはもうハッキリと分ってしまった。

『汝妖婦よ！』

彼は心のうちで再びそう声高く、叫ばずにはいられなかった。

が、信一郎の心を、もっと痛めたことは、兄が恐ろしく美しい蜘蛛の糸に操られて、悲惨な横死を——形は奇禍であるが、心は自殺を——遂げたということを夢にも知らないで、その肉親の弟が、また同じ蜘蛛の網に、ウカウカとかかりそうになっていることだった。いや恐らくかかっているのかも知れない。いや、兄と同じように、もう白金(プラチナ)の時計を貰っているのかも知れない。ああして、話しているうちに、相手の海軍大尉の腕時計に、気が付くのかも知れない。兄の血と同じ血を持っているはずの弟は、それを見て兄と同じように激昂する。兄と同じように自殺を決心する。

そう考えて来ると、信一郎は、烈々と輝いている七月の太陽の下に、なお周囲(あたり)が暗くなるように思った。兄が陥(おちい)った深淵へまた、弟が陥(お)ちかかっている。それほど、悲惨なことはない。そう思うと、信一郎は、

『おい！　君！』と、高声に注意してやりたい希望に動かされた。が、それと同時に、血を分けた兄弟を、兄に悲惨な死を遂げしめた上に、更に弟をも近づけて、翻弄しようとする毒婦を憎まずにはいられなかった。

『汝妖婦よ！』彼は、心のうちでもう一度そう叫んだ。が、信一郎が、これほど心を痛めているにも拘わらず、当の青年は、何が可笑(おか)しいのか、軽く上品に笑っているのが、手に取るように聞えて来た。

信一郎は、見るべからざるものを見たように、面を背けて足早に門を駈け出でたのである。

五

新宿行の電車に乗ってからも、信一郎の心は憤怒や憎悪の烈しい渦巻で一杯だった。瑠璃子夫人こそ、白金の時計を返すべき当の本人であることが解ると、夫人の美しさや気高さに対する讃嘆の心は、影もなくなって、憎悪と軽い恐怖とが、信一郎の心に湧いた。

青木淳の死の原因が、直接ではなくても、間接な原因が、自分であることを知りながら、嫣然として時計を受け取った夫人の態度が、空恐ろしいように思い返された。『妾が預って本当の持主に返して上げます。』と、事もなげに云い放った夫人の美しい面影が、空恐ろしいように想い返された。

『が、彼女と面と向って、不信を詰責しようとしたとき、自分はかえって、彼女から忍びがたい恥しめを受けた。自分は小児の如く、飜弄され、奴隷の如く卑しめられた。しかも美しい彼女の前に出ると、たわいもなく、黙り込む自分だった。自分は憤りと恨みとのために、わなわな顫えながらしかも指一本彼女に触れることが出来なかった。

自分は力と勇気とが、欲しかった。彼女の華奢な心臓を、一思いに突き刺し得るだけの力と勇気とを。……彼女を心から憎みながら、しかも片時も忘れることが出来ない。彼女が彼女のサロンで多くの異性に取り囲まれながら、あの悩ましき媚態を惜しげもなく、示しているかと思うと、自分の心は、夜の如く暗くなってしまう。自分が彼女を忘れるためには、彼女の存在を無くするか、自分の存在を無くするか二つに一つだと思う。……そうだ、いっそ死んでやろうかしら。純真な男性の感情を弄ぶことが、どんなに危険であるかを、彼女に思い知らせてやるために。そうだ、自分の真実の血で、彼女の偽りの贈物を、真赤に染めてやるのだ。そして、彼女の僅かに残っている良心を、恥しめてやるのだ。』

青木淳の遺して逝った手記の言葉が、太陽の光に晒されたように、何の疑点もなくハッキリと解って来た。彼女が、瑠璃子夫人であることに、もう何の疑いもなかった。純真な青年の感情を弄んで彼を死に導いた彼女が、瑠璃子夫人であることに、もう何の疑いもなかった。

『汝妖婦よ！』

信一郎は、十分な確信をもって、心の中でそう叫んだ。青年は、彼女に対して、綿々の恨みを呑んで死んだのである。白金の時計を『返してくれ。』ということは、『叩き返してくれ。』ということだったのだ。彼女の僅かに残っている良心を恥しめてやるために、叩き返してくれということだった。そうだ！　それを信一郎は、瑠璃子夫人のために、不得要領に捲き上げられてしまったのである。

『取り返せ。もう一度取り返せ！　取り返してから、叩き返してやれ！』信一郎の心に、そう叫ぶ声が起った。『それで彼女の僅かに残っている良心を恥しめてやれ。お前は死者の神聖な遺託に背いてはならない。これから取って返して、お前の義務を尽さねばならない。あれほど青年の恨みの籠った時計を、不得要領に、返すなどということがあるものか。もう一度やり直せ。そしてお前の当然な義務を尽せ。』

信一郎の心の中の或る者が、そう叫び続けた。が、心のうちの他の者は、こう呟いた。『危きに近寄るな。お前は、あの美しい夫人と太刀打ちが出来ると思うのか。お前は、今の今まで危く夫人に翻弄されかけていたではないか。夫人の張る網から、やっと逃れ得たばかりではないか。お前が血相を変えて駈け付けても、また夫人の美しい魅力のために、手もなく丸められてしまうのだ。』

こうした硬軟二様の心持の争いのうちに、信一郎はいつの間にか、自分の家近く帰っていた。停留場からは、一町とはなかった。

電車通りを、右に折れたとき、半町ばかり彼方の自分の家の前あたりに、一台の自動車が、止っているのに気が付いた。

六

信一郎の興奮していた眸には、最初その自動車が、漠然と映っているだけだった。それよりも、彼は自分の家が、近づくに従って、『社の連中と多摩川へ行く。』などという口実で、家を飛び出しながら、二時間も経たないうちに、早くも帰って行くことが、心配になり出した。また早く、帰宅したことについて、妻を納得させるだけの、口実を考え出すことが、かなり心苦しかった。彼は、電車の中でも、どこかほかで、ゆっくり時間を潰して、夕方になってから、帰ろうかとさえ思った。が、彼の本当の心持は、一刻も早く家に帰りたかった。妻の静子の優しい温順な面影に、一刻も早く接したかった。危険な冒険を経た者が、平和な休息を、ひたすら欲するように、他人との軋轢(あつれき)や争いに胸を傷つけられ、瑠璃子夫人に対する幻滅で心を痛めた信一郎は、家庭の持っている平和や、妻の持っている温味のうちに、一刻も早く、浴したかったのである。たとい、もう一度妻を歎く口実を考えても、一刻も早く家に帰りたかったのである。

が、彼が一歩一歩、家に近づくに従って、自分の家の前に停っている自動車が、気になり出した。勿論、この近所に自動車が、停っていることは、珍しいことではなかった。彼の家から、つい五六軒向うに、ある実業家の愛妾が、住っているために、三日にあげず、自動車がその家の前に、永く長く停っていた。今日の自動車も、やっぱりいつもの自動車ではないかと、信一郎は最初思っていた。が、近づくに従って、いつもとは、かなり停車の位置が違っているのに気が付いた。どうしても、彼の家を訪ねて来た訪客が、乗り捨てたものとしか見えなかった。

が、だんだん家に近づくに従って、恐ろしい事実が、漸く分って来た。何だか見たことのある車台だという気がしたのも、無理ではなかった。それは、紛れもなくあの青色大型の、伊太利製の自動車だった。信一郎も一度乗ったことのある、あの自動車だった。そうだ、この前の日曜の夜に、荘田夫人と同乗した自動車に、寸分も違っていなかった。夫人が、訪ねて来たのだ！　そう思ったときに、信一郎の心は、烈しく打ち叩かれた。当惑と、ある恐怖とが、胸一杯に充ち満ちた。

出先で、妖怪に逢い這々の体で自分の家に逃げ帰ると、その恐ろしい魔物が、先廻りして、自分の家に這入り込んでいる。昔の怪譚にでもありそうな、絶望的な出来事が、信一郎の心を、底から覆してしまった。瑠璃子夫人の美しい脅威に戦いて、家庭の平和のうちに隠れようとすると、相手は、先廻りして、その家庭の平和をまで、擾き擾そうとしている。静かな慎しい家庭と、温和な妻の心をまでも擾き擾そうとしている。

信一郎は、当惑と恐怖とのために、しばらくは、道の真中に立ち竦んだまま、どうしてよいか分らなかった。そのうちに、信一郎の絶望と、恐怖とは、夫人に対する激しい反抗に、変って行った。

温和しい妻が、美しい、溌剌たる夫人の突然な訪問を受けて狼狽している有様が、ありありと浮んで来た。自分が、妻に内密で、ああした美しい夫人と、交りを結んでいたということが、どんなに彼女を痛ましめたであろうかと思うと、信一郎は一刻も、じっとしてはいられなかった。温和しい妻が夫人のために、どんなに云いくるめられ、どんなに翻弄されているかも知れぬと思うと、一刻も逡巡しているときではないと思った。自分の彼女に対する不信は、後でどんなにでも、許しを乞えばいい。今は妻を、美しい夫人の圧迫から救ってやるのが第一の急務だと思った。

それにしても、夫人は何の恨みがあって、これほどまで、執拗に自分を悩ますのであろう。自分を欺いて、客間へ招んで恥を掻かせた上に、自分の家庭をまで、掻き擾そうとするのであろうか。今は夫人の美しさに、怖れているときではない。戦え！ 戦って、彼女の僅かに残っているかも知れぬ良心を恥しめてやる時だ！ そうだ！ 死んだ青淳のためにも、弔い合戦を戦ってやる時だ！ そう思いながら、信一郎は必死の勇を振って、敵の城の中へでも飛び込むような勢いで、自分の家へ飛び込んだのである。

七

玄関先に立っている、もしくは客間に上り込んでいる妖艶な夫人の姿を、想像しながら、それに必死に突っかかって行く覚悟の臍を固めながら、信一郎は自分の家の門を、潜った。

見覚えのある運転手と助手とが、玄関に腰を下しているのがまず眼に入った。信一郎は、彼等を悪魔の手先か何かを見るように、憎悪と反感とで睨み付けた。が、夫人の姿は見えなかった。手早く眼をやった玄関の敷石の上にも、夫人の履物らしい履物は脱ぎ捨ててはなかった。信一郎は、少しは救われたように、ホッとしながら、玄関へ入ろうとした。

運転手は素早く彼の姿を見付けた。

「いやあ。お帰りなさいまし。さっきからお待ちしていたのです。」

彼は、馴れ馴れしげに、話しかけた。信一郎はそれが、かなり不愉快だった。が、運転手は信一郎を、もっと不愉快にした。彼は、無遠慮に大きい声で、奥の方へ呼びかけた。

「奥さん！　やっぱり、お帰りになりましたよ。どこへもお廻りにならないで、すぐお帰りになるだろうと思っていたのです。」

運転手は、いかにも自分の予想が当ったように、得意らしく云った。運転手が、そう云うのを聴いて、信一郎は冷汗を流した。運転手と妻とが、どんな会話をしたかが、彼には明らかに分った。

「御主人はお帰りになりましたか。」

運転手は、最初そう訊ねたに違いない。

「いいえ、まだ帰りません。」

妻は、自身もしくは女中をしてそう答えさせたに違いない。

「それじゃ、お帰りになるのをお待ちしていましょう。」

運転手は、そう云ったに違いない。

「あの、会社の人達と一緒に、多摩川へ行きましたのですから、帰りは夕方になるだろうと思います。」

何も知らない、信一郎を信じきっている妻は、そう答えたに違いない。それに対して、この無遠慮な運転手はこう言いきったに違いない。

「いいえ、すぐお帰りになります。ただいま私の宅からお帰りになったのですから、外へお廻りにならなければ三十分もしないうちに、お帰りになります。」

初めて会った他人から、夫の背信を教えられて、妻はかなり心を傷つけられながら赤面して黙ったに違いない。そう思うと、突然運転手などを寄越す瑠璃子夫人に、彼は心からなる憤怒を感ぜずにはいられなかった。

信一郎は、かなり激しい、叱責するような調子で運転手に云った。

「一体何の用事があるのです?」

運転手は、ニヤニヤ気味悪く笑いながら、

「宅の奥様のお手紙を持って参ったのです。何の御用事があるか私には分りません。返事を承って来い！　お帰りになるまで、お待ちして返事を承って来い！　と、申し付けられましたので。」

運転手は、待っていることを、云い訳するように云った。

手紙を持って来たと聴くと、信一郎はかなり狼狽した。妻に、内密(ないしょ)で、ある女性を訪問したことが露顕している上に、その女性から急な手紙を貰っている。そうしたことが、どんなに妻の幼い純な心を傷つけるかと思うと、信一郎は顔の色が蒼くなるまで当惑した。彼は、妻に知られないように、手早く手紙を受け取ろうと思った。

「手紙！　手紙なら、早く出したまえ！」

信一郎は、低くかなり狼狽した調子でそう云った。

運転手が、何か云おうとする時に、夫の帰りを知った妻が、急いで玄関へ出て来た。彼女は、夫の顔を見ると、ニコニコと嬉しそうに笑いながら、

「お手紙なら、こちらにお預りしてありますのよ。」と、云いながら、薄桃色の瀟洒(しょうしゃ)な封筒の手紙を差し出した。暢達(ちょうたつ)な女文字が、半ば血迷っている信一郎の眼にも美しく映った。

面罵

一

妻から、荘田夫人の手紙を差し出されてみると、信一郎は激しい羞恥と当惑とのために、顔がほてるように熱くなった。平素は、何の隔てもない妻の顔が、眩しいもののように、真面から見ることが出来なかった。

が、静子の顔は、平素と寸分違わぬように穏やかだった。春のように穏やかだった。夫の不信を咎めているような顔色は、少しも浮んでいなかった。見知らぬ女性から、夫へ突然舞い込んで来た手紙を、疑っているような容子は、少しも見えなかった。夫の帰宅を、いそいそと出迎えている平素の優しい静子だった。

信一郎は、妻の神々しいまでに、慎しやかな容子を見ると、かえって心が咎められた。これほどまでに自分を信じきっている妻を欺いて、他の女性に、好奇心を、懐いたことを、後悔し心の中で懺悔した。

妻が差出した夫人の手紙が、悪魔からの呪符か何かのように、厭わしく感ぜられた。もし、人が見ていなかったら、それを、封も切らないで、寸断することも出来た。が、妻が見ている以上、そうすることはかえって彼女に疑惑を起させる所以だった。信一郎は、おずおずと封を開いた。

手紙とともに封じ込められたらしい、高貴な香水の匂いが、信一郎の鼻を魅するように襲った。が、もうそんなことによって、魅惑せらるる信一郎ではなかった。

彼は敵からの手紙を見るように警戒と憎悪とで、あわただしく貪るように読んだ。

『さっきは貴君を試したのよ。妾の客間へ、妾と戯恋しに来る多くの男性と貴君が、違っているかどうかを試したのですわ。妾は戯恋することには倦き倦きしましたのよ。本当の情熱がなしに、恋をしているような真似をする。擬似恋愛！　妾は、それに倦き倦きしましたのよ。身体や心は、少しも動かさないで、手先だけで、恋をしているような真似をする。恋をしているような所作だけをする。恋をしているような姿勢だけを取る。妾は、妾の周囲に蒐まっている。そうした戯恋者のお相手をすることには、本当に倦き倦きしましたのよ。妾は真剣な方が、欲しいのよ。男らしく真剣に振舞う方が欲しいのよ。すべての動作を手先だけでなく心の底から、行う方が欲しいのよ。

貴君が忿然として座を立たれたとき、妾が止めるのも、肯かず、憤然として、お帰り遊ばす後姿を見たとき、この方こそ、何事をも真剣になさる方だと思いましたの！

何事をなさるにも手先や口先でなく、心をも身をも、打ち込む方だと思いましたの。妾が長い間、探ねあぐんでいた本当の男性だと思いましたの。

信一郎様!

貴方は妾の試に、立派に及第遊ばしたのよ。

今度は、妾が試される番ですわ、妾は進んで貴方に試されたいと思いますの。妾が、貴方のために、どんなことをしたか、どんなことをするか、それをお試しになるために、すぐこの自動車でいらしって下さい!

瑠 璃 子』

手紙の文句を読んでいるうちに、瑠璃子夫人の怪しきまでに、美しい記憶が、殺されそこなった蛇か何かのように、また信一郎の頭の中に、ムクムクと動いて来た。

夫人の手紙を、読んでみると、夫人の心持が、満更虚偽ばかりでもないように、思われた。あの美しい夫人は、彼女を囲む阿諛や追従や甘言や、戯恋に倦き倦きしているのかも知れない。実際彼女は純真な男性を、心から求めているかも知れない。そう思っていると、夫人の真紅の唇や、白く透き通るような頰が、信一郎の眼前に髣髴した。が、次の瞬間には青木淳の紫色の死顔や、今さっき見たばかりの、青木淳の弟の姿などが、アリアリと浮んで来た。

二

手紙を読んだ刹那の陶酔から、醒めるに従って、夫人に対する憤ろしい心持が、また信一郎の心に甦って来た。こうした、人の心に喰い込んで行くような誘惑で、青木淳を深淵へ誘ったのだ。否青木淳ばかりではない、青木淳の弟も、あの海軍大尉も、否彼女の周囲に蒐まるすべての男性を、人生の真面目な行路から踏み外させているのだ。彼女を早くも嫌って恐れて、逃れて来た自分にさえ、なお執念深く、その蜘蛛の糸を投げようとしている。恐ろしい妖婦だ！ 男性の血を吸う吸血鬼だ。そう思って来ると、信一郎の心に、半面血に塗れながら、

『時計を返してくれ。』

と絶叫した青年の面影が、また歴々と浮かんで来た。そうだ！ あの時計は、不得要領に捲き上げらるべき性質の時計ではなかったのだ！ 青年の恨みを、十分に籠めて叩き返さなければならぬ時計だったのだ！ 殊に、青年の手記のうちの彼女が、瑠璃子夫人であることが、ハッキリと分ってしまった以上、自分にその責任が、儼として存在しているのだ。恐ろしいものだからと云って、面を背けて逃げてはならないのだ！ 青年に代って、彼が綿々の恨みを、代言してやる必要があるのだ！ 青年に代って、彼女の僅かしか残っていぬかも知れぬ良心を恥しめてやる必要があるのだ！ そうだ！ 一身

の安全ばかりを計って逃げてばかりいる時ではないのだ！　そうだ！　彼女がもう一度の面会を望むのこそ、勿怪の幸いである。その機会を利用して、青年の魂を慰めるために、青年の弟を、彼女の危険から救うために、否すべての男性を彼女の危険から救うために、彼女の高慢な心を、取りひしいでやる必要があるのだ。

信一郎の心が、こうした義憤的な興奮で、充たされた時だった。妻の静子は、――神の如く何事をも疑わない静子は、信一郎を促すように云った。

「急な御用でしたら、すぐいらしっては、いかがでございます。」

妻のそうした純な、少しの疑惑をも、挟まない言葉に、接するにつけても、信一郎は夫人に叩き返したいものが、もう一つ殖えたことに気が付いた。それは、夫人から受けたこの誘惑の手紙である。妻に対する自分の愛を、陰ながら、妻に誓うため、夫人の面に、この誘惑の手紙を、投げ返してやらねばならない。

信一郎の心は、今最後の決心に到達した。彼は、その白い面を、薄赤く興奮させながら、妻に云うともなく、運転手に命ずるともなく叫んだ。

「じゃすぐ引返すことにしよう。早くやってくれ！」

彼は、自分自身興奮のために、身体が軽く顫えるのを感じた。

「畏まりました。七分もかかりません。」

そう云いながら、運転手と助手とは、軽快に飛び乗った。

「じゃ、静子、行って来るからね。ホンのちょっとだ！　すぐ帰って来るからね。」

信一郎は、小声で云い訳のように云いながら、妻の顔を、なるべく見ないように、車中の人となった。

が、ガソリンが爆発を始めて、まさに動き出そうとする時だった。信一郎は、周章て窓から、首を出した。

「おい！　静子！　おれの本箱の下の引き出しの、確か右だったと思うが、ノートが入ってる。それを持って来ておくれ！」

「はい。」と云って気軽に、立ち上った妻は、二階から大急ぎで、そのノートを持って降りて来た。

『これが、武器だ！』信一郎は、妻の手からそれを受けとりながら、心の中でそう叫んだ。

爪黒の鹿の血と、疑着の相ある女の生血とを塗った横笛が、入鹿を亡ぼす手段の一つであるように、瑠璃子夫人の急所を突くものは、青木淳の残したこのノートのほかにはないと、信一郎は思った。

三

五番町までは、一瞬の間だった。

こうした行動に出たことが、いいか悪いか迷う暇さえなかった。信一郎の頭の中には、瑠璃子夫人の顔や、妻の静子の顔や、非業に死んだその男の顔や、今日客間で見たいろいろな人々の顔が、嵐のように渦巻いているだけだった。が、その渦巻の中で彼は自ら強く決心した。『彼女の誘惑を粉砕せよ！』と。

もう再びは潜るまいと決心した花崗岩の石門に、自動車は速力を僅かに緩めながら進み入った。もう再びは、足を踏むまいと思った車寄せの石段を、彼は再び昇った。が、先刻は夫人に対する讃美と憧れの心で、胸を躍らしながら、が、今は夫人に対する反感と憤怒とで、心を狂わせながら。

取次ぎに出たものは、あの可愛い少年の代りに、十七ばかりの少女だった。

「奥様がお待ちかねでございます。さあ、どうかお上り下さいませ。」

信一郎は、それに会釈するだけの心の余裕もなかった。彼は黙々として、少女の後に従った。

少女は先刻の客間の方へ導かないで、玄関の広間から、すぐ二階へ導く階段を上って行った。

「あの、お部屋の方にお通し申すように仰しゃっていましたから。」

信一郎がちょっと躊躇するのを見ると、少女は振り返ってそう言った。

階段を昇りきった取っ付きの部屋が、夫人の居間だった。少女は軽く叩したが、内から応ずる気勢がしなかった。

「あら！　いらっしゃらないのかしら。それではどうか、お入りになって、お待ち下さいませ。きっと、お化粧部屋の方にいらっしゃるのですから。」

そう云って、少女は扉(ドア)を開けた。

信一郎は、おそるおそるその華麗な室内に足を踏み入れた。部屋の中には、夫人の繊細な洗煉された趣味が、隅から隅まで、行き渡っていた。敷詰めてある薄桃色の絨毯にも、水色の窓掩いにも、ピアノの上に載せてある一輪挿しの花瓶にも、桃花心木(マホガニイ)の小さい書架に、並べてある美しい装幀の仏蘭西(フランス)の小説にも、雪のように白い絹で張りつめられた壁にかかっているクールベエらしい風景画にも炉棚(マンテルピース)の上の少女の青銅像(ブロンズ)にも、夫人の高雅な趣味が光っていた。すべての装飾が、金で光っているだけではなく、その洗煉された趣味で光っているのだった。

信一郎は、部屋の装飾に、現れている夫人の教養と趣味とに、接すると、昂めようとしている反感が、いつの間にか、その鋭さを減じて行くような危険を、感ぜずにはいられなかった。

が、こうした美しい部屋も、彼女の毒の花園なのだ。彼女が、異性を惑わす魅力の一つなのだ。信一郎は、そういう風に考え直しながら、青色の羽蒲団の敷いてある籐椅子に、腰をおろしていた。窓からは、宏大な庭園が、七月の太陽に輝いているのが見えた。

夫人は、なかなか姿を見せなかった。小間使が氷の入った果実汁(シロップ)を持って来た後も、なかなか姿を見せなかった。

彼は、所在なさに、室内の装飾をあれからこれへと、見直していた。そのうちに、ふと三尺とは離れていない卓(デスク)の上に、眼が付いた。そこには、先刻信一郎が受け取ったのと同じ色のレタアペイパアと、金飾の華やかな婦人持ち万年筆とが、置かれていた。先刻の手紙は、恐らくこの桃花心木(マホガニイ)の小さい卓で書いたのに違いない。そう思って見ているうちに、ふと一枚のレタアペイパアに、英語か佛蘭西語かが書かれているのに気が付いた。彼の好奇心は、動いた。彼は、少し上体を、その方に延ばしながら、それを読んだ。

(Shinichiro)

彼は、自分の名前が書かれているのに驚いた。が、その次の二字を見たときに、彼の駭きは十倍した。

(Shinichiro, my love!)

『信一郎、わが恋人(マイラヴ)よ！』

しかも、その同じ句がそのレタアペイパアの上に、鮮やかな筆触で幾つも幾つも走り書きされているのだった。

四

『信一郎、わが恋人(マイラヴ)よ！』

信一郎の頭は、この短い文句でスッカリ搔(か)き擾(みだ)されてしまった。彼は十七八の少年か何かのように、我にも非ず、頬が熱くほてるのを感じた。夫人に対して、張り詰めていた心持が、ともすれば揺ぎ始めようとする。

彼は、心の中で幾度も叫んだ。夫人の技巧の一つだ。誘惑の技巧の一つだ。自分の眼に入るように、わざとこんな文句を、書き散らしておいたのだ。見え透いた技巧なのだ！　が、そういう考えの後から、また別な考えが浮んで来た。あの悧巧な聡明な夫人が、こんな露骨な趣味の悪い技巧を弄する訳はない！　やっぱり、夫人の本心から出た自然の書き散しに違いない。信一郎の心の中の男性に共通な自惚れが、ムクムクと頭を擡げようとする。あの先刻受け取った手紙も、こうしてみると、夫人の本心を語っているのかも知れない。夫人を妖婦のように思うのも、みんな自分の邪推かも知れない。彼女は、男性との恋愛ごっこに飽き飽きしているのだ。彼女の周囲に、蒐まる胡蝶のような戯恋者に、飽き飽きしているのだ。本当に、心をも身をも捨ててかかる、真剣な異性の愛に飢えているのかも知れない。世馴れた色男風の男性に、慊たらない彼女は、自分のような初心な生真面目な男性を求めていたのかも知れない。

夫人に対する信一郎の敵意がもう半ば崩れかけている時だった。

「御免下さいまし。」

銀鈴に触れるような爽やかな声とともに、夫人は静かに扉をあけて入って来た。湯上りらしく、その顔は、白絹か何かのように艶々しく輝いていた。縮緬の桔梗の模様の浴衣が、そのスッキリとした身体の輪廓を、艶美に描き出していた。

わずか四五尺の間隔で、じっとその美しい眸を投げられると、信一郎の心は、催眠術にでもかかったような、陶酔を感ずるのを、どうともすることが出来なかった。

「まあ！　本当によくいらっしゃいましたこと。妾、もうあれ切りかと思いましたの。もう、あれ切り来て下さらないのかと思っていましたよ。」

信一郎が、彼女の入って来たのを見て、立ち上ろうとするのを、制しながら、信一郎と向きあって小さい卓を隔てながら、腰を下した。

信一郎は、ともすれば後退りしそうな自分の決心に、しきりに拍車を与えながら、それでも最初の目的通り、夫人と戦ってみようと決心した。

「さっきは大変失礼しましたこと。あの方達を帰してしまった後で、ゆっくり貴君とお話がしたかったのよ。差し上げました御手紙御覧下すって？」

「見ました。」

信一郎は、自分の決心を、動かすまいと、しっかりと云い放った。

「どうお考え遊ばして？」

夫人は、追窮するように、美しく笑いながら訊いた。信一郎は、かなりハッキリした口調で云った。

「貴女の本当のお心持が、分らないものですから、どうお答えしてよいか当惑するだけです。」

「あれでお分りにならないの。あれで、十分分って下すってもいいと思いますの。妾が、貴君のことをどう考えていますか。」

夫人の顔にかなり、真剣な色が動いた。信一郎も、あるだけの力をもって云った。

「奥さん！ どうか記憶しておいて下さい！ 僕には妻がありますから、家庭がありますから、貴女の危険なお戯れのお相手は出来ませんから。」

信一郎は、妻の静子の面影や、青木淳の死相を心の味方として、この強敵に向ってハッキリと断言した。

五

その刹那、夫人の顔が、さすがに鋭く緊張した。

「あら、貴君(あなた)までが、そんなことを考えていらっしゃるの。妾(わたくし)が貴君の家庭を擾すような女だと思っていらっしゃるの。貴君にも、やっぱり妾の真意が分って下さらないのですわね。妾が、何を求めているかが、やっぱり分って下さらないのですわね。妾は、妾の周囲の戯恋者には飽き飽きしたと申しているではありませんか。妾は戯恋の相手ではなく、本当のお友達が欲しいのです。本当の男性らしい男性のお友達が欲しいのです。妾が、この方こそと思ってお選みした貴君からそんな誤解を受けるなんて、妾には忍びがたい恥辱ですわ。」

そう云っている夫人の顔には、もうあの美しい微笑は浮んでいなかった。少しく、忿怒を帯びた顔は、振い付きたいような美しさで、輝いていた。

美しい夫人の顔に、忿怒の色が浮ぶのを見ると、信一郎は心の中で、かなりタジタジとなった。が、彼は自分のため、青木淳のため、また夫人その人のためにも、夫人の妖婦的な魂と、戦わねばならぬと決心した。彼は、夫人の美しい顔から、出来るだけ面を背けながら云った。

「いや！ 貴女のお心が、分らないのではありません。僕を、真のお友達として、多くの男性から選んで下さる。それは僕として、光栄です。が、奥さん！ 僕は貴女から選まれるということがかなり危険なことであるような気がするのです。僕は、安穏な家庭の幸福で、満足している平凡な人間です。どうか僕を、このままに残しておいて下さい！」

信一郎の語気は、かなり強かった。

「まあ！ 何ということを仰しゃるのです。妾を、爆弾か何かのように、触ることさえ、お嫌いだと云うのですね。」

夫人は、半ば冗談のように、云おうとしたが、信一郎の心の中の敵意を、アリアリと感じたと見え、先刻までの夫人とは、丸切り違ったような鋭さが、その美しさの裏に、潜み始めていた。

「いや！ 奥さん、こんなことを申し上げては、失礼かも知れませんが、僕は貴女に選まれて飛んだ目にあったある男性のことを知っているのです。その男も、真面目な初心な男でしたから、僕が貴女に選まれたのと、同じような意味で、貴女に選まれたのではないかと思うのです。もし、同じような意味で選まれたとすると、その男が飛んだ目に逢ったように、僕もいつかは、飛んだ目に逢いそうです。はははは。」

信一郎は、懸命な勇気をもって、云い終ると調子外れの笑い方をした。彼は烈しい興奮のために、妙に上ずッてしまっていたのである。

夫人の顔色が、ちょっと変った。が、少しも取り擾す容子はなかった。彼女は、信一郎の顔を、じっと見詰めていたが、憫笑するような笑いを、頬の辺りに浮べると、ちょっと腰を浮かして、傍の卓の上の呼鈴を押しながら云った。

「貴君と妾とは、やっぱり縁なき衆生だったのですわね。やっぱりあれっ切りにしておけばよかったのですわね。妾の思い違いよ。貴君を、スッカリ見損っていたのですわね。貴君の躊躇や、臆病を、妾、反対に解釈していたのですわ。妾、男性の中で臆病な方が、一等嫌いなのですわ。差し出された女の唇に、接吻を与えるほどの勇気さえないような男性が、一等嫌いなのでございますよ。妾自身、御覧の通りのお転婆でございますから、やっぱり強い男性の方が、一等好きなのでございますよ。」

信一郎の攻撃に対する夫人の反撃は、烈しかった。信一郎は夫人の真向からの侮辱に、目が眩んだ。彼は屈辱と忿怒とのために、胸がくらくらするように煮えた。信一郎が口籠りながら何か云おうとしたときに、呼鈴に応じて先刻の小間使いが顔を出した。夫人は冷静な口調で、ハッキリと云った。

「お客様がお帰りになるそうだから。自動車の支度をするように。」

六

西洋では、厭な来客を追い帰すとき、また来客と喧嘩したとき、『扉を指し示す』ことが、習慣である。すぐ出て行ってくれという意味である。客に対する絶大の侮辱であり、挑戦である。

夫人は、自分の好意を、相手が跳ね返したと知ると、それを十倍もの烈しさで、跳ね返し得る女であった。

信一郎は、平手で真向から顔を、ピシャリと、叩かれたような侮辱を感じた。もし、相手が女性でなかったら、立ち上りざま殴り付けてでもやりたいような激怒を感じた。それと同時に、突き放されたような淋しさが、激怒の陰に潜んでいることも、感ぜずにはいられなかった。

信一郎の顔が、激怒のために、真赤に興奮しているのにも拘わらず、夫人はその白い面が、心持蒼んでいるだけで、冷然として彫像か何かのように動かなかった。

信一郎も、相手から受けた、余りに思いがけない侮辱のために、しばらくは、口さえ利けなかった。

夫人も、黙々として一語も洩らさなかった。そのうちに、バタバタと廊下に軽い足音がしたかと思うと、先刻の女中が、顔を出した。

「あの、お支度が出来ましてございます。」

「そう。」と、夫人は軽く会釈して、女中を去らせると、静かに信一郎の方を振向きながら、彼女の最後の通牒を送った。

「それでは、どうかお帰り下さいませ。妾(わたくし)がお呼び立ていたした罪は、幾重にもお詫びいたしますわ。でも、お互いに理解しない者同士が、いつまで向い合っていても、全く無意味だとも思いますわ。どうか安穏な御家庭でいつまでも平和にお暮し遊ばせ！」

夫人は、ちょっと皮肉な微笑を浮べると、静かに立って信一郎に、扉(ドア)の方を指さし示した。

信一郎の心は、激しい恥辱のために、裂けんばかりに、張り詰めていた。このまま、帰ってしまえば、徹頭徹尾全敗である。どんなに、相手が美しい夫人であるとはいえ、男性たるものが、こうも手軽に、人形か何かのように翻弄せられることは、どうにも堪らないことだと思った。今こそ全力を尽して彼女と、戦うべき日であると思った。激怒のために、波立つ胸を、彼はじっと抑え付けながら云った。

「奥さん！　折角ですが、僕にはまだ帰られない用事があります。」

信一郎の言葉は、かなり顫えを帯びていた。

「おや！　御用事。それじゃすぐ承ろうじゃありませんか。妾(わたくし)、またこんな部屋には、一刻もお止まりになるお心はなくなったのだろうと思っていました。」

夫人は、凄いほどに、落ち着いていた。

信一郎は、蒼白(まっさお)になりながら、懸命に冷静な態度を失うまいとした。

「奥さん！　帰るときが来れば、お指図を待たなくっても帰ります。が、ただいま伺ったのは、貴女のお手紙のためばかりじゃないのです。僕がどんなに軽薄な人間でも、一度席を蹴って帰った以上、貴女のお召状だけで、ノメノメとやっては来ません。」

「おや！　それでは、妾(わたくし)はその点でも飛んだ思い違いをしていましたのね。」

夫人は、針のような皮肉を含みながら、冷やかに笑った。信一郎はいらだった。

「貴女に申し上ぐべきこと、当然お願いすべき用事があればこそ参ったのです、それが済むまでは、貴女がいくら帰れと仰しゃったって、帰れません。貴女も一度僕と会った以上、自分の用事だけが、済んだといって、そう手軽に僕を追い返す権利はありません。」

「大変ごもっともな仰せです。それではその用事とかを承ろうじゃありませんか。」

夫人の皮肉な態度は突き刺すようなトゲトゲしさを帯び始めた。

七

夫人の皮肉なトゲに、突き刺されながらも、信一郎は、やっと自分自身を支えることが出来た。

「用事といって、ほかではありませんが、いつか貴女にお預けしておいたあの白金(プラチナ)の時計を、返していただきたいと思うのです。死んだ青木君から遺託を受けたあの時計をです。」

信一郎は、一生懸命だった。彼は、身体が激昂のために、わななこうとするのをやっと、抑えながら喋った。が、その声は変に咽喉にからんでしまった。

夫人の冷たさは、いよいよ加わった。その美しい面は、象牙で彫(きざ)んだ仮面か何かのように、冷たく光っていた。『何を！』と、いったような利かぬ気の表情が、その小さい真赤な唇のあたりに動いていた。

「あら、あれは妾(わたくし)にお預けして下さったのじゃないのですか。一旦お預けして下さった以上、男らしくもないじゃありませんか。また返せなどと仰しゃるのは。」

信一郎を揶揄(からか)っているように、冷やかしているように、夫人の語気は、ますます辛辣になって行った。

「いや、お預けしたことは、お預けしました。が、それは返すべき相手が分らなかったからです。また、どういう心持で返すのかが、分らなかったからです。今こそ、返すべき女性がハッキリと分ったのです。また、どういう態度で、あの時計を返すべきかも、ハッキリと分ったのです。僕は、あの時計を貴女から返していただいて、その本当の持主に、一番適当な態度で、返さねばならぬ責任を青木君に対して、感じているのです。どうかすぐお返しを願いたいと思います。」

夫人の顔は、さすがに少しく動揺した。が、信一郎が予想していたように、狼狽の容子は露ほども見せなかった。

「そんなに、面倒臭い時計なのですか、それじゃ、お預りするのではなかったわ。それじゃただいますぐお返しいたしますわ。」

夫人は、手軽に、借りていたマッチをでも返すように、手近の呼鈴(ベル)を押した。

二人は、黙々として、しばらく相対しているうちに、以前の小間使いが、扉(ドア)を静かに開けた。

「あのね。応接室の、確か炉棚(マンテルピース)の上の手文庫の中だったと思うのだがね。壊れた時計があるはずだから持って来て下さいね。もし手文庫の中になかったら、あの辺を探して御覧! 確かあの近所に放り散らかしておいたはずだから。」

信一郎が、あれほどまでに、心を労していた時計を、夫人は壊れた玩具か何かのように、放りぱなしにしていたのだった。青木淳が臨終にあれほどの恨みを籠めたはずの時計は、夫人によって、意味のない一個の壊れ時計として、炉棚(マンテルピース)の上に、信一郎から預かった時以来忘れられていたのである。

夫人から、そんなにまで手軽く扱われている品物について、返すとか返さないとか、躍起になっていることが、信一郎にはちょっと気恥しいことのように思われた。

が、夫人のああした言葉や態度は、心にもない豪語であり、擬勢である、口先でこそあんなことを云いながらも、彼女にも人間らしい心が、少しでも残っている以上、心の中ではかなり良心の苛責を受けているのに違いない。信一郎は、やっとそう思い返した。

小間使いは、探すのに手間が取れたとみえ、しばらくしてから帰って来た。そのふっくらとした小さい手のうちには、信一郎には忘れられない時計が、薄気味のわるい光を放っていた。

夫人は小間使いから、無造作にそれを受取ると、信一郎の卓の上に軽く置きながら、

「さあ！　どうぞ。よく検(あらた)めてお受取り下さいませ！　お預りしたときと、寸分違っていないはずですから。」

夫人は、毒を喰(くら)わば皿までといったように、あくまでも皮肉であり冷淡であった。

八

信一郎は、差し出されたその時計を見たときに、その時計の胴にうすく残っている血痕を見たときに、弄ばれて非業の死に方をした青年に対する義憤の情が、旺然として胸に湧いた。それと同時に、青年を弄んで、間接に彼を殺しながらしかも平然として彼の死を冷視している――神聖な遺品(かたみ)の時計をさえ、蔑みきっている夫人に対して、燃ゆるような憎しみを、感ぜずにはいられなかった。

信一郎は、かすかに顫える手で、その時計を拾い上げながら、夫人の面を真向から見詰めた。

「いや、確かにお受取りしました。お預けした品物に相違ありません。」

彼の言葉も、いつの間にか、敵意のある切り口上に変っていた。

「ところが、奥さん！」信一郎は、満身の勇気を振いながら云った。

「一旦お返し下さったこの時計を——改めて、そうです、青木君の意志として——私は、改めて貴女に受取っていただきたいのです。」

そう云って、信一郎は、夫人の顔をじっと見た。どんなに厚顔な夫人でも、少しは狼狽するだろうと予期しながら。が、夫人の顔は、やや殺気を帯びているものの、その整った顔の筋肉一つさえ動かさなかった。

「何だか手数のかかるお話でございますのね。子供のお客様ごっこじゃありますまいし、お返ししたものを、また返していただくなんて、もう一度お預かりしただけで、懲々いたしましたわ。」

夫人は嚙んで捨てるように云った。

信一郎は、夫人の白々しい態度に、心の底まで、憎しみと憤怒とで、煮え立っていた。

「いや、こんどはお預けするのではないのです。いや、最初からこの時計は貴女にお預けすべきでなくお返ししなければならぬ時計だったのです。時計の元の持主として、貴女に受取っていただくのです。貴女は、この品物を当然受取るべきお心覚えがあるでしょう。ないとは、まさか仰しゃれないでしょう。」

信一郎も、女性に対するすべての遠慮を捨てていた。二人は男女の性別を超えて、格闘者として、相対していた。

信一郎に、そう云いきられると、夫人はしばらく黙っていた。白い瓢の種のような綺麗な歯で、下唇を二三度嚙んだがやがて気を換えたように、

「それでは、貴君はこの時計の元の持主を、妾だと仰しゃるのですか。」

「そうです。それを確信してもよい理由があるのです。」信一郎は凜としてそう云い放った。

「おやそう！」夫人は事もなげに応けながら、「貴君が、そうお考えになりたければ、そうお考えになっても、別に差支えはございませんよ。それでは、この時計もお受取りしておこうじゃありませんか。どうせ一度は、お預かりした品物ですもの。」

夫人の態度は、いよいよ逆になり、いよいよ毒を含んでいた。

「それで、御用事と仰しゃるのはこれだけ！」

夫人は信一郎と一刻でも長く同席することが不快で堪らないように急き立てるように附け加えた。

信一郎は、夫人の自分に対する烈しい憎悪に傷つきながら、しかも勇敢に彼の陣地を支えた。

「いや、大変お手間を取らして相済みません。が、もう一言、そうです、青木君の言伝

があるのです。時計の元の持主にこう伝えてくれと頼まれたのです。」

信一郎は、そう云って言葉を切った。

夫人はさすがに、緊張した。やさしく烟(けむ)っている眉を、ちょっと顰(しか)めながら、信一郎が何を云い出すかを待っているようだった。

彼女の云い分

一

遺言と云っても、信一郎は青木淳の口ずから受けているのではない。が、彼は青木淳の死前の恨みの籠ったノートを受け継いでいる。『彼女の僅かに残っている良心を恥しめてやる』べき、以心伝心の遺託を、受けているのだった。

「いや、遺言と云っても、ほかではありません。この時計を返すときに元の持主にこう云ってくれと頼まれたのです。青木君が瀕死の重傷に苦しみながら、途切れ途切れに云ったことですから、ハッキリとは分りませんが、何でもこういう意味だったと思うのです。純真な男性の感情を弄ぶことがどんなに危険であるかを伝えてくれ。弄ぶ女にとっては、それは一時の戯れであるかも知れぬが、弄ばれる男にとっては、それが死であると。奥さん！　貴女(あなた)は、こういう話を御存じですか。池の中に多くの蛙が浮んでいると、子供達が来て石を投げ付ける、その時に蛙が何て云ったか御存じですか。蛙はこう云ったのです。貴君方にとって遊戯であることが、我々にとっては死である、と。青木君の死際の云い分も、つまりそれなのです。貴女は、青木君の死を単なる奇禍だと思ってはいけません。形は奇禍ですが、心持に於いては立派な自殺です。ただ自動車の偶然の衝突があの人の死を、二三日早めたのにすぎないのです。貴方は青木君の死を奇禍だと考えることによって、貴方の良心を欺いてはなりません。正しく自殺です。しかも池の中の蛙が、子供が戯れに投げた石に当って死んだように、貴方が戯れに与えた白金の時計によって死んだのです。蛙がもし人間としての働きがあったならば、その石を子供に投げ返すように、僕は青木君に代って、この時計を貴方に投げ返すのです。そうです、貴方の良心に向って投げ返すのです。貴方の心に僅かにでも、良心が残っているのなら、貴方はそれでこの時計を受け止めて下さい。そうしてその受け止めた痛みによって、貴女の心を浄めていただきたいと思うのです。そうして、男性に対する貴女の危険な戯れを、今日限りに廃していただきたいと思うのです。それが青木君の死に対する貴方のせめてもの償いです。僕が、先刻貴女のお戯れの相手をするのは危険だと云ったのはこういう意味です。青木君の場合はまだ独身ですから、貴女の戯れの犠牲になるものは一人で済むのですが、僕のような既婚者の場合は被害者が複数ですからね。」

信一郎の興奮は、彼をかなりな雄弁家にしてしまった。夫人はと見ると、さすがに彼の言葉が一々肺腑を衝いていると見えて、うなだれ気味に、黙々と聴いていた。信一郎は、自分の心が、少しでも夫人の心を悔い改めしめているかと思うと、内心ある感激を感ぜずにはいられなかった。そうだ！　この美しき女性をただ恥しめるだけが、能ではない。自分の言葉によって、夫人の心を、少しでも浄くし改めてやりたいと思った。

「いや！　奥さん。僕は何も貴女に恩怨があるのではありません。恩怨がないばかりでなく、ある点では貴女を敬慕しているものです。貴女のその秀れた美しさと、貴女の教養や趣味に対して、心から敬慕しているものです。が、僕は貴女がそうした天分や教養を邪道に使っているのを見ると、本当に心が暗くなるのです。僕は青木君のためにばかりでなく、貴女自身のために、僕の云ったことをよく玩味していただきたいと思うのです。」

こう信一郎が、述べ来った時、今まで傾聴しているような態度をしていた夫人は、つと頭を上げた。

「あの、お言葉中で恐れ入りますが、御忠告なら、御免を蒙りたいと思います。御用事だけを承るはずであったのでございますから。」

鋼鉄のような凜とした冷たさが、その澄んだ声の内に響いていた。

二

『御忠告ならば、御免を蒙る。』と、夫人がきっぱりと云い放つのを聴くと、信一郎は夫人に対して、最後の望みを絶った。青木淳は、『僅かに残っている良心』と、書いている。が、僅かに残っている良心どころか良心らしいものは、片さえ残っていない。女らしい、つつましい心の代りに、そこに翼を拡げているものは、恐ろしい吸血鬼である。純真な男性の血を好んで嗜む怪物である。夫人の良心に訴えて、少しでも彼女を、いい方に改めさせてやろうと思ったのは、悪魔に基督の教えを説くようなものであると思った。

信一郎は外面如菩薩という古い言葉を、今更らしく感心しながら、しばらくは夫人の顔を、じっと見詰めていたが、

「いや、これは飛んだ失礼をしました。青木君の遺言だけを伝えれば、僕の責任は尽きていたのでした。」

彼は、そう云って潔くこの部屋から出ようとした。が、その時に、彼は青木淳の弟の姿を思い浮べた。そうだ！　あの青年を、夫人の危険から救ってやることは、自分の責任だと思った。

「だが、奥さん！　僕は僕の責任として、貴女にもう一言云わなければならぬことがあるのです。これは貴女に対するおせっかいな忠告じゃないのです。青木君に対する僕の責任の一部として、申し上げるのです。畢竟は青木君の遺言の延長として申し上げるのです。それは、ほかでもありません。貴女がいかなる男性の感情を、どんなに弄ぼうが、それは貴女の御勝手です。いや御勝手ということにしておきましょう。だが、青木君の

弟の感情を、弄ぶことだけは、僕が青木君に代って、断然お断りしておきます。まさか、貴女も少しでも、人情がおありでしたら、兄を深淵へ突き陥した後で、その肉親の弟をも、同じ処へ突き陥すような残酷なことはなさるまいとは思いますけれども、念のためにお願いしておくのです。いやどうもお邪魔しました。」

夫人の顔が、さすがに蒼白に転ずるのを尻目にかけながら、信一郎は、素早く部屋を出ようとした。が、それを見ると、夫人は屹となって呼び止めた。

「渥美さん！　お待ちなさい！」

その凛とした声には、女王のような威厳が備わっていた。

「貴君は、自分の仰しゃることさえ仰しゃってしまえば、それでお帰りになってもいいとお考えになるのですか。貴君が、妾に御用事があるうちは、貴君に帰る権利が、妾になかったように、妾が貴君に申し上げることが残っている以上貴君はお帰りになる権利はありません。妾は一言だけ貴君に申し上げることが残っています。」

美しい眉は吊り上り、黒い眸は、血走っていた。信一郎を、屹と見詰めて立っている姿は、『怒れる天女』といったような、美しさと神々しさとがあった。

「貴君は、今青木さんの遺言とやらを、長々しく仰しゃいましたが、それを妾が受けると思っていらっしゃるのですか。時計こそ、お受けしましたが、そんな御遺言なんか、一言半句だって、お受けする覚えはありません。そんなお言伝を、青木さんから承るような覚えは、さらさらありません。今承ったお言葉全部を、そのまま御返上します。」

夫人の声にも、憎しみと怒りとが、燃えていた。が、信一郎はたじろがなかった。

「死人に口がないと思って、そんなことを仰しゃっては困ります。貴女を、今日訪問した客に村上という海軍大尉があったはずです。まさか、ないとは仰しゃいますまいね。」

「よく御存じですね。」

夫人は、平然として答えた。

「それなら、青木君の遺言を受ける責任と義務とがあります。貴女に、もし少しでも良心が残っていらっしゃるのなら、今貴女にお目にかけるものを、平然と読めるかどうか試して御覧なさい！」

そう云いながら、信一郎はポケットに曲げて入れていたノートを夫人の眼前に突き付けた。

三

信一郎が、眼の前に突き付けたノートを、夫人は事もなげに受け取った。ノートの重さにも堪えないような華奢な手で、それを無造作に受け取った。

鋼鉄の如き心というのは、恐らく今の場合の夫人の心を云うのだろう。鬼が出るか蛇が出るか分らないそのノートを、受け取りながら、一糸紊れたところも、怯んだところも見せなかった。

「おや、青木さんのノートでございますのね。」

夫人は、平然と云いながら、最初の頁から繰り始めた。繰っているその白い手は、落ち着きかえっている。

が、信一郎は思った。今に見ろ、どんなに白々しい夫人でも、血で書いた青木淳の忿恨の文字に接すると、きっと良心の苛責に打たれて、女らしい悲鳴を挙げる。彼女の孔雀の如き虚飾の驕りを擾されて、女らしい悔恨に打たれるに違いない。そう思いながら、頁を繰る夫人の手許と、やや蒼んでいる美しい面から、一瞬も眼を放たず、じっと見詰めていた。

そのうちに、夫人はハタと、青木淳が書き遺した文字を見付けたらしい。さすがに美しい眸は、卓の上に開かれたノートの頁の上に、釘付けにされたように、止ってしまった。

美しい面が、最初薄赤く興奮して行った。が、それがだんだん蒼白になり、唇の辺りが軽く痙攣するように動いていた。

夫人が、深い感動を受けたことは、明らかだった。信一郎は、今にも夫人が、ノートの上にがばと泣き伏すことを予期していた。泣き伏しながら、非業に死んだ青年の許しを乞うことを想像した。彼女の美しい目から、真珠のような涙が、ハラハラと迸ること を待っていた。悔恨と懺悔との美しい涙が。

が、信一郎の予期は途方もなく裏切られてしまった。一時動揺したらしい夫人の表情は、すぐ恢復した。涙などは、一滴だって彼女の長い睫をさえ湿おさなかった。

彼女は、一言も云わずに、ノートを信一郎の方へ押しやった。

信一郎は、夫人の必死的な態度に圧せられて、この上何か云う勇気をさえ挫かれた。

二人は、二三分の間、黙々として相対していた。信一郎は、その険しい重くるしい沈黙に堪えかねた。

「いかがです。このノートを読んで、貴女は何ともお考えにならないのですか。」

信一郎の声の方が、かえってあやしい顫えをさえ帯びていた。

夫人は、黙して答えなかった。

信一郎は、畳みかけて訊いた。

「貴女は、青木君が血をもって書いた、このノートを読んで、何ともお考えにならないのですか。青木君の言い草じゃないが、貴女の少しでも残っている良心は、このノートを読んで、顫い戦かないのですか。貴女の戯れの作った恐ろしい結果に戦慄しないのですか。」

信一郎は、かなり興奮して突きかかった。

が、夫人は冷然として、氷の如く冷やかに黙っていた。

「奥さん！　黙っていらしっては分りません。貴女は！　貴女はこのノートを読んで何ともお考えにならないのですか。」

信一郎は、いらだって叫んだ。

「考えないことはありませんわ。」

彼女の沈黙が冷やかな如く言葉そのものも冷やかであった。

「お考えになるのなら、そのお考えを承ろうじゃありませんか。」

信一郎はますますいらだった。

「でも、死んだ方に悪いのですもの。」

「死んだ方に悪い！　貴女はまだ死者を蔑もうとなさるのですか。死者を誣いようとなさるのですか。」

信一郎は火の如く激昂した。

その激昂に、水を浴びせるように夫人は云った。

「でも、妾、このノートを読んで考えましたことは、青木さんも普通の男性と同じように、自惚れが強くて我儘であるということだけですもの。」

四

夫人の言葉は、信一郎を唖然たらしめた。彼は呆気に取られて、夫人の美しい冷やかな顔を見詰めていた。どんな妖婦でも、昔の毒婦伝に出て来るような恐ろしい女でも、自分を恨んで死んだ男の遺書を、こうまで冷酷に評し去る勇気はないだろう。自分を恨んでいる、血に滲んだ言葉を自惚れと我儘だと云って評し去る女はないだろう。

が、一時の驚きが去るとともに、信一郎の心に残ったものは、夫人に対する激しい憎悪だった。女ではない。人間ではない。女らしさと、人間らしさとを失った美しい怪物である。その人を少しでも人間らしく考えた自分が、間違っていたのだ。彼は心の中の憎悪を吐き捨てるように云った。

「いやもう、なにも言いたくありません。貴女は、貴女のお考えで、男性を弄ぶことをおつづけなさい！　そのうちに、純真な男性の怒りが、貴女を粉微塵に砕く日が来るでしょう。」

信一郎は、床を踏み鳴らさんばかりに、激昂しながら、叫んだ。

が、信一郎が激すれば、激するほど、夫人は冷静になっていった。彼女は、冷たい冷笑をさえ頬の辺りに、浮べながら、落ち着き返って云った。

「男性を弄ぶ！　貴君は、女性が男性を弄ぶことを、そんなに恐ろしい罪悪のように考えていらっしゃるのですか。だから、妾が男性の我儘だと云うのですわ。もし、男性を弄ぶ女性を、純真な男性の怒りが、粉微塵に砕くとしたなら、今の世間の大抵の男性は、純真な女性の怒りによって、粉微塵に砕かれる資格があるでしょう、貴君だって、貴君の純真な奥さんのお心の前に、少しも、恥かしいと思うことはありませんか、貴君が妾の良心にお訴えになったように、妾も貴君の良心に、それを伺いたいと思いますの。」

夫人の態度は、明らかに熱していた。赤く熱するというよりも、白く冷たくしかも極度に熱していた。

「女性が男性を弄ぶと貴君方男性は、すぐ妖婦だとか毒婦だとか、あらん限りの悪名を浴びせかける。貴君などは、眼の色を変えてまで、叱責なさろうとする。が、御覧なさい！　世間の男性がどんなに女性を弄んでいるかを。女性が男性を弄ぶに致しましたところで、それは男性の浮動し易い心を、弄ぶのにすぎないじゃありませんか。男性が女性を弄ぶ場合は、心も肉体も、名誉も節操も、蹂躙し尽すじゃありませんか。眼にこそ見えませんが、この世間には男性に弄ばれた女性の生きた惨たらしい死骸が、幾つ転がっているかも分りません。貴君の眼の前にいる女性なども、案外にもそうした生きた死骸の一つだか分りませんよ。」

夫人の美しい眸は爛々と輝いた。その美しい声は、烈しい熱のために、顫えていた。

「男性は女性を弄んでよいもの、女性は男性を弄んでは悪いもの、そんな間違った男性本位の道徳に、妾は一身を賭しても、反抗したいと思っていますの。今の世の中では、国家までが、国家の法律までが、社会のいろいろな組織までが、そうした間違った考え方を、助けているのでございますもの。御覧なさい！　世の中には、お女郎屋だとか待合だとかお茶屋だとか、男性が女性を公然と弄ぶ機関が存在しているのですもの。そういうものを国家が許し、法律が認めているのですもの。また、そういうものが存在している世の中に、住みながら、教育家とか思想家などという人達が、晏然として手を拱いているのですもの。女性ばかりに、貞淑であれ！　節操を守れ！　男性を弄ぶな！　そんなことを、いくら口を酸くして説いても、妾はそれを男性の得手勝手だと思いますの。

男性の我儘だと思います。ちょうどこの青木さんのノートが、男性の我儘を示しているように。」

虐げられたる女性全体の、反抗の化身であるように、夫人の態度は、跳ね返る竹の如き鋭さを持っていた。

五

夫人は、心の中に抑えに抑えていた女性としての平生の鬱憤を、一時に晴らしてしまうように、烈しく迸る火花のように喋り続けた。

「人が虎を殺すと狩猟と云い、紳士的な高尚な娯楽としながら、虎がたまたま人を殺すと、兇暴とか残酷とかあらゆる悪名を負わせるのは、人間の得手勝手です。我儘です。ちょうどそれと同じように、男性が女性を弄ぶことを、当然な普通なことにしながら、社会的にも妾だとか、芸妓だとか、女優だとか娼婦だとか、弄ぶための特殊な女性を作りながら、反対にたまたま一人か二人かの女性が男性を弄ぶと妖婦だとか毒婦だとか、あらゆる悪名を負わせようとする。それは男性の得手勝手です。我儘です。妾は、そうした男性の我儘に、一身を賭して反抗してやろうと思っていますの。」

彼女は、ちょっと言葉を途切らせてから、

「青木さんとのことだって、そうでございますわ。貴君などは、すべての責任を妾に負わせようと遊ばす。妾が、清浄無垢な青木さんを迷わしたようなことをお云いになる。が、あの時計だって、妾が青木さんに、どうかお受け取りになって下さいと云って、差し出したものじゃあございませんわ。青木さんが、幾度もくれくれと仰しゃったから差し上げたのよ。だから、自分がおねだりなすったことなどは、ちっとも書いておありにならないのですもの。だから、自惚れが強くって我儘だと申したのですわ。またあの方が、いくら自殺をすると書いておありになっても、それはあの方の詠嘆にすぎませんわ。もし、自動車が転覆しなかったら、あの方は今日あたりは、妾の客間へお見えになったかも知れませんよ。またたとい自殺の決心が、本当でおありになったとしても、それを妾一人の責任のように、御解釈なさることは、御免蒙りたいと思いますわ。だって、あの方の性格の弱さに対してまで、妾は責任を持ちたくありませんもの。妾との戯恋のちょっとした幻滅で、自殺をなさるような方は、男子としての生存的意志を、持っていないと申し上げてもいいのですもの。妾とのいきさつで、自殺なさらなくっても、またなにか別なことで、すぐ自殺してしまう方ですもの。」

信一郎は、夫人の言葉を聴いているうちに、それを夫人の捨鉢な不貞腐れの言葉ばかりだとは、聞きながされなかった。彼は、その美しい夫人のうちに、いかなる男性にも劣らないような、鋭い理智と批判とを持った一個の新しい女性、いかなる男性とも、精神的に戦い得るような新しい強い女性を認めたのである。

彼の夫人に対する憎悪は、三度四度目に、またある尊敬に変っていた。旧道徳の殻を踏み躙っている夫人を、古い道徳の立場から、非難していた自分が、かなり馬鹿らしいことに気が付いた。

夫人の男性に対する態度は、彼女の淫蕩な動機からでもなく、彼女の妖婦的な性格からでもなく、もっと根本的な主義から思想から、萌しているのだと思った。

「妾、男性がしてもよいことは、女性がしてもよいということを、男性に思い知らしてやりたいと思いますの。男性が平気で女性を弄ぶのなら、女性も平気で男性を弄び得ることを示してやりたいと思いますの。妾、一身を賭して男性の暴虐と我儘とを懲してやりたいと思いますの。男性に弄ばれて、綿々と恨みを懐いている女性の生きた死骸のために復讐をしてやりたいと思いますの。本当に妾だって、生きた死骸のお仲間かも知れませんですもの。」

そう云いながら、夫人はちょっと頭をうなだれた。緊張しきっていた夫人の顔に、悲しみの色が、サッと流れた。

六

物凄いと云ってよいか、死身と云ってよいか、とにかく、烈々たる夫人の態度は、信一郎の心をかなり振盪した。

これほどまで、深い根拠から根ざしている夫人の生活を、慣習的な道徳の立場から、非難しようとした自分の愚かさを、信一郎はしみじみと悟ることが出来た。夫人をして彼女の道を行かしめるほかはない。たとい、その道が彼女を、どんな深淵に導こうとも、それは彼女にとって覚悟の前のことに違いない。多くの男性を翻弄した報いのために、たとい彼女自身を亡ぼすとも、それは、彼女としては、主義に殉ずることであり、男性に対する女性の反抗の犠牲となることなのだ。

「いや！　奥さん、僕は貴女のお心が、初めて解ったように思います。僕はそのお心に賛成することは出来ませんが、理解することは出来ます。貴女に忠告がましいことを言ったのを、お詫びします。貴女が、一身を賭して、貴女の思い通り、生活なさることを、他からかれこれ云うことの愚かさに気が付きました。が、奥さん、僕は、今お暇する前に、たった一つだけお願いがあるのです。聴いて下さるでしょうか。」

「どんなお願いでございましょうか。妾にも出来ることでございましたら。」

信一郎が夫人の本心を知ってから、かなり妥協的な心持になっているにも拘わらず、夫人の態度の険しさは、少しも緩んでいなかった。

「ほかでもありません。先刻も申しました通り、青木君の弟だけを、貴女の目指す男性から除外していただきたいと思うのです。青木君の死をまざまざと知っているだけ、あの方の弟までが、貴女の客間に出入りすることは、僕の心を暗くするのです。青木君の死の責任がどちらにありましょうとも、青木君が貴女を恨んで死んだ以上、青木君の弟に対してだけは、慎んでいただきたいと思うのです。」

「貴君(あなた)は、御忠告をなさらないと云う口の下から、またそういうことを仰しゃっていらっしゃるのですね。」そう云いながら、さすがに夫人はちょっと苦笑ともなく微笑ともなく笑った。「自分の生活だけを自分の思い通りにしようとするものは、利己主義ではない、他人の生活をまで、自分の思い通りにしようとするものこそ、本当の利己主義だと、ある人が申しましたが、貴君などこそ、本当の利己主義でいらっしゃいますわね。青木さんの弟が妾(わたくし)を慕っていらっしゃるとする。そう仮定したとしても、それがあの方としては、一番本当の生活じゃございませんでしょうかしら。それが、あの方として一番本当の生き方じゃございませんかしら。そういう他人の真剣な生活を、貴君が傍(はた)から心配なさることは少しもないと思いますわ。妾のために、あの方が、一身を犠牲にするようなことがあったとしても、あの方としては一番本当の生き方をしたということになりは致しませんでしょうか。」

夫人の考え方は、すべての妥協と慣習とを踏み躙っていた。

「果してそんなものでしょうか。僕は断じてそうは思いません。」

信一郎はかなり激しく、抗議せずにはいられなかった。

「それは、銘々の考え方の違いですわ。妾(わたくし)は、妾の考え方によって生きる自由を持っています。」

夫人は、この長い激論を打ち切るように云った。

「そうです。それはそうかも知れません。が、貴女(あなた)が貴女の考えによって生きる自由があるように、僕も僕の考えを実行する自由を主張するのです。奥さん！　青木君の弟を、あなたの脅威から救うことに、僕は相当の力を尽すつもりです。それは死んだ青木君に対する僕の神聖な義務だと思うのです。」

「どうか、御随意に。」夫人は、冷然と云った。

「青木さんの弟にとっては、本当に有難迷惑だとは思いますが、しかし止むを得ませんわ。貴君が躍起になった御忠告が、あの方の妾に対するお心を、どのくらい醒まさせるか、ゆっくり拝見したいと思いますわ。」

夫人は、最後の止めを刺すように、高飛車に冷然と笑いながら、云い放った。

初恋

一

瑠璃子夫人は、あの太陽に向って、豪然と咲き誇っている向日葵に譬えたならば、それとは全く反対に、鉢の中の尺寸の地の上に、楚々として慎しやかに花を付けるあの可憐な雛罌粟の花のような女性が、夫人の手近にいることを、人々は忘れはしまい。それは云うまでもなく、かの美奈子である。

父の勝平が死んだとき十七であった美奈子は、今年十九になっていた。その丸顔の色白の面は、処女そのものの象徴のような、浄さと無邪気とをもって輝いていた。

男性に対しては、何の真情をも残していないような瑠璃子夫人ではあったが、彼女は美奈子に対しては母のような慈愛と姉のような親しさとを持っていた。

美奈子もまた、彼女の若き母を慕っていた。殊に、兄の勝彦が父に対する暴行の結果として、警察の注意のため、葉山の別荘の一室に閉じ込められたために、彼女の親しい肉親の人々をすべて彼女の周囲から、奪われてしまった寂しい美奈子の心は、自然若い義母に向っていた。若き母も、美奈子を心の底から愛した。

二人は、過去の苦い記憶を悉(ことごと)く忘れて、本当の姉妹のように愛し合った。瑠璃子が、勝平の死んだ後も、荘田家に止まっているのは、一つは、美奈子に対する愛のためであると云ってもよかった。この可憐な少女と、その少女の当然受け継ぐべき財産とを、守ってやろうという心も、無意識のうちに働いていたといってもよかった。

従って瑠璃子は、美奈子を処女らしく、女らしく慎しやかに育てて行くために、かなり心を砕いていた。彼女は彼女自身の放縦な生活には、決して美奈子を近づけなかった。彼女を追う男性が、蠅のように蒐まって来る客間(サロン)には、決して美奈子を近づけなかった。

従って、美奈子は母の客間に、どんな男性が蒐まって来るのか、顔だけも知らなかった。無論紹介されたことなどは、一度もなかった。ただ門の出入などに、そうした男性と、擦れ違うことなどはあったが、ただ軽い黙礼のほかは口一つ利かなかった。

母が日曜の午後を、華麗な客間(サロン)で、多くの男性に囲まれて、女王のように振舞っているのをよそに、美奈子は自分の離れの居間に、日本室の居間に、気に入りの女中を相手に、お琴や挿花のお復習(さらい)に静かな半日を送るのが常だった。

時々は、客間に於ける男性の華やかな笑い声が、遠く彼女の居間にまで、響いて来ることがあったが、彼女の心は、そのために微動だにもしなかった。そうした折など、女

中達が、瑠璃子夫人の奔放な、放恣な生活を非難するように、

「まあ！　大変お賑やかでございますわね。奥様もお若くていらっしゃいますから。」

などと、美奈子の心を察するように、忠勤ぶった蔭口を利く時などには、美奈子は、その女中をそれとなく窘めるのが常だった。

が、日曜の午後を、彼女はもっと有意義に過すこともあった。それは、青山にある父と母とのお墓にお参りすることであった。

彼女は、女中を一人連れて、晴れた日曜の午後などを、わざと自動車などに乗らないで、青山に父母の墓を訪ねた。

彼女は夢のような幼い時の思い出などに耽りながら、一時間にも近い間、父母の墓石の辺りに低徊していることがあった。

六月の終りの日曜の午後だった。その日は死んだ母の命日に当っていた。彼女は、女中を伴って、いつものようにお墓参りをした。

墓地には、初夏の日光が、やや暑くるしいと思われるほど、輝かしく照っていた。墓地を劃っている生籬の若葉が、スイスイと勢いよく延びていた。美奈子は裏の庭園で、切って来た美しい白百合の花を、右手に持ちながら、懐しい人にでも会うような心持で、墓地の中の小道を幾度も折れながら、父母の墓の方へ近づいて行った。

二

晴れた日曜の午後の青山墓地は、そこの墓石の辺にも、かしこの生籬のうちにも、お墓詣りの人影が、チラホラ見えた。

清々しく水が注がれて、線香の煙が、白くかすかに立ち昇っているお墓なども多かった。

小さい子供を連れて、亡き夫のお墓に詣るらしい若い未亡人や、珠数を手にかけた大家の老夫人らしい人にも、行き違った。

荘田家の墓地は、あの有名なN大将の墓から十間と離れていないところにあった。美奈子の母が死んだ時、父は貧乏時代を世帯の苦労に苦しみ抜いて、碌々夫の栄華の日にも会わずに、死んで行った糟糠の妻に対する、せめてもの心やりとして、ここに広大な墓地を営んだ。無論、自分自身も、妻の後を追うて、すぐそこに埋められるということは夢にも知らないで。

亡き父の豪奢は、周囲を巡っている鉄柵にも、四辺の墓石を圧しているような、一丈に近い墓石にも偲ばれた。

美奈子は、女中が水を汲みに行っている間、父母の墓の前に、じっと蹲りながら、心のうちで父母の懐しい面影を描き出していた。世間からは、いろいろに悪評も立てられ、成金に対する攻撃を、一身に受けていたような父ではあったが、自分に対しては、世にかけ替えのない優しい父であったことを思い出すと、いつものように、追慕の涙が、ホロホロと止めどもなく、二つの頬を流れ落ちるのだった。

女中が、水を汲んで来ると、美奈子は、その花筒の古い汚れた水を、涭え乾してから、新しい水を、なみなみと注ぎ入れて、剪り取ったままに、まだ香りの高い白百合の花を、挿入れた。こうしたことをしていると、いつの間にか、心が清浄に澄んで来て、父母の霊が、遠い遠い天の一角から、自分のしていることを、微笑みながら、見ていてくれるような、頼もしいような懐しいような、清々しい気持になっていた。

美奈子は、花を供えた後も、じっと蹲ったまま、心の中で父母の冥福を祈っていた。微風が、そよそよと、向うの杉垣の間から吹いて来た。

「ほんとうに、よく晴れた日ね。」

美奈子は、やっと立ち上りながら、女中を見返ってそう云った。

「さようでございます。ほんとうに、雲の片一つだってございませんわ。」

そう云いながら、女中は眩しそうに、晴れ渡った夏の大空を仰いでいた。

「そんなことないわ。ほら、あすこにかすったような白い雲があるでしょう。」

美奈子も、空を仰ぎながら、晴々しい気持になってそう云った。が、美奈子の見附けたその白いかすかな雲の一片を除いたほかは、空はほがらかにどこまでも晴れ続いていた。

「今日は余りいいお天気だからすぐ帰るのは惜しいわ。ぶらぶら散歩しながら、帰りましょう。」

そう云いながら、美奈子は女中を促して、懐しい父母の墓を離れた。

いつもは、歩き馴れた道を、青山三丁目の停留場に出るのであったが、その日は清い墓地内を、当てもなくぶらぶら歩くために、わざと道を別な方向に選んだ。

自分の家の墓地から、三十間ばかり来たときに、美奈子はふと、美しく刈り込まれた生籬に囲まれた墓地の中に、若い二人の兄妹（きょうだい）らしい男女が、お詣りしているのに気が付いた。

美奈子は、軽い好奇心から、二人の容子をかなり注意して見た。兄の方は、二十三四だろう。銘仙らしい白い飛白（かすり）に、袴を穿（は）いて麦藁の帽子を被った、スラリとした姿が、どことなく上品な気品を持っていた。妹はと見ると、まだ十五か十六だろう、青味がかった棒縞のお召（めし）にカシミヤの袴を穿いた姿が、質素な周囲と反映してあざやかに美しかった。

美奈子達が、段々近づいてその墓地の前を通り過ぎようとしたとき、ふと振り返った妹は、美奈子の顔を見ると、微笑を含みながら軽く会釈した。

三

妹らしい方から会釈されて、奈美子も周章てながら、それに応じた。が、相手が誰だか、容易に思い出せなかった。長い睫に掩われたその黒い眸を、どこかで見たことのあるように思った。が、それがどうしても美奈子には思い出せなかった。

「人違いじゃないのかしら。」

そう思って、美奈子はちょっと顔を赤くした。

が、美奈子がその墓地の前を通り過ぎようとして、二度その兄妹らしい男女を見返ったとき、今度は兄の方が、美奈子の方を振り返っていた。恐らく妹が、挨拶したので、ちょっとした興味を持ったためだろう。美奈子の眸は、当然その青年の顔を、正面から見た。その刹那美奈子は、若い男性と、咄嗟に顔を見合わした恥しさに、弾かれたように、顔を元に返した。

それはホンの一瞬の間だった。が、その一瞬の間に一目見た青年の顔は、美奈子の心に、名工が鑿を振ったかのように、ハッキリと刻み付けられてしまった。

彼女は、今まで異性の顔に、自分から注意を向けたことなどは、ほとんどなかった。が、今見た青年の顔は、彼女の注意のすべてを、支配するような不思議な魅力を持っていた。

白いくっきりとした顔、妹によく似た黒い眸、凜々しく引きしまった唇、顔全体を包んでいる上品な匂い。

お墓参りの後の、澄み渡ったような美奈子の心持は、たちまち擾されてしまった。彼女ののんびりとしていた歩調は、急に早くなった。彼女の心は、強い力で後へ引かれながら、身体だけは、彼女の意志とは反対に、前へ前へと急いでいた。ちょうど、恐ろしいものからでも逃れるように。

彼女の擾れていた心が、だんだん和んで来るのに従って、先刻妹の方から受けた挨拶のことを、考えていた。先方は、自分を知っているに違いない。少くとも、妹の方だけは、自分を知っていてくれるに違いない。が、そうは思ってみるものの、妹が誰であるかどうしても思い出されなかった。

が、通り過ぎた時に、チラと見たところによると、二人が、つい近く失ったばかりの肉親のお墓詣りをしていたことだけは、明らかだった。幾本も立っている卒都婆が、どれもこれも墨の匂いが新しかった。

美奈子は、知人の家で、最近に不幸のあった家を、それからそれと数えてみた。が、どうしても兄妹の所属は判らなかった。

妹の方が、人違いをしたのかも知れない。そう思うことは美奈子は、何だか淋しかった。やっぱり、こちらが思い出せないのだ。そのうちには、またきっとあの人達と顔を合わせる機会があるに違いない。きっと機会が来るに違いない。

「お嬢様！　どっちへいらっしゃるのでございます？」

そう云って呼び止める女中の声に驚いて、美奈子が我に帰ると、美奈子は右に折れるべき道を、ズンズン前へ、出口のない小径の方へと、進んでいるところだった。

「そちらへいらっしゃいますと突き当りでございますよ。」

そう言いながら、女中は笑った。

「おや！　おや！　妾ぼんやりしていたわ。」

美奈子も、てれかくしに笑った。

二人はいつの間にか霞町の方へ近づいていた。

「霞町から乗って、青山一丁目で乗換えすることにいたしましょうか。」

女中の発議に委したように、美奈子は黙って霞町の方へ、だらだらした坂を降っていた。心の中では、まだ一心に、妹の顔と兄の顔とを等分に考えながら。

塩町行の電車の昇降台の棒に、美奈子が手をかけたとき、彼女は低く、

「ああそうそう！」と、自分自身に言った。

彼女は、やっと妹を思い出した。お茶の水で確か三年か二年か下の級にいた人だ。そうそう！　さっき見たときバンドをしていたのをスッカリ忘れていた。向うではこっちの顔だけを覚えていてくれたのだ。そう思うと、美奈子は兄妹に対してひとしおなつかしい心が湧いて来た。

四

少女の顔だけは、やっと思い出したけれども、名前はどうしても思い出せなかった。家へ帰ってからも、美奈子は、お茶の水にいた頃の校友会雑誌の『校報』などを拡げて、それらしい名前を、思い出そうとしたけれども、やっぱり徒爾(むだ)だった。

自分ながら、どうしてあの兄妹に、不思議に心を惹かされるのか、美奈子には分らなかった。が、兄の方の白い横顔や、妹の会釈した時の微笑などがどうしても忘れられなかった。自分にも、あんなに親しい兄があったら、もう少し普通の人間であったら、などと取り止めもないことを、考えながら、やっぱり忘れられないのは、一目顔を見合わせただけの兄妹だった。否、本当に忘れられないのは、兄の方一人だけだったかも知れない。ただ兄を想い出すごとに、妹は影の形に伴うごとく、彼女の記憶のうちに、甦って来るのかも知れなかった。異性の兄の方だけを考えることは、彼女の慎しい処女性が、彼女自身にそれを許さなかった。彼女は、自身でも兄妹のことを考えているように、言い訳しながら、本当は兄だけのことを考えていたのかも知れなかった。

美奈子は、兄の方の美しい凛々しい姿を、心のうちで、じっと嚙みしめるように、想い出しているとほのぼのと夜の明けるように、心のうちに新しい望みや、新しい世界が開けて行くように思った。今まで夢にも知らなかったような、美しい世界が開けて行くように思った。

が、それと一緒に、兄妹の名前が、ハッキリと知れないことが、寂しかった。あの時に、偶然逢ったばかりで、今後永く永く、否一生逢わずに終るのではないかと思ったりすると、淡い摑みどころのないような寂しさが、彼女の心を暗くしてしまうのだった。否彼女の心の彼女は、新しい望みと、寂しさとを一緒に知ったと云ってもよかった。

美奈子は、以前よりも温和しい、以前よりも慎しい少女になっていた。

そのうちに、彼女の心にも、少女らしい計画が考えられていた。そうだ！　この次の日曜にも、お墓詣りをしてみよう。もし、あの新しい墓の主が、兄妹にとって親しい父か母かであったならば、この次の日曜にも二人はきっと、お詣りをしているのに違いない。

そう考えて来ると、美奈子には次の日曜が廻って来るのが、一日千秋のように、もどかしく待たれた。

が、待たれたその日曜が来て見ると、昨夜からの梅雨らしい雨が、じめじめと降っているのだった。

「今日はお墓詣りに行こうと思っていたのですけれども。」

美奈子は、朝母と顔を見合わすと、運動会の日を雨に降られた少女か何かのように、滾すように言った。瑠璃子には美奈子の失望が分らなかった。

「だって！　美奈さんは、前の日曜にもお詣りしたのじゃないの。」

「でも、今日も何だか行きたかったの。妾楽しみにしていたのです。」

「そう！　じゃ、自動車で行って来てはどう。自動車を降りてから、三十間も歩けばいいのですもの。」

瑠璃子は、優しく言った。

「でも！」そう言って、美奈子は口籠った。

雨を衝いてでも、風を衝いてでも、自分は行ってもいい。が、先方は？　そう思うと、美奈子は寂しかった。普通にお墓詣りをする人が、こんな雨降りの日に出かけて来る訳はない。そう思って来ると、雨降りにでも行こうという自分の心、否お墓詣りということを、ダシに使おうとしている自分の心が、美奈子は急に恥しくなった。彼女は、われにもあらず顔を赤くした。

「おや！　美奈さん。何がそんなに恥しいの。お墓詣りするのが、そんなに恥しいの？」

明敏な瑠璃子は、美奈子の表情を見逃さなかった。

「あら！　そうではありませんわ。」

と、美奈子は周章て、打ち消したが、彼女の素絹のように白い頬は、耳の附根まで赤くなっていた。

五

その次の日曜は、珍しい快晴だった。洗い出したような紺青色(ウルトラマリン)の空に、眩しい夏の太陽が輝かしい光を、一杯に漲(みなぎ)らしていた。

美奈子は、朝眼が覚めると、寝床(ベッド)の白いシーツの上に、緑色の窓掩(カーテン)を透して、朝の朗らかな光が、戯れているのを見ると、急に幸福な感じで、胸が一杯になった。今日は何だか、楽しい嬉しい出来事に出逢いそうな気がした。彼女は、いそいそとして、床を離れた。

午前中は、いろいろなことが手に付かなかった。母に勧められて、母のピアノにヴァイオリンを合せたけれども、美奈子はいつになく幾度も幾度も弾き違えた。

「美奈さんは、今日はどうかしているじゃないの?」と、母から心のうちの動揺を、見透されると、美奈子の心は、いよいよ擾(みだ)されて、とうとう中途で合奏を止めてしまった。

午後になるのを待ち兼ねたように、美奈子はお墓詣りに行くための許しを、母に乞うた。いつもはあんなに気軽に、口に出せることが、今日は何だか、云いにくかった。

墓地は、いつものように静かだった。時候がもうスッカリ夏になったためか、この前来たときのように、お墓詣りの人達は多くはなかった。が、周囲は、静寂であるのにも拘わらず、墓地に一歩踏み入れると同時に、美奈子の心は、ときめいた。何だか、そわそわとして、足が地に付かなかった。恐いような怖ろしいような、それでいて浮き立つような唆られるような心地がした。

父母のお墓の前に、じっと蹲ったけれども、心持はいつものように、しんみりとはしなかった。こんな心持で、お墓に向ってはならないと、心で咎めながらも、妙に心が落ち着かなかった。

彼女は、平素とは違って、何かに周章てたように、父母の墓前から立ち上った。

「すみや、今日も霞町の方へ出てみない！」

美奈子は、ちょっと顔を赤らめながら何気ないように女中に云った。女中は黙って従いて来た。

美奈子の心は、一歩ごとにその動揺を増していった。彼女は墓石と墓石との間から、今にも麦藁帽の端か、妹の方のあざやかな着物が、チラリとでも見えはせぬかと、幾度も透して見た。が、その辺りは妙に静まり返って、人気さえしなかった。

彼女が、決心して足を早めて、心覚えの墓地に近づいて行ったとき、彼女の希望は、今朝からの興奮と幸福とは、煙のようにムザムザと、夏の大空に消えてしまった。

心覚えの墓地は、空しかった。新しい墓の前には、燃え尽きた線香の灰が残っているだけであった。供えた花が、凋れているだけであった。美奈子の心を、寂しい失望が一面に塞してしまった。

せめて墓に彫り付けてある姓名から、兄妹の姓名を知りたいと思った。が、生籬越しに見ただけでは、それがどうしても、確かめられなかった。それかといって、女中を連れている手前、それを確かめるために、墓地の廻りを歩いたりすることも出来なかった。美奈子は、満たされざる空虚を、心のうちに残しながら、寂しくその墓地の前を通り過ぎた。

彼女は、その途端ふと学校で習った『株を守って兎を待つ』と、いう熟語を思い出した。約束もしない人が、どうして一定の時日に、一定の場所に来ることがあるだろう。そう思って来ると、自分の子供らしさが、恥しいと同時に、寂しい頼りない気がした。あるいは、あれきりもう一生逢われない人かも知れない。

彼女は、怏々として、暗いむすぼれた心持で電車に乗った。今までは楽しく明るい世の中が、何だか急に翳って来たようにさえ思われた。

が、美奈子の乗った九段両国行の電車が、三宅坂に止まったとき、運転手台の方から、乗って来る人を見たとき、美奈子は思わずその美しい目を眸った。

六

美奈子が、駭いて目を眸ったのも、無理ではなかった。車内へツカツカと、這入って来て、彼女のすぐ斜め前へ腰を降ろしたのは、紛れもない、墓地で見たかの青年であった。美奈子が二週間もの間、よそながらもう一度見たいと思っていたあの青年であった。彼女は、一目見たばかりではあったが、上品なその目鼻立ちを見ると、すぐそれと気が付いた。

その青年に、つい目と鼻の位置に坐られると、美奈子は顔を赧めて、じっと俯いてしまう女だった。が、心のうちでは思った、何という不思議な偶然だろう。その人に逢えると思った場所では、逢えないで、悄然と帰って来る電車の中で、ヒョックリ乗り合わす。何という不思議な偶然だろう。そう思うと同時に、不思議な偶然の向うには、思いがけない幸福でもが、潜んでいるように思われて、先刻まで凋れかえっていた美奈子の心は、別人のように晴れやかに、弾んで来た。が、美奈子は顔を上げて、相手の顔を、じっと見詰めるだけの勇気はなかった。車台の床に投げられている彼女の視線には、青年が持っている細身の籐のステッキの尖端だけしか映っていなかった。

あの方は、自分の顔を覚えていてくれるかしら。美奈子はそんなことを、わくわくする胸で、取り止めもなく考えていた。とにかく、妹が挨拶をした以上、自分の顔だけぐらいは、覚えていてくれるかしら。覚えていてくれれば、どんなに幸福であろうかなどと思ったりした。

電車は、すぐ半蔵門で止った。もう、自分の家までは二分三分かの間である。動き出せばすぐ止る、わずかの距離であった。美奈子は、もっともっとこの電車に乗っていたかった。そうだ！　青年の乗っている限り、この電車に乗っていたいと思った。

彼女は、女中をそれとなく先へ降して、神田辺に買物があると云って、このままずっと乗り続けていようかと思ったりした。が、そうした大胆な計画をなすべく、彼女はあまりに純だった。

そのうちに、電車はもう半蔵門の停留場を離れていた。英国大使館の前の桜青葉の間を、勢いよく走っていた。美奈子は電車が、平素の二倍もの速力で走っているように思った。彼女は、最後の一瞥を得ようとして、思い切って顔を持ち上げた。青年は、この前見たときと同じような白い飛白の着物に絽セルらしい袴を穿いていた。近く見れば見るほど、貴公子らしい凜々しい面影が、美奈子の小さい胸を圧し付けるように、迫って来るのだった。美奈子は、この青年と向い合って坐りながら、もっともっと九段までも両国までも、いないなもっと遥かに遥かに遠い処まで、一緒に乗って行きたいような、切ない情熱が、胸に湧いて来るのをどうすることも出来なかった。このまま別れてしまうと、またいつ会われるか分らない。二年も三年も、いな一生もう二度と会われないのではあるまいかなどと思ったりすると、美奈子は、どうしても座席が離れられなかった。が、女中のすみやは、そんなことは少しも頓着しなかった。

五番町の停留場の赤い柱が見え出すと、主人よりも先に立ち上った。

「参りましたよ。」

彼女は主人を促すように云った。美奈子がそれに促されて、不承不承に席を離れようとしたときだった。降りそうな気勢などは、少しも見せなかった青年が、突然立ち上ると男らしい活潑さで、素早く車掌台へ出ると、まだ惰力で動いている電車から、軽くヒラリと飛び降りた。

「おや！」女中が、傍にいなかったら、彼女は駭いて声を出したかも知れなかった。

「御近所の方かしら。」そう思った美奈子は、電車を降りながら美しい眸を凝して、その後姿を見失うまいと、眼も放たず見詰めていた。

七

美奈子より先に、電車を飛び降りた青年は、その後姿を、じっと彼女から見詰められているとは少しも気が付かないように、籐の細身のステッキを、眩しい日の光のうちに、軽く打ち振りながら、グングン急ぎ足で歩いた。

美奈子は、一体この青年が、近所のどの家に入るのかと、わざと自分の歩調を緩めながら、青年の後姿を眼で追っていた。

その時に、彼女を駭かすような思いがけないことが、起った。

「おや！　あの方、家へいらっしゃるのじゃないかしら。」

美奈子は、思わずそう口走らずにはいられなかった。

九段の方へグングン歩いて行くように見えた青年は、美奈子の家の前まで行くと、だんだんその門に吸い付けられるように歩み寄るのであった。

青年は、門の前で、ホンの一瞬の間、佇立した。美奈子は、やっぱり通りがかりに、ちょっと邸内の容子を軽い好奇心から覗くのではないかと思った。が、佇んでちょっと何か考えたらしい青年は、思いきったように、グングン家の中へ入って行った。ステッキを元気に打ち振りながら。

「お客様ですわ、奥様の。」

女中は、美奈子の前の言葉に答えるように言った。

いかにも、女中の言う通り、母の客間を訪う青年の一人に違いないことが美奈子にも、もう明らかだった。

「お前、あの方知っているの？」

美奈子は、心のうちの動揺を押しかくすようにしながら、何気なく訊いた。

「いいえ！　存じませんわ。妾はお客間の方の御用をしたことが、一度もないのでございますもの。きくやなら、きっと存じておりますわ。」

きくやというのは、母に従いている小間使いの一人だった。

美奈子は、とにかくその青年が、自分の家に出入りしているということを知ったことが、かなり大きい欣びだった。自分の家に出入りしている以上、会う機会、知己になる機会が、いくらでも得られると思うと、彼女の小さい胸は、歓喜のために烈しく波立って行くのだった。が、それと同時に、母が前から、その青年と知り合っていること、その青年とお友達であることが、不思議に気になり出した。今までは、母がいくら若い男性を、その周囲に惹き付けていようとも、それは美奈子にとって、何の関係もないことだった。が、この青年までが、母の周囲に惹き付けられているのを知ると、美奈子は平気ではいられなかった。かすかではあるが、母に対する美奈子の純な濁らない心持が、揺ぎ始めた。

美奈子が、心持足を早めて、玄関の方へ近づいてみると、青年は取次が帰って来るのを待っているのだろう。そこに、ボンヤリ立っていた。

彼は不思議そうに、美奈子をジロジロと見たが、美奈子がこの家の家人であることに、やっと気が付いたとみえ、少し周章て気味に会釈した。

美奈子も周章てて頭を下げた。彼女の白いふっくりとした頬は、見る見る染めたように真赤になった。その時にちょうど、取次の少年が帰って来た。青年は待ち兼ねたようにその後に従いて入った。

美奈子が、玄関から上って、奥の離れへ行こうとして客間の前を通ったとき、一しきり賑やかな笑い声が、美奈子の耳を衝いて起った。今までは、そうした笑い声が、美奈子の心を擦りもしなかった。本当に平気に聞き流すことが出来た。が、今日はそうではなかった。その笑い声が、妙に美奈子の神経を衝き刺した。美奈子の心を不安にし、悩ました。あの青年と、自由に談笑している母に対して、羨望に似た心持が、彼女の心に起って来るのをどうともすることも出来なかった。

八

その日曜の残りを、美奈子はそわそわした少しも落ち着かない気持のうちに過さねばならなかった。かの青年が、自分の家の一室にいることが、彼女の心を掻き擾してしまったのだ。

今までは、一度も心に止めたことのない客間(サロン)の方が、絶えず心にかかった。青年が母に対してどんな話をしているのか、母が青年にどんな答をしているかといったようなことを、想像することが、彼女をますます不安にさせ、いらいらさせた。

彼女は、とうとう部屋の中に、じっと坐っていられないようになって、広い庭へ降りて行った。気を紛らすために、庭の中を歩いてみたいためだった。が、庭の中をあちらこちらと歩いているうちに、彼女の足はいつの間にか、だんだん洋館の方へ吸い付けられて行くのだった。彼女の眸は、時々我にもあらず、客間(サロン)の縁側(ヴェランダ)の方へ走るのを、どうともすることが出来なかった。その縁側(ヴェランダ)からは、時々思い出したように、華やかな笑い声が外へ洩れた。若い男性の影が、チラホラ動くのが見えた。が、その人らしい姿は、とうとう見えなかった。

大抵は、その日の訪問客を引き止めて、華美(はで)に晩餐を振舞う瑠璃子であったが、その日はどうしたのか、夕方が近づくと皆客を帰してしまって、美奈子とたった二人きり、小さい食堂で、平日のように差し向いに食卓についた。

その夜の瑠璃子は、これまでの通り、美奈子にとって母のような優しさと姉のような親しみとを持っていた。が、美奈子は母に、ホンのかすかではあるが、今までに持たなかったような感情を持ち始めていた。母の若々しい神々しいほどの美貌が、何となく羨ましかった。母が男性と、殊にあの青年と、自由に交際っているのが、何となく羨ましいように、妬ましいように思われて仕方がなかった。が、美奈子はそうしたはしたない感情を、グッと抑え付けることが出来た。彼女は平素の初々しい温和しい美奈子だった。

順々に運ばれる皿数の最後に出た独活を、瑠璃子夫人がその白魚のような華奢な指先で、摑み上げたとき、彼女は思い出したように美奈子に云った。

「ああそうそう！　美奈さんに相談しようと思っていたの。貴女この夏はどこへ行きましょうね。四五日のうちに、どこかへ行こうと思っているの。今日なんかもうかなり暑いのですもの。」

「妾、どこだっていいわ。貴女のお好きなところならどこだっていいわ。」美奈子は慎しくそう云った。

「軽井沢は去年行ったし、妾、今年は箱根へ行こうかしらと思っているの、今年は電車が強羅まで開通したそうだし、便利でいいわ」

「妾箱根へはまだ行ったことがありませんの。」

「それだとなおいいわ。妾温泉では箱根が一番いいと思うの。東京には近いし景色はいいし、じゃやっぱり箱根にしましょうね。明日でも、富士屋ホテルへ電話をかけて部屋の都合を訊き合わせましょうね。」

そう云って、瑠璃子は言葉を切ったが、すぐ何か思い出したように、

「そうそう、まだ貴女(あなた)にお許しを願わなければならぬことがあるの。女手ばかりだと何かに付けて心細いから、男のお友達の方に、一人一緒に行っていただこうかと思うの。貴女、かまわなくって?」

「かまいませんとも。」美奈子はそう答えた。もし、昨日の美奈子であったら、それをもっと自由に快活に答えることが出来たであろう。が、今の美奈子はそう答えるとともに、胸が怪しく擾れるのを、どうともすることが出来なかった。

「温和しい学生の方なの。いろいろな用事をして貰うのにいいわ。」

瑠璃子は、いかにもその学生を子供扱いにでもしているような口調で云った。

学生と聴くと、美奈子の胸は更に烈しく波立った。押えきれぬ希望と妙な不安とが、胸一杯に充ち満ちた。

箱根行

一

「御機嫌よく行ってらっしゃいませ。」

玄関に並んだ召使い達が、口を揃えて見送りの言葉を述べるのを後にして、美奈子達の乗った自動車は、門の中から街頭へ、滑らかにすべり出した。

乾燥した暑い日が、四五日も続いた七月の十日の朝だった。自動車の窓に吹き入って来る風は、それでもやや涼しかったが、空には午後からの暑気を思わせるような白い雲が、あちこちにムクムクと湧き出していた。

美奈子は、母と並んで腰をかけていた。前には、母の気に入りの小間使いと自分の附添いの女中とが、窮屈そうに腰をかけていた。

美奈子は、母から箱根行のことを聴かされてから、母が一緒に伴って行くという青年のことが、絶えず心にかかっていた。が、母の方からはそれ以来、青年のことは何とも口に出さなかった。母が口に出さない以上、美奈子の方から切り出して訊くことは、内気な彼女には出来なかった。

出立の朝になっても、青年の姿は見えなかった。美奈子は、母が青年を連れて行くことを中止したのではないかとさえ思った。そう思うと美奈子は、失望したような、何となく物足りないような心持になった。

自動車が、日比谷公園の傍のお濠端を走っている時だった。美奈子は、やっと思い切って母に訊いてみた。

「あの、学生の方とかをお連れするのじゃなかったの？」

瑠璃子は、初めて気が付いたように云った。

「そうそう。あの方を美奈さんに紹介しておくのだったわ。貴女まだ御存じないのでしょう。」

「はい！　存じませんわ。」

「学習院の方よ。時々制服を着ていらっしゃることがあってよ。気が付かない！」

「いいえ！　一度もお目にかかったことありませんわ。」

「青木さんという方よ。」

母は何気ないように云った。

「青木さん！」美奈子はちょっと駭いたように云った。「その方はこの間、亡くなられたのではございませんの。」

美奈子も、母の男性のお友達の一人なる青木某が、横死したということは、薄々知っていた。

「いいえ！　あの方の弟さんよ。兄さんは、帝大の文科にいらしったのよ。」

ここまで聴いたとき美奈子にはもうすべてが、判っていた。この旅行の同伴者が、何人であるかがもうハッキリと判った。新しく兄を失った青木という青年が、彼女が青山墓地で見たその人であることに、もう何の疑いも残っていなかった。

美奈子の心は、嵐の下の海のように乱れ立った。かの青年と、少くとも向う一箇月間一緒に暮すということが、彼女の心を、取り乱させるのに十分だった。それは嬉しいことだった。が、それは同時に怖しいことだった。それは、楽しいことだった。が、それは同時に烈しい不安を伴った。

美奈子の心の大きな動揺を、夢にも知らない瑠璃子夫人は、その真白な腕首に喰い入っている時計を、チラリと見ながら独言のように呟いた。

「もう、九時だから、青木さんはきっと来ていらっしゃるに違いないわ。」

そうだ！　青年は、停車場で待ち合わせる約束だったのだ。もう、二三分の後にその人と面と向って立たねばならぬかと思うと、美奈子の心は、とりとめもなく乱れて行くのだった。

が、美奈子は少女らしい勇気を振い起して、自分の心持を纏めようとした。あの青年と会っても、取り乱すことのないように、出来るだけ自分の心持を纏めておこうと思った。美奈子の心持などに、何の容赦もない自動車は、彼女の心が少しも纏まらないうちに、もう彼女を東京駅の赤煉瓦の大きい建物の前に下していた。

二

美奈子らの自動車の着くのを、さっきから待ち受けていたかのように、駅の群衆の間から、五六人の青年紳士が、自動車から降り立ったばかりの、瑠璃子夫人の周囲を取り囲むのであった。

「お見送りに来たのですよ。」

皆は、口を揃えて云った。

夫人は軽い快い駭きを、顔に表しながら云った。

「おや！　どうして御存じ？」

「ははは、お駭きになったでしょう。お隠しになったって駄目ですよ。我々の諜報局には、奥さんのなさることは、スッカリ判っているのですからね。」

外交官らしい、霜降りのモーニングを着た三十に近い紳士が、冗談半分にそう云った。

「それは驚きましたね、小山さん！　貴君間諜でも使っているのじゃないの？　おッほほほ。」

夫人も華やかに笑った。

「使っておりますとも。女中さんなんかにも、気を許しちゃいけませんよ。」

「じゃ！　行先も判って？」

「判っていますとも。箱根でしょう。しかも、お泊りになる宿屋まで、ちゃんと判っているのです。」

今度は、長髪に黒のアルパカの上着を着て、ボヘミアンネクタイをした、画家らしい男が、そう附け加えた。

「おや！　おや！　誰が内通したのかしら？」

夫人は、当惑したらしい、その実は少しも当惑しないらしい表情でそう答えた。

若い男性に囲まれながら、彼らを軽く扱っている夫人の今日の姿は、またなく鮮やかだった。青磁色の洋装が、そのスラリとした長身に、ピッタリ合っていた。極楽鳥の翼で飾った帽子が、その漆のように匂う黒髪を掩うていた。大粒の真珠の頸飾りが、彼女自身の象徴のように、その白い滑らかな豊かな胸に、垂れ下っていた。

平素見馴れている美奈子にさえ、今日の母の姿は一段と美しく見えた。駅の広間に渦巻いている群衆の眼も、一度は必ず夫人の上に注がれて、彼らが切符を買ったり手荷物を預けたりする忙しい手を緩めさせた。

美奈子は、母を囲む若い男性を避けて、一間ばかりも離れて立っていた。彼女は、最初その男達の間に、あの青年のいないのを知った。ちょっと期待が外れたような、安心したような気持になっていた。そのうちに、母を見送りの男性は、一人増え二人加わった。が、かの青年はいつまで待っても見えなかった。その男性達は、美奈子の方には、ほとんど注意を向けなかった。ただ美奈子の顔を、よそながら知っている二三人が軽く会釈しただけだった。

「奥さん！　まだ判っていることがあるのですがね。」

しばらくしてから、紺の背広を着た会社員らしい男が、おずおずそう云った。

「何です？　仰しゃって御覧なさい。」

夫人は、微笑しながら、しかも言葉だけは、命令するように云った。

「云ってもかまいませんか。」

「かまいませんとも。」

夫人は、ニコニコと絶えず、微笑を絶たなかった。

「じゃ申し上げますがね。」彼は、夫人の顔色を窺いながら云った。「青木君を、お連れになるというじゃありませんか。」

それに附け加えて、皆は口を揃えるように云った。

「どうです、奥さん。当ったでしょう。」

皆の顔には、六分の冗談と四分の嫉妬が混じっていた。

「奥さん、いけませんね。貴女は、皆に機会均等だと云いながら、青木君兄弟にばかり、いやに好意を持ち過ぎますね。」

小山という外交官らしい男が、冗談半分に抗議を云った。

美奈子は、母が何と答えるか、じっと聞耳を立てていた。

三

「まあ！　青木さんを連れて行くって。嘘ばっかり。青木さんなんか、まだ兄さんの忌も明けていないくらいじゃありませんか。」

瑠璃子夫人は、事もなげに打ち消した。美奈子は、母が先刻自分に肯定したことを、こうも安々と、打ち消しているのを聴いたとき、内心少からず驚いた。自分に対してはかなり親切な、誠意のある母が、こうも男性に向っては白々しく出来ることが、かなり異様に聞えた。

「忌もまだ明けないだろうって。奥さんにも似合わない旧弊なことを仰しゃるのですね。忌ぐらい明けなくったって、いいじゃありませんか。殊に、奥さんと一緒に行くんだったら、死んだ兄さんだって、冥土で満足しているかも知れませんよ。死んだ青木淳君の瑠璃子夫人崇拝は人一倍だったのですからね。あの男の貴女に対する態度は、狂信に近かったのですからね。」

長髪の画家が、ちょっと皮肉らしく言った。

夫人は、美しい顔を、少し曇らせたようだったが、すぐ元の微笑に返って、

「まあ！　何とでも仰しゃいよ。でも青木さんのいらっしゃらないのは本当よ。論より

証拠青木さんは、お見えにならないじゃありませんか。」

「奥さん！　そんなことは、証拠になりませんよ。発車間際に姿を現して、我々がアッと言っている間に、汽笛一声発車してしまうのじゃありませんか。貴女のなさることは、大抵そんなことですからね。」

このうちで、一番年配らしい三十二三の夏の外套を着た紳士が、初めて口を入れた。

「御冗談でございましょう！　富田さん。青木さんをお連れするのだったら、そうコソコソとはいたしませんよ。まさか、貴君が赤坂の誰かを湯治に連れていらっしゃるのとは違っていますから。」

瑠璃子夫人の巧みな逆襲に、みんなは声を揃えて哄笑した。富田と呼ばれた紳士は苦笑しながら言った。

「まあ、青木君の問題は、別として、僕も、近々箱根へ行こうと思っているのですが、あちらでお訪ねしても、かまいませんか。」

瑠璃子夫人は、微笑を含みながら、しかも乱麻を断つように答えた。

「いいえ！　いけませんよ。この夏は男禁制！　誰かの歌に、こんなのが、あるじゃありませんか。『大方の恋をば追わず此の夏は真白草花白きこそよけれ』妾も、そうなのよ、この夏は、本当に対人間の生活から、少し離れていたいと思いますの。」

「ところが、奥さん。その真白草花というのが、案外にも青木弟だったりするのじゃありませんか。」

小山と呼ばれた外交官らしい紳士が、突込んだ。

「まあ！ 執念深い！ 発車するまでに、青木さんが、お見えになったら、その償いとして、皆さんを箱根へ御招待しますわ。御覧なさい、もう切符を切りかけたのに、青木さんはお見えにならないじゃありませんか。」

夫人はそう言いながら、美奈子達を促して改札口の方へ進んだ。若い紳士達は、蟻の甘きに従くように、夫人の後から、ゾロゾロと続いた。

夫人が、汽車に乗った後も、青木と呼ばれる青年は姿を現さなかった。若い男達は、やっと夫人の言葉を信じ始めた。

「向うから、お呼び寄せになるかどうかは別として、今日同行なさらないことだけは、信じましたよ。はははは。」

小山という男が、発車間際になって、そう言った。

「まだそんな負け惜しみを、言っていらっしゃるの！」

夫人は、そう言いながら、嫣然と笑ってみせた。

美奈子は、何が何だったか、判らなくなった。母の自動車の中の言葉では、青木という青年が――墓地で逢ったかの人に相違ない青年が――東京駅で待っているようだった。しかも母は、今そのことをきっぱり打ち消している。

美奈子は安心したような、しかも失望したような妙な心持の混乱に悩んでいた。汽車が出るまで、とうとう青木は姿を、見せなかった。

四

汽車が動き始めても、青木の姿は、とうとう見えなかった。

「それ御覧なさい！　疑いはお晴れになったでしょう！」

夫人は、車窓から、その繊細な上半身を現しながら、見送っている人達に、そうした捨台辞(すてぜりふ)を投げた。

男性達が、銘々いろいろな別辞を返しているうちに、汽車は見る見る駅頭を離れてしまった。

「まあ！　うるさいたらありはしないわ。こんな小旅行(トリップ)の出発を、わざわざ見送ってくれたりなどして。」

夫人は美奈子に対する言い訳のように呟きながら席に着いた。

母を囲む男性達が、青木の同行を気にかけている以上に、もっと気にかけていたのは美奈子だった。その人と一緒に汽車に乗ったり、一緒に宿屋に宿(とま)ったり、同じ食卓に着いたりすることを考えると、彼女の小さい心は、戦(おのの)いていたといってもよかった。それは恐ろしいことであり、同時に、限りなき歓喜でもあったのだ。が、その人はとうとう姿を現さない。母も前言を打ち消すようなことを言っている。美奈子の心配はなくなった。それと同時に、彼女の歓喜も消えた。ただ白々しい寂しさだけが、彼女の胸に残っていた。

美奈子の心持を少しも知らない瑠璃子は、美奈子が沈んだ顔をしているのを慰めるように言った。

「美奈さんなんか、どうお考えになって。妾達女性を追うているああいう男性を。ああいう女性追求者といったような人達を。」

美奈子は黙って答をしなかった。母が交際っている人達を、厭だとも言えなかった。それかと言って、決して好きではなかった。

「あんな人達と結婚しようなどとは、夢にも考えないでしょうね。男性は男性らしく、女性なんかに屈服しないでいる人が、頼もしいわね。」

美奈子も、ついそれに賛成したかった。が、青木と呼ばれるらしい青年も、やっぱりそうした男性らしくない女性追求者の一人かと思うと、美奈子はやっぱり黙っているほかはなかった。

「妾達を、追うて来る人でも、身体と心とのすべてを投じて、来る人はまだいいのよ。あの人達なんか遊び半分なのですもの。狼の散歩かたがた人の後から従いて行くようなものなのよ。つい、躓いたら、飛びかかってやろうくらいにしか思っていないのですもの。」

美奈子は、母の辛辣な思い切った言葉に、つい笑ってしまった。男性のことを話すと、敵か何かのように罵倒する母が、何故多くの男性を近づけているかが、美奈子にはただ一つの疑問だった。

「青木さんという方、一緒にいらっしゃるのじゃないの？」

美奈子は、やっと、心に懸っていたことを訊いてみた。母は、意味ありげに笑いながら言った。

「いらっしゃるのよ。」

「後からいらっしゃるの？」

「いいえ！」母は笑いながら、打ち消した。

「じゃ、先にいらっしゃったの？」

「いいえ！」母は、やっぱり笑いながら打ち消した。

「じゃ何時？」

母は笑ったまま返事をしなかった。

ちょうどその時に、汽車が品川駅に停車した。四五人の乗客が、ドヤドヤと入って来た。

ちょうどその乗客の一番後から、麻の背広を着た長身白皙の美青年が、姿を現した。瑠璃子夫人の姿を見ると、ニッコリ笑いながら、近づいた。右の手には旅行用のトランクを持っていた。

「おや！　いらっしゃい！」

夫人は、溢れる微笑を青年に浴びせながら言った。

「さあ！　おかけなさい！」

夫人はその青年のために、座席を取っておいたかのように、自分の右に置いてあった小さいトランクを取り除けた。

五

美奈子は、駭きに目を眸りながら、それでもそっと青年の顔を窃み見た。それは、紛れもなくかの青年であった。墓地で見、電車に乗り合わし、自分の家を訪ねるのを見たかの青年に違いなかった。

美奈子は、胸を不意に打たれたように、息苦しくなって、じっと面を伏せていた。が、美奈子のそうした態度を、処女に普通な羞恥だと、解釈したらしい瑠璃子は、事もなげに云った。

「これがさっきお話した青木さんなの。」

紹介された青年は、美奈子の方を見ながら、丁寧に頭を下げた。

「お嬢様でしたか。いつか一度、お目にかかったことがありましたね。」

そう云われて、『はい。』と答えることも、美奈子には出来なかった。彼女はそれを肯定するように、丁寧に頭を下げただけだったが、青年が自分を覚えていてくれたことが、彼女をどんなに欣ばしたか分らなかった。

青年は、瑠璃子の右側近く腰を降した。

「貴君、大変だったのよ。今東京駅でね。皆知っていらっしゃるのよ。妾が今日立つということまで知っていらっしゃるのよ。いうことを。それればかりでなく貴君が一緒だということまで知っていらっしゃるのよ。だから、極力打ち消しておいたのよ。もし青木さんが一緒だったら、その償いとして皆さんを箱根へ御招待しますって。それでも皆善人ばかりなのよ、おしまいには妾の云うことを信じてしまったのですもの。だから、妾が云わないことじゃないでしょう。品川か新橋かどちらかでお乗りなさいと。妾、貴君が妾の云うことを聴かないで、ひょっくり東京駅へ来やしないかと思って、ビクビクしていましたの。」

夫人は、弟にでも話すように、馴々しかった。青年は姉の言葉をでも、聴いているように、一言一句に、微笑しながら肯いた。

それを、黙って聴いている美奈子の心の中に、不思議な不愉快さが、ムラムラと湧いて来た。それは彼女自身にも、一度も経験したことのないような、不快な気持だった。

彼女は、母に対して、不快を感じているのでなく、青年に対して、不快を感じているのでなく、ただ母と青年とが、馴々しく話しあっていることが、不思議に、彼女の心に苦い滓を掻き乱すのであった。殊に青年が人目を忍ぶように、品川からただ一人、コッソリと乗ったことが、美奈子の心を、かなり傷つけた。母と青年との間に、何か後暗い翳でもあるように、思われて仕方がなかった。

「どうして、僕が奥さんと一緒に行くことが分ったのでしょう。僕は誰にも云ったことはないのですがね。」

青年はちょっと言い訳のように云った。

「なに分（わか）っていてもいいのですよ。薄々分っているくらいが、ちょうどいいのですよ。貴君となら、分っていてもいいのですよ。」

夫人は、軽い媚（こび）を含みながら云った。

「光栄です。本当に光栄です。」

青年は冗談でなく、本当に心から感謝しているように云った。

母と青年との会話は、自由に快活に馴々しく進んで行った。美奈子は、なるべくそれを聴くまいとした。が、母が声を低めて云っていることまでが、神経のいらだっている美奈子の耳には、轟々たる車輪の、響きにも消されずに、ハッキリと響いて来るのだった。

母と青年との一問一答に、小さい美奈子の胸は、ますます傷つけられて行くのだった。

時々母が、

「美奈さん！　貴女（あなた）はどう思って？」

などと黙っている彼女を、会談の圏内に入れようとするごとに、美奈子は淋しい微笑を洩らすだけだった。

美奈子は、青年の姿を見ない前までは、青年の同行することは、恐ろしいが同時に限りない歓喜がその中に潜んでいるように思われた。が、それが実現してみると、それは恐ろしく、淋しく、苦しいだけであることが、ハッキリと分った。この先一月も、こうした寂しさ苦しさを、味わっていなければならぬかと思うと、美奈子の心は、墨を流したように真暗になってしまった。

六

汽車は、美奈子の心の、恋を知り初めた処女の苦しみと悩みとを運びながら、グングン東京を離れて行った。

夫人と青年との親しそうな、しめやかな、会話は続いた。夫人は久し振りに逢った弟をでも、愛撫するように、耳近く口を寄せて囁いたり、軽く叱するように言ったりした。青年は青年で、姉にでも甘えるように、姉から引き廻されるのを欣ぶように、柔順に温和に夫人の言葉を、一々微笑しながら肯いていた。

美奈子は、母と青年との会話を、余りに気にしている自分が、何だか恥しくなって来た。彼女は、なるべく聞くまい見まいと思った。が、そう努めれば努めるほど、青年の言葉やその白皙の面に浮ぶ微笑が、悩ましく耳に付いたり、眼についたりした。

青年の面には、歓喜と満足とが充ち溢れているのが、美奈子にも感ぜられた。彼の眼中には、瑠璃子夫人以外のものが、何も映っていないことが、美奈子にもありありと感ぜられた。母の傍にいる自分などは、恐らく青年の眼には、塵ほどにも、芥ほどにも、感ぜられてはいまいと思うと、美奈子は烈しい淋しさで脳が掻き擾(みだ)された。が、それよりも、もっと美奈子を寂しくしたことは、今まで愛情の唯一の拠り処としていた母が、たとい一時ではあろうとも、自分よりも青年の方へ、親しんでいることだった。

大船を汽車が出たとき、美奈子はどうにも、堪らなくなって、向う側の座席が空いたのを幸いに、景色を見るような風をして、そこへ席を移した。

母と青年との会話は、もう聞えて来なくなった。が、一度掻き擾された胸は、たやすく元のようには癒えなかった。

彼女は、こうした苦しみを味わいながら、この先一月も過さねばならぬかと思うと、どうにも堪らないように思われ出した。そうだ！　箱根へ着いて二三日したら、何か口実を見付けて自分だけ帰って来よう。美奈子は、小さい胸の中でそう決心した。

ちょうど、そう考えていたときに、

「美奈子さん！　ちょっといらっしゃい！」

と、母から何気なく呼ばれた。美奈子は淋しい心を、じっと抑えながら、元の座席へ帰って行った。顔だけには、強いて微笑を浮べながら。

「貴女(あなた)！　青木さんと、青山墓地で、会ったことがあるでしょう！」

母は、美奈子が坐るのを待ってそう言った。青年の顔を、チラリと見ると、彼もニコニコ笑っていた。美奈子は、何か秘密にしていたことを母に見付けられたかのように、顔を真赤にした。

「貴方(あなた)は覚えていないの？」

母は、美奈子をもっとドギマギさせるように言った。

「いいえ！　覚えていますの。」

美奈子は周章(あわ)ててそう言った。

美奈子は、青年が自分を覚えていてくれたことが、何よりも嬉しかった。

「青木さんの妹さんが、よく貴女を知っていらっしゃるのですって。ねえ！　青木さん。」

夫人は賛成を求めるように、青木の方を振り顧(かえ)った。

「そうです。たしか美奈子さんより三四年下なのですが、お顔なんかよく知っているのです。この間も『あれが荘田さんのお嬢さんだ』と言うものですからちょっと驚いたのです。僕の妹を御存じありませんか。」

青年は、初めて親しそうに、美奈子に口を利いた。

「はい、お顔だけは存じていますの。」

美奈子は、口のうちで呟くように答えた。が、青年から親しく口を利かれてみると、美奈子の寂しく傷ついていた心は、緩和薬(バルサム)をでも、塗られたようになごんでいた。今まで、恐ろしく寂しく考えられていた避暑地生活に、一道の微光が漂って来たように思われた。

七

それから汽車が、国府津へ着くまで、青年は美奈子に、幾度も言葉をかけた。平素妹を相手にしているとみえて、その言葉には、女性――殊に年下の女性に対する親しみが、自然に籠っていた。青年の一言一言は、美奈子のこじれかかろうとした胸を春風のように、撫でさするのであった。美奈子は最初陥っていた不快な感情から、いつの間にか、救われていた。自分が、妙にひがんで、嫉妬に似た感情を持っていたことを、はしたないとさえ思い始めていた。

国府津へ着いたとき、もう美奈子は、また元の処女らしい、感情と表情とを取り返していた。

国府津のプラットフォームに降り立った時、瑠璃子は駆け寄った赤帽の一人に、命令した。

「あの、自動車を用意させておくれ！――そう、一台じゃ、窮屈だから――二台ね、宮の下まで行ってくれるように。」

赤帽が命を受けて駆け去ったときだった。今まで他の赤帽を指図して手荷物を下ろさせていた青年が驚いて瑠璃子の方を振り顧った。

「奥さん！　自動車ですか。」

青年の語気はかなり真面目だった。

「そうです。いけないのですか。」

瑠璃子は、軽く揶揄するように反問した。

「あんなにお願いしてあったのに聴いて下さらないのですか。」

温和しい青年は、かなり当惑したように、暗い表情をした。

瑠璃子は、華やかに笑った。

「あら! まだ、あんなことを気にしていらっしゃるの。妾貴君が冗談に云っていらしったのかと思ったのですよ。兄さんが、自動車で死なれたからと云って、自動車を恐がるなんて、迷信じゃありませんか。男らしくもない。自動車が衝突するなんて、一年に一度あるかないかの事件じゃありませんか。そんなことを恐れて、自動車に乗らないなんて。」

夫人は、子供の臆病をでも叱するように云った。

「でも、奥さん。」青年は、かなり懸命になって云った。「兄が、やっぱりこの国府津から自動車に乗ってやられたのでしょう。それからまだ一月も経っていないのです。殊に、今度箱根へ行くと云うと、父と母とがかなり止めるのです。で、やっと、説破して、自動車には乗らないという条件で、許しが出たのです。だから、奥さんにも、自動車には乗らないと云ってあれほど申し上げておいたじゃありませんか。」

「お父様やお母様が、そうした御心配をなさるのは、もっともと思いますわ。でも貴君までが、それに感化れるということはないじゃありませんか。縁起などと、いう言葉は、現代人の辞書にはない字ですわね。」

「でも、奥さん！ 肉親の者が、命を殞したほとんど同じ自動車に、まだ一月も経つか経たないかに乗るということは、縁起だとか何とかいう問題以上ですね。貴女だって、もし近しい方が、自動車であした奇禍にお逢いになると、きっと自動車がお嫌いになりますよ。」

「そうかしら。妾は、そうは思いませんわ。だってお兄さんだって妾にはかなり近しい方だったのですもの。」

そう云って夫人は淋しく笑った。

「でも、いいじゃありませんか。妾と一緒ですもの。それでもお嫌ですか。」

そう云って、嫣然と笑いながら、青年の顔を覗き込む瑠璃子夫人の顔には、女王のような威厳と娼婦のような媚とが、二つながら交っていた。

瑠璃子の前には、小姓か何かのように、力のないらしい青年は、極度の当惑に口を噤んだまま、その秀でた眉を、ふかく顰めていた。背丈こそ高く、容子こそ大人びているが、名門に育ったこの青年が対人的にはホンの子供であることが、瑠璃子にも、マザマザと分った。

ある三角関係

一

　そのうちに、美奈子達の一行は改札口を出ていた。駅前の広場には、赤帽が命じたらしい自動車が二台、美奈子達の一行を待っていた。

　青年は、瑠璃子夫人の力に、グイグイ引きずられながらも、自動車に乗ることは、かなり気が進んでいないらしかった。

　彼は哀願するように、オズオズと夫人に云った。

「どうです？　奥さん。僕お願いなのですが、電車で行って下さることは出来ないでしょうか。兄の惨死の記憶が、僕にはまだマザマザと残っているのです。兄を襲った運命が、肉親の僕に、何だか糸を引いているように、不吉な胸騒ぎがするのです。何だか、兄と同じ惨禍に僕が知らず識らず近づいているような、不安な心持がするのです。」

　青年は、かなり一生懸命らしかった。が、瑠璃子は青年の哀願に耳を傾けるような容子も見せなかった。彼女は、意志の弱い男性を、グングン自分の思い通りに、引き廻すことが、彼女の快楽の一つであるかのように云った。

「まあ！　貴君のように、そうセンチメンタルになると、いやになってしまいますよ。妾は運命だとか胸騒ぎだとかいうような言葉は、大嫌いですよ。妾は徹底した物質主義者です。電車なんか、あんなに混んでいるじゃございませんか。さあ、乗りましょう。いいじゃございませんの。自動車が崖から落っこちても、死なば諸共ですわ。貴君、妾と一緒なら、死んでも本望じゃなくて？　おほほほほほほ。」

夫人は、奔放にそう云い放つと、青年がどう返事するかも待たないで、美奈子を促しながら、一台の自動車に、ズンズン乗ってしまった。

この時の青年は、かなりみじめだった。瑠璃子夫人の前では、手も足も出ない青年の容子が、美奈子にも、かなりみじめに、むしろ気の毒に思われた。

彼は泣き出しそうな硬ばった微笑を、強いて作りながら、美奈子達の後から乗った。

「そんなにクヨクヨなさるのなら、連れて行って上げませんよ。」

夫人は、子供をでも叱るように、愛撫の微笑を目元に湛えながら云った。

青年は、黙っていた。彼は、夫人の至上命令のため、やむなく自動車に乗ったものの、内心の不安と苦痛と嫌悪とは、その蒼白い顔にハッキリと現れていた。臆病などということではなくして、兄の自動車での惨死が、善良な純な彼の心に、自動車に対する、殊に箱根の——唱歌にもある嶮しい山や、谿の間を縫う自動車に対する不安を、植え付けているのであった。

美奈子は、心の中から青年が、気の毒だった。

母が故意に、青年の心持に、逆らっていることが、かなり気の毒に思われた。

自動車が、小田原の町を出はずれた時だった。美奈子は何気ないように云った。

「お母様。湯本から登山電車に乗って御覧にならない。この間の新聞に、日本には初めての登山電車で瑞西（スイッル）の登山鉄道に乗っているような感じがするとか云って、出ていましたのよ。」

美奈子には、優しい母だった。

「そうですね。でも、荷物なんかが邪魔じゃない？」

「荷物は、このまま自動車で届けさえすればいいわ。特等室へ乗れば自動車よりも、楽だと思いますわ。」

「そうね。じゃ、乗り換えてみましょうか。青木さんは、無論御賛成でしょうね。」

瑠璃子は、青年の顔を見て、皮肉に笑った。青年は、黙って苦笑した。が、チラリと美奈子の顔を見た眼には美奈子の少女らしい優しい好意に対する感謝の情が、歴々（ありあり）と動いていた。

二

富士屋ホテルの華麗な家庭部屋の一つのうちで、美奈子達の避暑地生活は始まった。『暮したし木賀底倉に夏三月』それは昔の人々の、夏の箱根に対する憧憬であった。関所は廃れ、街道には草生し、交通の要衝としての箱根には、昔の面影はなかったけれども、温泉は滾々として湧いて尽きなかった。青葉に掩われた谿壑から吹き起る涼風は、昔ながらに水の如き冷たさを帯びていた。

殊に、美奈子達の占めた一室は、ホテルの建物の右の翼の端にあった。開け放たれた窓には、早川の対岸明神岳明星岳の翠微が、手に取るごとく迫っていた。東方、早川の谿谷が、群峰の間にただ一筋、開かれている末遥に、地平線に雲のいぬ晴れた日の折節には、いぶした銀の如く、ほのかに、雲ともつかず空ともつかず、光っている相模灘が見えた。

設備の整ったホテル生活に、女中達が不用なため、東京へ帰してからは、美奈子達三人の生活は、もっと密接になった。

美奈子は、最初青年に対して、口も碌々利けなかった。ただ、折々母を介して簡単な二言三言を交えるだけだった。

母が青年と話しているときには、よく自分一人その場を外して、縁側に出て、そこにある籐椅子にいつまでもいつまでも、坐っていることが、多かった。

また何かの拍子で、青年とただ二人、部屋の中に取り残されると、美奈子はまた、じっとしていることが出来なかった。青年の存在が、息苦しいほどに、身体全体に感ぜられた。

そうした折にも、美奈子は、やっぱりそっと部屋を外して、縁側(ヴェランダ)に出るのが常だった。とにかく、彼女の小さい胸は、息(やすら)う暇(いとま)もない水鳥の脚のように動いていた。

彼女に一番楽しいのは、夕暮の散歩かも知れなかった。晩餐が終ってから、美奈子は母と青年との三人で、よく散歩した。早川の断崖に添うた道を、底倉から木賀へ、時には宮城野まで、岩に咽(むせ)ぶ早川の水声に、夏を忘れながら。

箱根へ来てから、五日ばかり経ったある日の夕方だった。美奈子達が、晩餐が終ってから、食堂を出ようとしたとき、瑠璃子はふとその入口で、その日来たばかりの知合いの仏蘭西(フランス)大使の令嬢と出会った。日本好きのこの令嬢は、瑠璃子とはかなり親しい間柄だった。彼女は思いがけない処で、瑠璃子に会ったのをかなり欣んだ。瑠璃子は誘われるままに、大使令嬢の部屋を訪ねて行った。

美奈子と、青年とは部屋に帰ったものの、手持無沙汰に、ボンヤリとして、暮れて行く夕暮の空に対していた。

二人は、心の中では銘々に、瑠璃子の帰るのを待っていた。が、二十分経っても三十分経っても、瑠璃子は帰りそうにも見えなかった。

青年は平素(いつも)のように、散歩に出たいと見え、ステッキを持ったり、帽子を手にしたりしながら、瑠璃子の帰るのを待っているらしかった。が、瑠璃子はなかなか帰って来なかった。

青年はやや待ちあぐみかけたらしかった。彼はもう明るく電燈の点いた部屋の中を、四五歩ずつ行ったり来たりしていたが、半ば独語のように美奈子に云った。

「お母様は、なかなかお帰りになりませんね。」

「はい。」

窓に倚って輝き始めた星の光をボンヤリ見詰めていた美奈子は、低い声で聞えるか聞えないかのように答えた。青年は、自分一人で出て行きたいらしかったが、美奈子を一人ぼっちにしておくことが、気が咎めるらしかった。彼は、とうてい云いにくそうに云った。

「美奈子さん。いかがです、一緒に散歩をなさいませんか。お母様をお待ちしていても、なかなかお帰りになりそうじゃありませんから。」

青年は、口籠りながらそう云った。

「ええっ！」

美奈子は彼女自身の耳を疑っているかのように、つぶらなる目を刮った。

三

美奈子にとっては、青年から散歩に誘われたことが、かなり大きな駭きであった。四五日一緒に生活して来たというものの、二人向い合っては、短い会話一つ交したことがなかった。

その相手から、突然散歩に誘われたのであるから、彼女が駭きの目を刮ったまま、わくわくする胸を抑えたまま、何とも返事が出来なかったのも、無理ではなかった。

青年は、美奈子の返事が遅いのを、彼女が内心当惑しているためだと思ったのであろう。彼は、自分の突然な申し出の無躾(ぶしつけ)さを恥じるように云った。

「いらっしゃいませんですか。じゃ、僕一人行って来ますから。僕は、日の暮方には、どうも室の中にじっとしていられないのです。」

青年は、弁解のように、そう云いながら室を出て行こうとした。

美奈子は、胸の内で、青年の勧誘に、どれほど心を躍らしたか分らなかった。青年とたった二人きりで、散歩するということが、彼女にとってどんな駭きであり欣びであっただろう。彼女は、駭きの余りに、青年の初めの勧誘に、つい返事をし損じたのであった。彼女は、どんなに青年が、もう一度勧めてくれるのを待ったであろう。もう一度、勧めてさえくれれば、美奈子は心も空に、青年の後から従(つ)いて行くのであったのだ。

が、青年には美奈子の心は、分らなかった。彼には、美奈子が返事をしないのが、処女らしい恥しさと後退(しりごみ)のためだとより、思われなかった。彼は、最初から誘わなければよかったと思いながら、ちょっと気まずい思いで、部屋を出た。

青年が、部屋を出る後姿を見ると、美奈子は取返しの付かないことをしたように思った。もう再びとは、得がたい黄金の如き機会を、永久に失うような心持がした。その上、青年の勧めに、返事さえしなかったことが、彼女の心を咎め始めた。それによって、相手の心を少しでも傷つけはしなかったかと思うと、彼女は立っても坐っても、いられないような心持がし始めた。

一二分、考えた末、彼女はとうとう堪らなくなって部屋を出た。長い廊下を急ぎ足に馳けすぎた。ホテルの玄関で、草履を穿くと、夏の宵闇の戸外へ、走り出でた。

玄関前の広場にある噴水のほとりを、透して見たけれども、その人らしい影は見えなかった。彼女は、とうとう宮の下の通りに出た。

青年の行く道は、分っていた。彼女は、胸を躍らしながら、底倉の方へと急いだ。温泉町（いでゆまち）の夏の夕は、かなり人通りが多かった。その人かと思って近づいて行くと、見知らない若い人であったりした。

が、美奈子が宮の下の賑やかな通りを出はずれて、段々淋しい崖上の道へ来かかったとき、ちょうど道の左側にある理髪店の軒端（のきばた）に佇みながら、若い衆が指している将棋を見ている青年の横顔を見付けたのである。

青年に近づく前に、彼女の小さい胸は、どんなに顫えたか分らなかった。でも、彼女はありだけの勇気で、近づいて行った。

「ここにいらっしったのですか。妾（わたくし）も、散歩にお伴いたしますわ。母は、帰りそうにもありませんですから。」

彼女は、低い小さい声で、途切れ途切れに言った。青年は、駭いて彼女を振り返った。

投げた礫が忘れた頃に激しい水音を立てたように、青年は自分のちょっとした勧誘が、少女の心を、こんなに動かしていることに、駭いた。が、それは決して不快な駭きではなかった。

「じゃ、お伴しましょうか。」

そう言いながら、青年は歩き始めた。美奈子は、二三尺も間隔をおきながら従った。夢のような幸福な感じが、彼女の胸に充ち満ちて、踏む足も地に付かないように思った。

四

初め、連れ立ってから、半町ばかりの間、二人とも一言も、口を利かなかった。初めて、若い男性、しかも心の奥深く想っている若い男性とただ二人、歩いている美奈子の心には、散歩をしているといったような、のんきな心持は少しもなかった。胸が絶えず、わくわくして、息を抑えても抑えても弾むのであった。

青年も、黙っていた。ただ、黙ってグングン歩いていた。二人は、散歩とは思われないほどの早さで、歩いていた。どこへ行くという当てもなしに。

早川の谿谷の底遥かに、岩に激している水は、夕闇を透してほのじろく見えていた。その水から湧き上って来る涼気は、浴衣を着ている美奈子には、肌寒く感ぜられるほどだった。

青年が、いつまでも黙っているので、美奈子の心は、妙に不安になった。美奈子は自分が後を追って来たはしたなさを、相手が不愉快に思っているのではないかと、心配し始めた。自分が思い切って後を追って来たことが、軽率ではなかったかと、後悔し始めた。

が、二人がちょうど、底倉と木賀との間を流れている、蛇骨川(じゃこつがわ)の橋の上まで、来たときに、青年は初めて口を利いた。立ち止って空を仰ぎながら、

「御覧なさい！　月が、出かかっています。」

そう云われて、今まで俯きがちに歩いて来た美奈子も、立ち止って空を振り仰いだ。早川の対岸に、空を劃(くぎ)って聳(そび)えている、連山の輪廓を、ほのぼのとした月魄(つきしろ)が、くっきりと浮き立たせているのであった。

相模灘を、渡って来た月の光が今ちょうど箱根の山々を、照し始めようとしているところだった。

「まあ！　綺麗ですこと。」

美奈子もつい感嘆の声を洩らした。

「旧の十六日ですね、きっと。いい月でしょう。空が、あんなによく晴れています。東京の、濁ったような空と比べるとどうです。これが本当に緑玉(エメラルド)という空ですね。」

青年は、心ゆくように空を見ながら云った。美奈子も、青年の眸を追うて、大空を見た。夏の宵の箱根の空は、磨いたように澄み切っていた。

「本当に美しい空でございますこと。」

美奈子も、しみじみとした気持でそう云った。ちょうど、今までかけられていた沈黙の呪いが解かれたように。

「やっぱり空気がいいのですね。東京の空と違って、塵埃(じんあい)や煤煙がないのですね。」

「山の緑が映っているような空でございますこと。」

美奈子も、つい気軽になってそう云った。

「そうです。本当に山の緑が映っているような空です。」

青年は、美奈子の云った言葉を噛みしめるように繰り返した。

二人は、またしばらく黙って歩いた。が、もうさっきのようなギゴチなさは、取り除かれていた。美しい自然に対する讃美の心持が、二人の間の、心の垣を、ある程度まで取り除けていた。美奈子は、青年ともっと親しい話が出来るという自信を得た。青年も、美奈子に対してある親しみを感じ始めたようだった。

四五尺も離れて歩いていた二人は、いつの間にか、どちらからともなく寄り添うて歩いていた。

美奈子は、相手に話したいことが、山ほどもあるようで、しかもそれを考えに纏めようとすると、何も纏まらなかった。ただいらいら焦り立っているばかりだった。

「そうそう、貴女(あなた)に申し上げたいことがあったのです。つい、この間中から機会がなくて。」

青年は、大切なことをでも、話すように言葉を改めた。動き易い少女の心は、そんなことにまで烈しく波立つのだった。

五

相手がどんなことを云い出すのかと、美奈子は、胸を躍らしながら待っていた。

青年は、ちょっと云いにくそうに、口籠っていたが、やっと思い切ったように云った。

「この間中から、お礼を申し上げよう申し上げようと思いながら、ついそのままになっていたのです。この間はどうも有難うございました。」

夕闇に透いて見える彼の白い頰が、思い做しか少し赤らんでいるように思われた。美奈子も相手から、思いがけもない感謝の言葉を受けて、我にもあらず、顔がほてるように熱くなった。彼女は、青年から礼を云われるような心覚えが、少しもなかったのである。

「まあ！　何でございますの！　わたくし！」

美奈子は、当惑の目を𥈞った。

「お忘れになったのですか。お忘れになっているとすれば、僕はいよいよ感謝しなければならぬ必要があるのです。お忘れになりましたですか。来る道で僕があんなに自動車に乗ることを厭がったのを。はははははは。自分ながら、今から考えると、余り臆病になり過ぎていたようです。お母様から後で散々冷やかされたのも無理はありません。が、あの時は本当に恐かったのです。妙に気になってしまったのです。ベソを掻きそうな顔をしていたと、後でお母様に冷やかされたのですが、本当にあの時は、そんな気持がしていたのです。それに、荘田夫人と来ては、極端に意地がわるいのですからね。僕が恐がれば恐がるほど、しつこく苛めようとするのですからね。本当にあの時の、貴女のお言葉は地獄に仏だったのです。はははは。考えてみれば、僕も余り臆病すぎたな。とんだところを貴女方に見せてしまった!」

青年は、冗談のように云いながらも、美奈子に対する感謝の心だけは、かなり真面目であるらしかった。

「まあ! あんなことなんか。妾、本当に電車に乗りたかったのでございますわ。」

美奈子は、顔を真赤にしながら、青年の言葉を打ち消した。が、心の中はこみ上げて来る嬉しさで一杯だった。

「あの時、僕は本当に貴女の態度に、感心したのです。あの時、露骨に僕の味方をして下さると、僕も恥しいし、お母様も意地になって、ああうまくは行かなかったのでしょうが、貴女の自然な無邪気な申し出には、さすがの荘田夫人も、すぐ賛成しましたからね。僕は、今まで荘田夫人を、女性の中で最も聡明な人だと思っていましたが、貴女のあの時の態度を見て、世の中には荘田夫人の聡明さとはまた別な本当に女性らしい聡明さを持った方があるのを知りました。」

「まあ！　あんなことを。妾お恥しゅうございますわ。」

そう云って、美奈子は本当に浴衣の袖で顔を掩うた。処女らしい嬌羞が、その身体全体に溢れていた。が、彼女の心は、憎からず思っている青年からの讃辞を聴いて、張り裂けるばかりの歓びで躍っていた。

山の端を離れた月は、この峡谷に添うている道へも、その朗らかな光を投げていた。美奈子はつい二三尺離れて、月光の中に匂うている青年の白皙の面を見ることが出来た。青年の黒い眸が、時々自分の方へ向って輝くのを見た。

二人は、もう一時間前の二人ではなかった。今まで、遠く離れていた二人の心は、今かなり強い速力で、相求め合っているのは確かだった。

二人は、また黙ったまま、歩いた。が、前のような固くるしい沈黙ではなかった。黙っていても心持だけは通っていた。

「もっと歩いても、大丈夫ですか。」

「はい。」

木賀が過ぎて宮城野近くなったとき、青年は再び沈黙を破った。

美奈子は、慎しく答えた。が、心のうちでは、『どこまでもどこまでも』というつもりであったのだ。

六

木賀から、宮城野まで、六七町の間、早川の谿谷に沿うた道を歩いているうちに、二人はようやく打ち解けて、いろいろな問を訊いたり訊かれたりした。美奈子の処女らしい無邪気な慎しやかさが、青年の心をかなり動かしたようだった。それと同時に青年の上品な素直な優しい態度が、美奈子の心に、深く深く喰い入ってしまった。

宮城野の橋まで来ると、谿は段々浅くなっている。橋下の水には水車が懸っていて、銀の月光を砕きながら、コトコトと廻り続けていた。

月は、もうかなり高く上っていた。水のように澄んだ光は、山や水や森や樹木を、しっとり濡らしていた。二人は、夏の夜の清浄な箱根に酔いながら、かなり長い間橋の欄干に寄り添いながら、佇んでいた。

美奈子の心の中には、青年に対する熱情が、刻一刻潮のように満ちわたって来るのだった。今までは、どんな男性に対しても感じたことのないような、信頼と愛慕との心が、胸一杯にヒシヒシとこみ上げて来るのだった。

話は、いつの間にか、美奈子の一身の上にも及んでいた。美奈子はとうとう、兄の哀しい状態まで話してしまった。

「そうそう、そんな噂は、薄々聴いていましたが、お兄さんがそんなじゃ、貴女には本当の肉親といったようなものは、一人もないのと同じですね。」

青年は悵然としてそう云った。心の中の同情が、言葉の端々に溢れていた。そう云われると、美奈子も、自分の寂しい孤独の身の上が顧みられて、涙ぐましくなる心持を、抑えることが出来なかった。

「母が、本当によくしてくれますの。実の母のように、実の姉のように、本当によくしてくれますの。でも、やっぱり本当の兄か姉かが一人あれば、どんなに頼もしいか分らないと思いますの。」

美奈子は、つい誰にも云わなかった本心を云ってしまった。

「ごもっともです。」青年はかなり感動したように答えた。「僕なども、兄弟の愛などは、今までそんなに感じなかったのですが、兄を不慮に失ってから、肉親というものの尊さが、分ったように思うのです。でも、貴女なんか……」そう云って、青年はちょっと云い淀んだが、

「今に御結婚でもなされば、今のような寂しさは、自然なくなるだろうと思います。」

「あら、あんなことを、結婚なんて、まだ考えてみたこともございませんわ。」

美奈子は、恥しそうに周章てて打ち消した。

「じゃ、当分御結婚はなさらない訳ですね。」

青年は、何故だか執拗に再びそう訊いた。

「まだ、本当に考えてみたこともございませんの。」

美奈子は、ますます狼狽しながらも、ハッキリと口では、打ち消した。が、青年がどうしてそうした問題を繰り返して訊くのかと思うと、彼女の顔は焼けるように熱くなった。胸が何とも云えず、わくわくした。彼女は、相手がどうして自分の結婚をそんなに気にするのか分らなかった。が、彼女がある原因を想像したとき、彼女の頭は狂うように熱した。

彼女は、熱にでも浮かされたように、平生の慎しみも忘れて云った。

「結婚なんて申しましても、妾のようなものと、妾のような、何の取りどころもないようなものと。」

彼女の声は、恥しさに顫えていた。彼女の身体も恥しさに顫えていた。

七

美奈子の声は、恥しさに打ち顫えていたけれども、青年はかなり落ち着いていた。余裕のある声だった。

「貴女なんかが、そんな謙遜をなさっては困りますね。貴女のような方が結婚の資格がないとすれば、誰が、どんな女性が結婚の資格があるでしょう。貴女ほど――そう貴女ほどの……」

そう云いかけて、青年は口を噤んでしまった。が、口の中では、美奈子の慎しさや美しさに対する讃美の言葉を、嚙み潰したのに違いなかった。

美奈子は、青年がこの次に、何を言い出すかという期待で、身体全体が焼けるようであった。心が波濤のように動揺した。小説で読んだ若い男女の恋の場が、熱病患者の見る幻覚のように、頭の中にしきりに浮んで来た。

が、美奈子のもしやという期待を裏切るように、青年は黙っていた。月の光に透いて見える白い頰が、やや興奮しているようには見えるけれども、美奈子の半分も熱していないことは明らかだった。

美奈子も裏切られたように、かすかな失望を感じながら、黙ってしまった。

沈黙が五分ばかりも続いた。

「もう、そろそろ帰りましょうか。まるで秋のような冷気を感じますね。着物が、しっとりして来たような気がします。」

青年は、そう言いながら欄干を離れた。青年の態度は、平生の通りだった。優しいけれども、冷静だった。

美奈子は夢から覚めたように、続いて欄干を離れた。自分だけが、興奮したことが、恥しくて堪らなかった。自分の独り合点の興奮を、相手が気付かなかったかと思うと、恥しさで地の中へでも隠れたいような気がした。

が、ちょうど二三町も帰りかけたときだった。青年は思い出したように訊いた。

「お母様はいつまで、ああして未亡人でいらっしゃるのでしょうか。」

青年の問は、美奈子が何と答えてよいか分らないほど、唐突だった。彼女は、ちょっと答に窮した。

「いや、実はこんな噂があるのです。荘田夫人は、本当はまだ処女なのだ。そして、将来はきっと再婚せられる。きっと再婚せられる。僕の死んだ兄などは、夫人の口から直接聴いたらしいのです。が、世間にはいろいろな噂があるものですから、貴女にでも伺ってみれば本当のことが分りゃしないかと思ったのです。」

「妾、ちっとも存じませんわ。」

美奈子はそう答えるよりほかはなかった。

「こんなことを言っている者もあるのです。夫人が結婚しないのは、荘田家の令嬢に対して母としての責任を尽したいからなのだ。だから、令嬢が結婚すれば、夫人も当然再婚せられるだろう。こう言っている者もあるのです。」

青年は、ホンの噂話のようにそう言った。が、青年の言葉を、嚙みしめているうちに、美奈子は傍らの渓間へでも突き落されたような裂しい打撃を感ぜずにはいられなかった。

青年が、自分の結婚のことなどを、訊いた原因が、今ハッキリと分った。自分の結婚などは、青年にはどうでもよかったのだ。ただ、自分が結婚した後に起るはずの、母の再婚を確かめるために、自分の結婚を、口にしたのにすぎないのだ。それとは知らずに、興奮した自分が、恥しくて恥しくて堪らなかった。彼女の処女らしい興奮と羞恥とは、物の見事に裏切られてしまったのだ。

彼女は、照っている月が、たちまち暗くなってしまったような思いがした。青年と並んで歩くことが堪らなかった。彼女の幸福の夢は、たちまちにして恐ろしい悪夢と変じていた。

彼女はそれでも、砕かれた心をやっと纏めながら返事だけした。

「妾(わたくし)、母のことはちっとも存じませんわ。」

彼女の低い声には、綿々たる恨みが籠っていた。

夜の密語

一

青年との散歩が、悲しい幻滅に終ってから、避暑地生活は、美奈子にとって、喰わねばならぬ苦い苦い韮(にら)になった。

開きかけた蕾(つぼみ)が、そうだ！　周囲の暖かさを信じて開きかけた蕾が、周囲から裏切られて思いがけない寒気に逢ったように、傷つき易い少女の心は、深い深い傷を負ってしまった。

それでも、温和(おとな)しい彼女は、東京へ一人で帰るとは云わなかった。自分ばかり、何の理由も示さずに、先へ帰ることなどは、温和しい彼女には思いも及ばないことだった。彼女は止(とど)まって、そうして忍ぶべく決心した。彼女の苦しい辛い境遇に堪えようと決心した。

青年の心が、美奈子にハッキリと解ってからは、彼女は同じ部屋に住みながら、自分一人いつも片隅にかくれるような生活をした。

青年と母とが、向い合っているときなどは、彼女は、そっと席を外した。その人から、想われていない以上、せめてその人の恋の邪魔になるまいと思う、美奈子の心は悲しかった。

そう気が付いてみると、青年の母に対する眸が、日一日輝きを増して来るのが、美奈子にもありありと判った。母の一顰(いっぴん)一笑に、青年が欣んだり悲しんだりすることが、美奈子にもありありと判った。

が、それが判れば判るほど、美奈子は悲しかった。寂しかった。苦しかった。

一人の男に、二人の女、あるいは一人の女に、二人の男、恋愛に於ける三角関係の悲劇は、昔から今まで、数限りもなく、人生に演ぜられたかも判らない。が、瑠璃子と青年と美奈子との三人が作る三角関係では、美奈子だけが一番苦しかった。可憐な優しい美奈子だけが苦しんでいた。

「美奈さん！　どうかしたのじゃないの？」

美奈子が、黙ったまま、露台(バルコニー)の欄干に、長く長く倚っているときなど、母は心配そうに、やさしく訊ねた。が、そんなとき、

「いいえ！　どうもしないの。」

寂しく笑いながら答える、小さい胸の内に、堪えられない、苦しみがあることは、明敏な瑠璃子にさえ判らなかった。

青年も、美奈子が、——一度あんなに彼に親しくした美奈子が、また掌を翻すように、急に再び疎々しくなったことが、彼の責任であることに、彼も気が付いていなかった。

夕暮の楽しみにしていた散歩にも、もう美奈子は楽しんでは、行かなかった。少くとも、青年は美奈子が同行することを、厭がってはいないまでも、決して欣んではいないだろうと思うと、彼女はいつも二の足を踏んだ。が、そんなとき、母はどうしても、美奈子一人残しては行かなかった。彼女が二度も断ると母はきっと云った。

「じゃ、妾達も行くのを廃しましょうね。」

そう云われると、美奈子も不承不承に、承諾した。

「まあ！　そんなに、おっしゃるのなら参りますわ。」

美奈子は口だけは機嫌よく云って、重い重い鉛のような心を、持ちながら、母の後から、従いて行くのだった。

が、ある晩、それはちょうど箱根へ来てから、半月も経った頃だが、美奈子の心は、いつになく滅入ってしまっていた。

母が、どんなに云っても、美奈子は一緒に出る気にはならなかった。その上、平素は、青年も口先だけでは、母と一緒に勧めてくれるのが、その晩に限って、たった一言も勧めてくれなかった。

「妾、今夜はお友達に手紙を書こうと思っていますの。」

美奈子は、とうとうそんな口実を考えた。

「まあ！　手紙なんか、明日の朝書くといいわ。ね、いらっしゃい。二人だけじゃつまらないのですもの！　ねえ、青木さん！」

そう云われて、青年は不服そうに肯いた。青年のそうした表情を見ると、美奈子はどうしても断ろうと決心した。

二

「でも、妾（わたくし）、今晩だけは失礼させて、いただきますわ。一人でゆっくり、お手紙をかきたいと思いますの。」

美奈子が、かなり思い切って、断るのを見ると、母はさまでとは、云い兼ねたらしかった。

「じゃ、美奈さんを残しておきましょうか。」

母は青年に相談するように云った。

そう聴いた青年の面（おもて）に、ある喜悦の表情が、浮かんでいるのが、美奈子は気が付かずにはいられなかった。その表情が、美奈子の心を、むごたらしく傷つけてしまった。

「じゃ、美奈さん！　ちょっと行って来ますわ。寂しくない？」

母は、平素（いつも）のように、優しい母だった。

「いいえ、大丈夫ですわ。」

口だけは、元気らしく答えたが、彼女の心には、口とは丸切り反対に、大きい大きい寂しさが、暗い翼を拡げて、一杯にわだかまっていたのだ。

母と青年との姿が、廊下の端(はずれ)に消えたとき、扉(ドア)の所に立って見送っていた美奈子は、自分の部屋へ駈け込むと、床に崩れるように、蹲(うずくま)って、安楽椅子の蒲団に顔を埋めたまま、しばらくは顔を上げなかった。熱い熱い涙が、止めどもなく流れた。自分だけが、この世の中に、生き甲斐のないみじめな人間のように、思われた。誰からも見捨てられたと云ったような寂しさが、心の隅々を掻き乱した。

友達にでも、手紙を書けば、少しでも寂しさが紛らわせるかと思って、机の前に坐ってみたけれども纏まった文句は、一行だって、ペンの先には、出て来なかった。母と青年とが、いつもの散歩路を、寄り添いながら、親しそうに歩いている姿だけが、頭の中にこびり付いて離れなかった。

そのうちに、寂しさと、彼女自身には気が付いていなかったが、人間の心に免れがたい嫉妬とが、彼女を立っても坐っても、いられないように、苛(さいな)み始めていた。彼女は、高い山の頂きにでも立って、思うさま泣きたかった。彼女は、とうとうじっとしてはいられないような、いらいらした気持になっていた。彼女は、フラフラと自分の部屋を出た。的もなしに、戸外に出たかった。暗い道をどこまでもどこまでも、歩いて行きたいような心持になっていた。が、母に対して、散歩に出ないと云った以上、ホテルの外へ出ることは出来なかった。彼女は、ふとホテルの裏庭へ、出てみようと思った。そこはかなり広い庭園で、昼ならば、遥かに相模灘を見渡す美しい眺望を持っていた。

美奈子が、廊下から、そっとその庭へ降り立ったとき、西洋人の夫妻が、腕を組み合いながら、芝生の小路を、逍遥しているほかは、人影は更に見えなかった。

美奈子は、ホテルの部屋部屋からの灯影(ほかげ)で、明るく照し出された明るい方を避けて出来るだけ、庭の奥の闇の方へと進んでいた。

樹木の茂った蔭にある椅子(ベンチ)を、探し当てて、美奈子は腰を降した。

部屋部屋の窓から洩れる灯影も、ここまでは届いて来なかった。周囲は人里離れた山林のように、静かだった。止宿している西洋の婦人の手すさびらしい、ヴァイオリンの弾奏が、ほのかにほのかに聞えて来るほかは、人声も聞えて来なかった。

闇の中に、たった一人坐っていると、いらいらした、寂しみも、だんだん落ち着いて来るように思った。殊にヴァイオリンのほのかな音が、彼女の傷ついた胸を、撫でるように、かすかにかすかに聞えて来るのだった。それに、耳を澄ましているうちに、彼女の心持は、だんだん和らいで行った。

母が帰らないうちに、早く帰っていなければならぬと思いながらも、美奈子は腰を上げかねた。三十分、四十分、一時間近くも、美奈子は、そこに坐り続けていた。その時、彼女は、ふと近づいて来る人の足音を聴いたのである。

三

美奈子は、最初その足音をあまり気にかけなかった。先刻ちらりと見た西洋人の夫妻たちが通り過ぎているのだろうと思った。

が、その足音は不思議に、だんだん近づいて来た。二言三言、話し声さえ聞えて来た。それはまさしく、外国語でなく日本語であった。しかも、何だか聞きなれたような声だった。彼女は『オヤ！』と思いながら、振り返って闇の中を透して見た。

闇の中に、人影が動いた。一人でなく二人連れだった。二人とも、白い浴衣を着ているために、闇の中でも、割合ハッキリと見えた。美奈子は、じっと二人が近よって来るのを見詰めていた。十秒、二十秒、そのうちにそれが何人であるかが分ると、彼女は全身に、水を浴びせられたように、ゾッとなった。それは、夜の目にも紛れなく青年と母の瑠璃子とであったからである。しかも、二人は、彼等が恋人同士であることを、明らかに示すように、身体が触れ合わんばかりに、寄り添うて歩いているのである。闇の中で、しかとは判らないが、母の左の手と、青年の右の手とが、堅く握り合せられているように、美奈子には感ぜられた。

美奈子は、恐ろしいものを見たように、身体がゾクゾクと顫えた。彼女は、地が口を開いて、自分の身体をこのまま呑んでくれればいいとさえ思った。悲鳴を揚げながら、逃げ出したいような気持だった。が、身体を動かすと母達に気付かれはしないかと思うと、彼女は、動くことさえ出来なかった。彼女は、そのまま椅子に凍り付いたように、身体を小さくしながら、息を潜めて、母達が行き過ぎるのを待っていようと思った。が、ああそれが何という悪魔の悪戯(いたずら)だろう！　母達は、だんだん美奈子のいる方へ歩み寄って来るのであった。彼女の心は当惑のために張り裂けるようだった。母と青年とが、もし自分を見付けたらと思うと、彼女の身体全体は、ますます顫え立って来た。

が、母と青年とは、闇の中の樹蔭の椅子(ベンチ)に、美奈子がたった一人蹲っていようとは、夢にも思わないと見え、美奈子のいる方へ、ますます近づいて来た。美奈子は、絶体絶命だった。母達が気の付かないうちに、自分の方から声をかけようと思ったが、声が咽喉にからんでしまって、どうしても出て来なかった。が、美奈子の当惑が、最後のところまで行った時だった。今まで、美奈子の方へ真直に進んで来ていた母達は、つと右の方へ外れたかと思うと、そこに茂っている樹木の向う側に、樹木を隔てて美奈子とは、背中合せの椅子(ベンチ)に、腰を下してしまった。

美奈子は、苦しい境遇から、一歩を逃れてホッと一息した。が、またすぐ、母と青年とが、話し始める会話を、どうしても立ち聞かねばならぬかと思うと、彼女はまた新しい当惑に陥ちていた。彼女は母と青年とが、話し始めることを聞きたくなかった。それは、彼女にとって余りに恐ろしいことだった。殊に、母と青年とが、ああまで寄り添うて歩いているところを見ると、それが世間並の話でないことは、余りに判りすぎた。彼女は、自分の母の秘密を知りたくなかった。今まで、信頼し愛している母の秘密を知りたくなかった。美奈子は、自分の眼がすぐ盲になり、耳がすぐ聾することを、どれほど望んでいたか判らなかった。もし、それが出来なければ、一目散に逃げたかった。もし、それが出来なかったら、両手で二つの耳を堅く堅く掩うていたかった。

が、彼女がどんなに聴くことを、厭がっても、聞えて来るものは、聞えて来ずには、いなかったのである。夜の静かなる闇には、彼らの話し声を妨げる少しの物音もなかったのである。

四

夜は静かだった。母と青年との話し声は、二間ばかり隔っていたけれども、手に取るごとく美奈子の耳——その話し声を、毒のように嫌っている美奈子の耳に、ハッキリと聞えて来た。

「稔さん！　一体何なの？　改まって、話したいことがあるなんて、妾(わたし)をわざわざこんな暗い処へ連れて来て？」

そう言っている母の言葉や、アクセントは、平生の母とは思えないほど、下卑ていて娼婦か何かのように艶(なま)めかしかった。しかも、美奈子のいるところでは、一度も呼んだことのない青年の名を、馴々しく呼んでいるのだった。こうした母の言葉を聞いたとき、美奈子の心は、止めの一太刀を受けたと云ってもよかった。今まで、あんなに信頼していた母にまで裏切られた寂しさと不快とが、彼女の心を滅茶滅茶に引き裂いた。

瑠璃子に、そう言われても、青年はなかなか話し出そうとはしなかった。沈黙が、二三分間彼等の間に在った。

母は、もどかしげに青年を促した。

「早く、おっしゃいよ！　何をそんなに考えていらっしゃるの。早く帰らないといけませんわ。美奈子が、淋しがっているのですもの。歩きながらでは、話せないなんて、一体どんな話なの！　早く言って御覧なさい！　まあ、自烈ったい人ですこと。」

美奈子は、自分の名を呼ばれて、ヒヤリとした。それと同時に、母の言葉が、蓮葉に乱暴なのを聴いて、ますます心が暗くなった。

青年は、それでもなかなか話し出そうとはしなかった。が、母の気持がかなり浮いているのにも拘わらず、青年が一生懸命であることが、美奈子にも、それとなく感ぜられた。

「さあ！　早くおっしゃいよ。一体何の話なの？」

母は、子供をでも、すかすように、なまめいた口調で、三度催促した。

「じゃ、申し上げますが、いつものように、はぐらかして下さっては困りますよ。僕は真面目で申しあげるのです。」

青年の口調は、かなり重々しい口調だった。一生懸命な態度が、美奈子にさえ、アリアリと感ぜられた。

「まあ！　憎らしい。妾が、いつ貴君を、はぐらかしたのです。厭な稔さんだこと。いつだって、貴方のおっしゃることは、真面目で聴いているではありませんか。」

そう言っている母の言葉に、娼婦のような技巧があることが、美奈子にも感ぜられた。

「貴女は、いつもそうなのです。貴女は、いつも僕にそうした態度しか見せて下さらないのです。僕が一生懸命に言うことを、貴女は、いつもそんな風にはぐらかしてしまうのです。」

青年は、恨みがましくそう言った。

「まあ、そんなに怒らなくってもいいわ。じゃ、妾貴君の好きなように、聴いて上げるから言って御覧なさい！」

母は、子供を操るように言った。

母の態度は、心にもない立聞きをしている美奈子にさえ恥しかった。

青年は、また黙ってしまった。

「さあ！　早くおっしゃいよ。妾こんなに待っているのよ。」

母が、青年の頬近く口を寄せて、促している有様が、美奈子にもすぐ感ぜられた。

「瑠璃子さん！　貴女には、僕の今申し上げようと思っていることが、大抵お解りになってはいませんか。」

青年は、とうとう必死な声でそう云った。美奈子は、予期したものを、とうとう聴いたように思うと、今までの緊張が緩むのと同時に、暗い絶望の気持が、心のうち一杯になった。それでも彼女は母が、一体どう答えるかと、じっと耳を澄ましていた。

五

瑠璃子は青年をじらすように、落ち着いた言葉で云った。

「解っているかって？　何がです。」

ある空々しさが、美奈子にさえ感ぜられた。瑠璃子の言葉を聴くと、青年は、かなり激してしまった。烈しい熱情が、彼の言葉を、顫わした。

「お解りになりませんか。お解りにならないと云うのですか。僕の心持、僕の貴女に対する心持が、僕が貴女をこんなに慕っている心持が。」

青年は、もどかしげに、叫ぶように云うのだった。陰で聞いている美奈子は、胸を発矢と打たれたように思った。青年の本当の心持が、自分が心私かに思っていた青年の心が、母の方へ向っていることを知ると、彼女は死刑囚が、その最後の判決を聴いた時のように、身体も心も、ブルブル顫えるのを、抑えることが出来なかった。彼女は、砕かれた胸を抑えて、母が何と云い出すかを、一心に耳を澄せていた。

が、母は容易に返事をしなかった。母が、返事をしないうちに、青年の方が急き立ってしまった。

「お解りになりませんか。僕の心持が、お解りにならないはずはないと思うのですが、僕がどんなに貴女を思っているか。貴女のためには、何物をも犠牲にしようと思っている僕の心持を。」

青年は、必死に母に迫っているらしかった。顫える声が、変に途切れて、傍聞きしている美奈子までが、胸に迫るような声だった。

が、母は平素のように落ち着いた声で云った。

「解っていますわ。」

母の冷静な答に、青年が満足していないことは明らかだった。

「解っています。そうです、貴女はいつでも、そう云われるのです。僕が、いつか貴女に申し上げたときにも、貴女は解っていると仰しゃったのです。が、貴女が解っていると仰しゃるのと、解っていないと仰しゃるのと、どこが違うのです。恐らく、貴女は、貴女の周囲に集まっている多くの男性に、皆一様に『解っている』『解っている』と仰しゃっているのではありませんか。『解っている』程度のお返事なら、お返事していただかなくても、同じ事です。解っているのなら、本当に解っているように、していただきたいと思うのです。」

青年が、一句一語に、興奮して行く有様が、目を閉じて、じっと聴きすましている美奈子にさえ、アリアリと感ぜられた。

が、母は、何という冷静さだろうと美奈子でさえ、青年の言葉を、陰で聴いている美奈子でさえ、胸が裂けるような息苦しさを感じているのに、面と向って聴いている当人の母は、息一つ弾ませてもいないのだった。青年が、興奮すればするほど、興奮して行く有様を、じっと楽しんででもいるかのように、落着いている母だった。

「解っているようにするなんて？　どうすればいいの？」

言葉だけはなまめかしく馴々しかった。

母の取りすました言葉を、聴くと、青年は火のように激してしまった。

「どうすればいいの？　なんて、そんなことを、貴女は僕にお聞きになるのですか。」

青年は、恨めし気に云った。

「貴女は、僕を、最初から、僕を玩具にしていらっしゃるのですか。僕の感情を、最初から弄んでいらっしゃるのですか。僕が折に触れ、事に臨んで、貴女に申し上げたことを、貴女は何と聴いていらっしゃるのです。」

青年の若い熱情が――、恋の炎が、今烈々と迸(ほとばし)っているのであった。

六

青年が、段々激して来るのを、聴いていると、美奈子はもうこの上、隠れて聴いているのが、堪らなかった。

彼女の小さい胸は、いろいろな烈しい感情で、張り裂けるように一杯だった。青年の心を知ったための大きい絶望もあった、が、それと同時に、青年の烈しい恋に対する優しい同情もあった。母の不誠意な、薄情な態度を悲しむ心も交っていた。どの一つの感情でも、彼女の心を底から覆すのに十分だった。

その上、他人の秘密、他人の一生懸命な秘密を、窃み聴きしていることが、一番彼女の心を苦しめた。彼女は、もう一刻も、坐っていることが出来なかった。その椅子が針の蓆か、何かでもあるように、幾度も腰を上げようとした。が、距離は、わずかに二間くらいしかない。草を踏む音でも聞えるかも知れない。殊に樹木の蔭を離れると、いかなる機みで母達の眼に触れるかも知れない。母達が、自分がいたことに気が付いたときの、駭きと当惑とを思うと、美奈子の立ち上ろうとする足は、そのまますくんでしまうのだった。

美奈子が、退っ引きならぬ境遇に苦しんでいることを、夢にも知らない瑠璃子は、前のように落着いた声で静かに云った。

「だから、解っていると云っているのじゃないの。貴君のお心は、よく解っていると云っているのじゃないの。」

青年の声は、前よりももっと迫っていた。

「本当ですか。本当ですか。本心でそう仰しゃっているのですか。まさか、口先だけで云っていらっしゃるのじゃありますまいね。」

青年が、そう訊き詰めても母は、黙っていた。青年は、いよいよ焦った。

「本心ならば、証拠を見せて下さい。貴女のお言葉だけは、もう幾度聴いたか分らない。貴女は、それと同じような言葉を、僕に幾度繰り返したか分らない。僕は言葉だけではなく、証拠を見せて貰いたいのです。本心ならば、本心らしい証拠を見せていただきたいのです。」

青年が、焦っても激しても、動かない母だった。

「証拠なんて！　妾の言葉を信じて下さらなければ、それまでよ。お女郎じゃあるまいし、まさか、起請を書くわけにも行かないじゃないの。」

母の貴婦人らしからぬ言葉遣いが、美奈子の心を傷ましめた。

「証拠と云って、品物を下さいと云うのじゃありません。僕が、先日云ったことに、ハッキリと返事をしていただきたいのです。ただ『待っていろ』ばかりじゃ僕はもう堪らないのです。」

「先日云ったことって、何？」

母は、相手をますますじらすように、しかもなまめかしい口調で云った。

「あれを、お忘れになったのですか、貴女は？」

青年は憤然としたらしかった。

「あんな重大なことを、僕があんなに一生懸命にお願いしたのを、貴女はもう忘れて、いらっしゃるのですか。じゃ、繰り返してもう一度、申し上げましょう。瑠璃子さん、貴女は僕と結婚して下さいませんか。」

結婚という思いがけない言葉を聴くと、美奈子は、最後の打撃を受けたように思った。青年の母に対する決心が、これほど堅く進んでいようとは夢にも思っていないことだった。

「あのお話！　あれには貴君、ハッキリとお答えしてあるじゃないの。」

母は、青年の必死な言葉を軽く受け流すように答えた。

「あのお答えには、もう満足出来なくなったのです。」

母のハッキリとした答えというのは、どんな内容だろうと思うと、美奈子は悪い悪いと思いながらじっと耳を澄まさずにはいられなかった。

七

「あんなお答えには、僕はもう満足出来なくなったのです。あんな生ぬるいお答えには、もう満足出来なくなったのです。貴女は、美奈子さんが、結婚してしまうまで、この返事は待ってくれと仰しゃる。が、貴女のお心だけをお定めになるのなら、美奈子さんの結婚などは、何の関係もないことではありませんか。僕に約束をして下さって、ただ、時期を待てと仰しゃるのなら僕はいつまでも待ちます。五年でも十年でも、二十年でも、否生涯待ち続けても僕は悔いないつもりです。貴女のはただ『返事を待て』と仰しゃるのです、お返事だけならば、美奈子さんが結婚しようがしまいが、それとは少しも関係なしに、貴女のお心一つで、どうともお定めになることが、出来ることじゃありませんか。僕に約束さえして下されば、僕は欣んで五年でも七年でも待っている積りです。」

青年の声は、だんだん低くなって来た。が、その声に含まれている熱情は、だんだん高くなって行くらしかった。しんみりとした調子の中に、人の心に触れる力が籠っていた。自分の名が、青年の口に上る度に、美奈子は胸をとどろかせながら、息を潜めて聞いていた。

母が何とも答えないので、青年はまた言葉を続けた。

「返事を待て、返事を待ってくれと、仰っしゃる。が、その返事がいい返事に定まっていれば、五年七年でも待ちます。が、もし五年も七年も待って、その返事が悪い返事だったら、一体どうなるのです。僕は青春の感情を、貴女に散々弄ばれて、揚句の端に、突き離されることになるのじゃありませんか。貴女は、僕をどちらとも付かない迷いのうちに、釣っておいて、いつまでもいつまでも、僕の感情を弄ぼうとするのではありませんか。僕は、貴女のなさることから考えると、そう思うよりほかはないのです。」

「まさか、妾そんな悪人ではないわ。貴君のお心は、十分お受けしているのよ。でも、結婚となると妾考えるわ。一度ああいう恐ろしい結婚をしているのでしょう。妾、結婚となると、何か恐ろしい淵の前にでも立っているようで、足が竦んでしまうのです。無論、美奈子が結婚してしまえば、妾の責任は無くなってしまうのよ。結婚しようと思えば、出来ないことはないわ。が、その時になって、本当に結婚したいと思うか、したくないか、今の妾には分らないのよ。」

母は、初めて本心の一部を打ち明けたように云った。

「が、それは貴女の結婚に対するお考えです。僕が訊きたいと思うのは、僕に対する貴女のお考えです。貴女が結婚するかしないかよりも、貴女が僕と結婚するかしないかが、僕には大問題なのです。言葉を換えて云えば、僕を、結婚してもいいと思うほど、愛していて下さるかどうかが、僕には大問題なのです。」

青年の言葉は、一句一句一生懸命だった。

「つまり、こういうことをお尋ねしたのです。貴女が、もし、将来結婚なさらないで終るのなら、是非もないことです。が、もし結婚なさるならば、何人を措いても、僕と結婚して下さるかどうかを訊いているのです。時期などは、いつでもいい、五年後でも、十年後でも、かまわないのです、ただ、もし貴女が結婚しようと決心なさったときに、夫として僕を選んで下さるかどうかをお訊ねしているのです。」

青年の静かな言葉のうちには、彼の熾烈な恋が、火花を発していると云ってもよかった。

事理の徹った退っ引きならぬ青年の問に、母が何と答えるか、美奈子は胸を顫わしながら待っていた。

母は、しばらく返事をしなかった。夜は、もう十時に近かった。やや欠けた月が、箱根の山々に、青白い夢のような光を落していた。

約束の夜に

一

「そのお返事は、出来ないことはないと思うのです。否か応か、どちらかの返事をして下さればいいのです。貴女が、今まで僕に示して下さったいろいろな愛の表情に、ただ裏書をさえして下されればいいのです。貴女の将来のお心を訊いているのではないのです。現在の、貴女のお心を訊いているのです。現在の、貴女自身のお心が、貴女に分らないはずはないと思うのです。ただ、現在の貴女のお心をハッキリお返事して下さればいいのです。将来、結婚という問題が貴女のお考えのうちに起ったときには、僕を夫として選ぼうと現在思っているかどうかを訊かしていただきたいのです。」

青年の問には、ハッキリとした条理が立っていた。詭弁を弄しがちな瑠璃子にも、もう云い逃れる術は、ないように見えた。

「妾、貴君を愛していることは愛しているわ。妾が、この間中から云っていることは、決して嘘ではないわ。が、貴君を愛しているということは、必ずしも貴君と結婚したいということを意味していないわ。けれど、貴君に、結婚したいという希望が、本当におありになるのなら、妾はまた別に考えてみたいと思うの。」

瑠璃子の、少しも熱しない返事を訊くと、青年はまた激してしまった。

「考えてみるなんて、貴女のそういうお返事はもう沢山です。『考えてみる』『解っている』そういう一時逃れのお返事には、もうあきあきしました。僕は、全かもしくは無を欲するのです。徹底的なお返事が欲しいのです。貴女が、もし『否』と仰しゃれば、僕も男です。失恋の苦しみと男らしく戦って、貴女に決して未練がましいことは云わないつもりです。僕は貴女に、承諾してくれとは云わないのです。どちらでも、ハッキリとしたお返事が欲しいのです。こんな中途半端な気持のうちに、いつまでも苦しんでいたくないのです。僕は、貴女の全部を摑みたいのです。でなければ僕はむしろ、貴女の全部を失いたいのです。恋は暴君です、相手の占有を望んで止まないのです。」

青年は、男らしく強くは云っているものの、彼が瑠璃子に対して、どんなに微弱であるかは、その顫えている語気で明らかに分った。

「一体考えてみるなんて、いつまで考えて御覧になるのです。五六年も考えてみるお積りなのですか。」

青年は、恨みがましくやや皮肉らしく、そう云った。

「いいえ。明後日まで。」

瑠璃子の答は、一生懸命に突っ掛って来た相手を、軽く外したような意地悪さと軽快さとを持っていた。

青年は、手軽く外されたために、ムッとして黙ったらしかったが、しかし、答そのものは、手応えがあるので、彼はしばらくしてから、口を開いた。

「明後日！　本当に明後日までですか。」

「嘘は云いませんわ。」

瑠璃子の返事は、殊勝だった。

「じゃ、そのお返事はいつ聴けるんです。」

青年の言葉に、やっと嬉しそうな響きがあった。

「明後日の晩ですわ。」

瑠璃子の本心は知らず、言葉だけにはある誠意があった。

「明後日の晩、やっぱり二人切りで、散歩に出て下さいますか。貴女は、いつでも、美奈子さんをお誘いになる。美奈子さんが、進まれない時でも、貴女は美奈子さんを、いろいろ勧めてお連れになる。僕がどんなに貴女と二人切りの時間を持ちたいと思っている時でも、貴女は美奈子さんを無理にお勧めになるのですもの。」

聴いている美奈子は、もう立つ瀬がなかった。彼女の頰には、涙がほろほろと流れ出した。

二

美奈子さんを連れ過ぎると、青年が母に対して恨んでいるのを聴くと、もう美奈子は、一刻も辛抱が出来なかった。口惜しさと、恨めしさと、絶望との涙が、止めどもなく頬を伝って流れ落ちた。自分が、心私かに想いを寄せていた青年から、邪魔物扱いされていたことは、彼女の魂を踏み躙ってしまうのに、十分だった。もう一刻も、止まっていることは出来なかった。逃げ出すために、母達に、見付けられようが、見付けられまいが、もうそんなことは問題ではなかった。そんなことは、もう気にならないほど、彼女の心は狂っていた。彼女は、どんなことがあろうとも、もう一秒も止まっていることは出来なかった。

彼女は、それでも物音を立てないように、そっと椅子から、立ち上った。立ち上った刹那から、脚がわなわなと顫えた。一歩踏み出そうとすると、全身の血が、悉く逆流を始めたように、身体がフラフラとした。倒れようとするのをやっと支えた。最後の力を、振い起した。わななく足を支えて、芝生の上を、静かに静かに踏みしめ、椅子から、十間ばかり離れた。彼女は、そこまでは、這うように、身体を沈ませながら辿ったが、そこに茂っている、夜の目には何とも付かない若い樹木の疎林へまで、辿り付くと、もう最後の辛抱をし尽したように、疎林の中を縫うように、母達のいる位置を、遠廻りしながら、ホテルの建物の方へと足を早めた。否馳け始めた。恐ろしい悪夢から逃げるように。恐ろしい罪と恥とから逃げるように。彼女は、すべてを忘れて、若い牝鹿のように、逃げた。

夢中に、庭園を馳けぬけ、夢中に階段を馳け上り、夢中に廊下を走って、自分の寝室へ馳け込むと彼女は寝台へ身体を瓦破(がば)と投げ付けたまま、泣き伏した。

涙は、いくら流れても尽きなかった。悲しみは、いくら泣いても、薄らがなかった。

すべては失われた。すべては、彼女の心から奪われた。新しく得ようとした恋人と一緒に、古くから持っていたただ一人の母を。彼女の愛情生活の唯一の相手であった母を。

春の花園のように、光と愛と美しさとに、充ちていた美奈子の心は、この嵐のために、吹き荒されて、跡には荒寥(こうりょう)たる暗黒と悲哀のほかは、何も残っていなかった。

恋人から、邪魔者扱いされていることが、悲しかった。が、それと同じに、母が――あれほど、自分には優しく、清浄(しょうじょう)である母が、男に対して、娼婦のように、なまめかしく、不誠実であることが、一番悲しかった。自分の頼みきった母が、夜そっと眼を覚してみると、自分の傍には、いないで、有明の行燈を嘗(な)めているのを発見した古い怪譚の中の少女のように、美奈子の心は、あさましい駭きで一杯だった。

自分に、優しい母を考えると、彼女は母を恨むことは出来なかった。が、あさましかった。恥しかった。恨めしかった。

母と青年とから、逃れて来たものの、美奈子は本当に逃れているのではなかった。山中で、怪物に会って、馳け込んだ家が、ちょうど怪物の棲家であるように、母と青年とから逃れて来ても、彼等は相つづいて、同じこの部屋に帰って来るのだった。

そう思うと、いっそ美奈子は、この部屋から逃げ出したかった。遠く遠く何人にも見出されない、山の中へ入って、この悲しみをいつまでもいつまでも泣き明かしたかった。いな、少くともこの夜だけでも、母と青年との顔を見たくなかった。母と青年とが、並んで帰って来るのを見たくなかった。いな、青年から邪魔者扱いされている以上、もう部屋に止まりたくなかった。が、この部屋を離れて、いな母を離れて、彼女は一人何処へ行くところがあろう。ただ一人、縋り付く由縁とした母を離れて何処へ行くところがあろう。そう思うと、美奈子の頭には、死んだ父母の面影が、アリアリと浮んで来た。

三

死んだ父母の面影が、浮んで来ると、美奈子は懐かしさで、胸がピッタリと閉された。今の彼女の悲しみと、苦しみを、撫でさすってくれる者は、死んだ父母のほかには、広い世の中に誰一人ないように思われた。

そう思うと、亡き父が、あの強い腕を差し伸べて、自分を招いていてくれるように思われた。その手は世の人々には、どんなに薄情に働いたかも知れないが、自分に対しては限りない慈愛が含まれていた。美奈子は、父の腕が、恋しかった。父の、その強い腕に抱かれたかった。そう思うと、自分一人世の中に取り残されて、悲しく情ない目に会っていることが、味気なかった。

　が、それよりも、彼女はこの部屋に止まっていて、母と青年とが、何知らぬ顔をして、帰って来るのを迎えるのに堪えなかった。どこでもいい、山でもいい、海でもいい、母と青年とのいないところへ逃れたかった。彼女は、泣き伏していた顔を、上げた。フラフラと寝台を離れた。浴衣を脱いで、明石縮の単衣に換えた。手提げを取り上げた。彼女の小さい心は、今狂っていた。もう何の思慮も、分別も残っていなかった。ただ、突き詰めた一途な少女心が、張り切っていただけである。

　彼女が、着物を着換えてしまう間、幸いに母と青年とは帰って来なかった。

　彼女は、部屋を馳け出そうとしたとき、咄嗟に兄のことを考えた。兄は、白痴の身を、監禁同様に葉山の別荘に閉じ込められている。が、他の世間の人々に対しては、愚かなあさましい兄であるが、その愚かさのうちにも、肉親に対する愛だけは、残っている。彼女は、彼女が時々兄を訪うときに、兄がどんなに嬉しそうな表情をするかを、覚えている。たとい、自分の現在の苦しみや、悲しみを理解し得る兄ではないにしろ、兄の愚かな、しかしながら純な態度は、きっと自分を慰めてくれるに違いない。少くとも、あの愚かな兄だけは、いつ行ってもきっと、自分に、あの人のよい、愚かしいがしかし浄い親愛の情を表してくれるに違いない。そう思うと、美奈子は急に、兄に会いたくなった。夜は十時に近かったがまだ湯本行の電車はあるように思った。もし、横須賀行の汽車に間に合わなかったら、国府津か小田原かで、一泊してもいいとさえ思った。

部屋の扉を、そっと開けて、彼女は廊下を窺った。西洋人の少年少女が二人連れ立って、自分の部屋へ、帰って行くらしいのを除いたほかには人影はなかった。

彼女は、廊下を左へ取った。その廊下を突き当って左へ降りると、ホテルの玄関を通らないで、広場へ出ることを知っていた。

彼女は、廊下を馳け過ぎた。階段を、一気に馳け降りた。そして、階段の突き当りにある、扉を押し開いて、夜の戸外へ、走り出ようとした。

が、その扉を押し開いた刹那であった。

「おや！」戸外に、叫ぶ声がした。戸外からも、扉を開けようとした人が、思わず内部から開いたので、駭いて発した声だった。美奈子は、すぐ、そう叫んだ人と、顔を面して立たなければならなかった。それは、まさしく母だった。母の後に、寄り添うように立っているのは、もとよりかの青年だった。

「美奈さんじゃないの！」

母は、かなり駭いていた。狼狽していたと云ってもよかった。美奈子は、全身の血が、凍ってしまったように、じっと身体を縮ませながら、立っていた。

「どうしたの？　こんなに遅く？」

青年との会話には、あんな冷静を保っていた母が、別人ではないかと思うほど、色を変えていた。

美奈子が、黙っていると、母はますます気遣わしげに云った。

「一体どうしたの、こんなに遅く、着物を着換えて、手提げなんか持って。」

四

母に問い詰められて、美奈子は、漸くその重い唇を開いた。

「あの、手紙を出しに、郵便局まで行こうと思っていましたの。」

彼女は、生れて最初の嘘を、ついてしまった。彼女の、蒼い顫(ふる)いを帯びた顔色を見れば、誰が彼女が郵便局へ行くことを、信ずることが出来よう。

「郵便局！」瑠璃子は、反射的にそう繰り返したが、その美しい眉は、深い憂慮のために、暗くなってしまった。「こんなに遅く郵便局へ！」

瑠璃子は、呟くように云った。が、それは美奈子を咎めているというよりも、自分自身を咎めているような声だった。

母子(おやこ)の間に、しばらくは沈黙が在った。美奈子は、ただ黙って立っているほかは、どうすることも出来なかった。

「郵便局！　郵便局なら、僕が行って来て上げましょう。」

母の後に立っていた青年は、この沈黙を救おうとしてそう云った。

美奈子は、ちょっと狼狽した。託すべき手紙などは持っていなかったからである。

「いいえ。結構でございますの。」

美奈子は、平素に似ず、きっぱりと答えた。その拒絶には、彼女の、芽にして、蹂み躙られた恋の千万無量の恨みが、籠っていたと云ってもよかった。

聡明な瑠璃子には、美奈子の心持が、かなり判ったらしかった。彼女は、涙がにじんではいぬかと思われるほどの、やさしい眸で、美奈子を、じっと見詰めながら云った。

「ねえ！　美奈さん。今晩は、よしてくれない。もう十時ですもの、あした早く入れに行くといいわ。ねえ美奈さん！　いいでしょう。」

彼女は、美奈子を抱きしめるように、掩いながら、耳許近く、子供でもすかすように云った。

平素なら、母の一言半句にも背かない美奈子であるが、その夜の彼女の心は、妙にこじれていた。彼女は、黙って返事をしなかった。

「どうしても、行くのなら、妾も一緒に行くわ。青木さんは、部屋で待っていて下さいね。ねえ！　美奈さん、それでいいでしょう。」

そう云いながら、瑠璃子は早くも、先に立って歩もうとした。

美奈子は、ちょっと進退に窮した。母と一緒に郵便局へ行っても、出すべき手紙がなかった。それかと云って、今まで黙っていながら、今更行くことをよすとも、言い出しかねた。

そのうちに、青年はこの場を避けることが、彼にとって、一番適当なことだと思ったのだろう。何の挨拶もしないで、建物の中へ入ると、階段を勢いよく馳け上ってしまった。

母一人になると、美奈子の張り詰めていた心は、弛んでしまって、新しい涙が、頰を伝い出したかと思うと、どんなに止めようとしても止まらなかった。とうとう、しくしくと声を立ててしまった。

美奈子が泣き始めるのを見ると、瑠璃子は、心から駭いたらしかった。美奈子の身体を抱えながら叫ぶように云った。

「美奈さん！　どうしたの、一体どうしたの。何が悲しいの。貴女一人残しておいて済まなかったわ。御免なさいね、御免なさいね。」

青年に対しては、あれほど冷静であった母が、本当に二十前後の若い女に帰ったように、狼狽えているのであった。

「貴女、泣いたりなんかしたら、厭ですわ。今まで貴女の泣き顔は、一度だって、見たことがないのですもの。妾、貴女の泣き顔を見るのが、何よりも辛いわ。一体どうしたの。妾が、悪かったのなら、どんなにでもあやまるわ。ねえ、後生だから、訳を云って下さいね。」

そう云っている母の声に、烈しい愛と熱情とが、籠っていることを、疑うことは出来なかった。

五

その夜は、美奈子も強いて争いかねて、重い足を返しながら、部屋へ帰って来た。

翌日になると、夜が明けるのを待ち兼ねていたように、美奈子は母に云った。

「お母様、妾(わたし)葉山へ行って来ようかと思っているの。兄さんにも、随分会わないから、どんな容子(ようす)だか、妾見て来たいと思うの。」

が、母は許さなかった。美奈子の容子が、何となく気にかかっているらしかった。

「もう二三日してから行って下さいね。それだと、妾(わたし)も一緒に行くかも知れないわ。箱根も妾、何だか飽き飽きして来たから。」

その日一杯、平素は快活な瑠璃子は、妙に沈んでしまっていた。青年には、口一つ利かなかった。美奈子にも、用事のほかは、ほとんど口を利かなかった。ただ一人、縁側(ヴエランダ)にある籐椅子に、腰を降しながら、一時間も二時間も、石のように黙っていた。

瑠璃子の態度が、すぐ青年に反射していた。瑠璃子から、口一つ利かれない青年は、所在なさそうに、主人から嫌われた犬のように、部屋の中をウロウロ歩いていた。彼のオドオドした眼は、燃ゆるような熱を帯びながら、瑠璃子の上に、注がれていた。美奈子は、青年の容子に、抑え切れぬ嫉妬を感じながらも、しかし何となく気の毒であった。犬のように、母を追うている、母の一挙一動に悲しんだり欣んだりする青年の容子が、気の毒であった。

その日は、事もなく暮れた。平素のように、夕方の散歩にも行かなかった。食堂から帰って来ると三人は気まずく三十分ばかり向い合っていた後に、銘々自分の寝室に、まだ九時にもならないうちに、退いてしまった。

翌る日が来ても、瑠璃子の容子は前日と少しも変らなかった。美奈子には、時々優しい言葉をかけたけれども、青年には一言も言わなかった。青年の顔に、絶望の色が、段々濃くなって行った。彼の眼は、恨めしげに光り始めた。

とうとう、夜が来た。瑠璃子と青年との間に、交された約束の夜が来た。

美奈子は、夜が近づくに従って、青年が自分の存在を、どんなに呪っているかもしれないと思うと部屋にいることが、どうにも苦痛になって来た。

晩餐の食堂から、帰るときに、美奈子は、そっと母達から離れて、自分一人ホテルの図書室へでも行こうと思った。そうすれば、青年は彼の希望通り、母とたった二人きりで、散歩に行くことが出来るだろう。母も、自分に何の気兼なしに青年とたった二人、散歩に出ることが出来るだろう。

美奈子は、そう思いながら、そっと母達から離れる機会を待っていた。が、母は故意にやっていると思われるほど、美奈子から眼を離さなかった。美奈子は、仕方なしに、一緒に部屋へ帰って来た。

部屋に帰ってから、しばらくの間、瑠璃子は黙っていた。五分十分経つにつれて、青年がじりじりし始めたことが、美奈子の眼にも、ハッキリと判った。しかも、青年がいらいらしていることが、自分がいるためであると思うと、美奈子はどうにも、辛抱が出来なかった。自分が、青年の大事な大事な機会の邪魔をしていると思うと、美奈子はどうにも、辛抱が出来なかった。

「妾、お母様、図書室へ行って来ますわ。ちょっと本が読みたくなりましたから。」

美奈子は、そう云って、母の返事をも待たず、つかつかと部屋を出ようとした。

母は、駭いたように呼び止めた。

「図書室へ行くのなんかおよしなさいね。昨夕は出なかったから、今日は散歩に出ようじゃありませんか。」

美奈子は、ちょっと駭いて足を止めた。ふと気が付くと、青年の顔は烈しい怒りのために、黒くなっていた。

六

美奈子は、母の真意を測りかねた。

母も、確かに青年とたった二人きり、散歩する約束をしたはずである。そして、あの大切な返事を青年に与える約束をしたはずである。それだのに、なぜ自分を呼び止めるのであろう。そうした機会を、彼等に与えようとして、席を外そうとする、自分を呼び止めるとは。

「ええっ！」美奈子は、つい返事とも、駭きとも何とも付かぬ言葉を出してしまった。

「ねえ！　図書室なんか、明日いらっしゃればいいのに。今夜は強羅公園へ行こうと思うの。ねえ！　いいでしょう。」

母はいつもよりも、もっと熱心に美奈子に勧めた。

「でも。」

美奈子は、躊躇した。彼女は、そうためらいながらも、青年の顔を見ずにはいられなかったのである。彼は、部屋の一隅の籐椅子に腰を下していたが、その白い顔は、烈しい憤怒のために、充血していた。彼は、爛々たる眸を、恨めしげに母の上に投げていたのである。美奈子は、そうした青年の容子を見ることが、心苦しかった。彼女は、青年のために、心の動顚している青年のためにも、母の勧めに、おいそれと従うことは出来なかった。

「いいじゃありませんの。図書室なんか、今晩に限ったことはないのでしょう。ねえ！　いらっしゃい。妾お願いしますから。」

母は、余儀ないように云った。そう云われれば、美奈子は、同行を強いて断るほどの口実は何もなかった。ただ彼女には、自分を極力同行せしめようとする母の真意が、どうしても分らなかった。

「ねえ！　青木さん！　美奈さんと、三人でなければ面白くありませんわねえ。二人きりじゃ淋しいし張合いがありませんわねえ！」

母は、青年に同意を求めた。

何もかも知っている美奈子は、母のやり方が、恐ろしかった。青年が、嫌いだというものを、グングン咽喉に押し込むような、母の意地の悪い逆な態度が、恐ろしかった。美奈子は、ハラハラした。青年が、母の言葉を、どう取るかと思うと、ハラハラせずにはいられなかった。青年は、果してカッとなったらしかった。それかといって、美奈子の前では、何の抗議を云うことも出来ないらしかった。

「僕！　僕！　僕は、今日は散歩に行きたくありません。失礼します、失礼します。」

それが、青年の精一杯の反抗であった。青年の顔は、今蒼白に変じ、彼の言葉は、激昂のために、顫えた。

「何故？」瑠璃子は詰問するように云った。

「何故いらっしゃらない。だって、貴君はさっき食堂で、今夜は強羅まで行こうと仰しゃったのじゃないの。今になって、よそうなんて、それじゃ故意に、妾達の感情を害しようとなさっているのだわ。」

青年は、唇をブルブル顫わした。が、美奈子の前では、彼は一言も、本当の抗議は云えなかった。

『貴女は約束と違うじゃありませんか。なぜ、美奈子さんをお連れになるのです。』それが、青年の心に、沸々と湧き立っている云い分であった。が、それを、どうして美奈子の前で口にすることが出来るだろう。

青年の、籐椅子の腕に置いている手が、わなわな顫えるのに、美奈子は、先刻から気が付いていた。

母の皮肉な逆な態度が、どんなに青年の心を虐げているかが、美奈子にもよく判った。

美奈子は、もう一度、青年を救ってやりたいと思った。

「妾(わたくし)やっぱり、図書室へ参りますわ。今日急に、お関所の歴史が知りたくなりましたの。」

七

「お関所の歴史なんか、今夜じゃなくてもいいじゃないの。」

瑠璃子は、美奈子が、再度図書館へ行こうと云うのを聴くと、少しじれたように、そう云った。

「どうして妾(わたし)と一緒に行くのが、お嫌いなの。美奈さんも、青木さんも、今夜に限ってどうしてそんなに煮え切らないの。」

瑠璃子は、青年の火のような憤怒も、美奈子の苦衷も、何も分らないように、平然と云った。

「ねえ！　美奈さん、お願いだから行って下さいね。貴女が、行きたがらないものだから、青木さんまでが、出渋るのですわ。ねえ！　そうでしょう、青木さん！」

弱い兎を、苛責める牝豹か何かのように、瑠璃子はどこまでも、皮肉に逆に逆に出るのであった。美奈子は、青年の顔を見るのに堪えなかった。青年がどんなに怒っているか、また美奈子がいるために、その怒りを少しも洩らすことが出来ない苦しさを察すると、美奈子は気の毒で、顔を背けずにはいられなかった。

瑠璃子には、青年の憤怒などは、眼中にないようだった。それでも、しばらくしてから、青年をなだめるように云った。

「さあ！　三人で機嫌よく行こうじゃありませんか。ねえ！　青木さん。何をそんなに、気にかけていらっしゃるの。」

そう、かなり優しく云ってから、彼女は意味ありげに附け加えた。

「妾この間中から、考えていることがあって、くさくさしてしまったの。散歩でもして、気を晴らしてから、もっとよく考えてみたいと思うの。」

それは、暗に青年に対する云い訳のようであった。まだ、十分に考えが纏まっていないこと、従って今夜の返事を待ってくれという意味が、言外に含まれているようだった。

それを聴くと、青年の怒りは幾分、解けたらしかった。彼は不承不承に椅子から、腰を離した。

美奈子も、やっと安心した。やっぱり、母は、真面目に、この二三日口も利かずに、青年の申し出を、考えたに違いない。それが、とうとう纏まりが付かないために、返事の延期を、青年にそれとなく求めたに違いない。それを、青年が不承不承ではあるが、承諾した以上、今夜の約束は延ばされたのだ。そう思うと、自分が母達に同伴することが、必ずしも青年の恋の機会の邪魔をすることではないと思うと彼女は漸く同伴する気になった。

三人は、それぞれに、いつもよりは、少しく身拵(みごしら)えを丁寧にした。

「往きと帰りは、電車にしましょうね。歩くと大変だから。」

瑠璃子は、そう云いながら、一番に部屋を出た。青年も美奈子も、黙ってそれに続いた。

三人が、ホテルの玄関に出て、ボーイに送られながら、その階段を降りようとしたときだった。暮れなやむ夏の夕暮のまだほの明るい暗(やみ)を、煌々(こうこう)たる頭光(ヘッドライト)で、照し分けながら、一台の自動車が、烈しい勢いで駈け込んで来た。

美奈子は、塔の沢か湯本あたりから、上って来た外人客であろうと思ったので、あまり注意もしなかった。

が、美奈子と一緒に歩いていた母は、自動車の中から、立ち現れた人を見ると、急に立ち竦んだように目を眸(みは)った。いつもは、冷然と澄ましている母の態度に、明らかな狼狽が見えていた。夕暗の中ではあったが、美しい眼が、異様に光っているのが、美奈子にも気が付いた。

美奈子も、駭いて相手を見た。母をこんなに駭かせる相手は、一体何だろうかと思いながら。

一条の光

一

相手は、まだ三十になるかならない紳士だった。金縁の眼鏡が、その色白の面に光っていた。純白な背広が、かなりよく似合っていた。彼は一人ではなかった。すぐその後から、丸顔の可愛い二十ばかりの夫人らしい女が、自動車から降りた。

美奈子は、夫婦とも全然見覚えがなかった。

瑠璃子が、相手の顔を見ると、ハッと駭いたように、紳士も瑠璃子の顔を見ると、ハッと顔色を変えながら、立ち竦んでしまった。

紳士と瑠璃子とは、互いに敵意のある眼付きを交しながら、十秒二十秒三十秒ばかり、相対して立っていた。それでも、紳士の方は、挨拶しようかしまいかと、ちょっと躊躇っているらしかったが、瑠璃子が黙って顔を背けてしまうと、それに対抗するように、また黙って顔を背けてしまった。

が、瑠璃子から顔を背けた相手は、彼女の右に立っている青年の顔を見ずにはいなかった。青年の顔を見たときに、紳士の顔は、前よりも、もっと動揺した。彼の駭きは、前よりも、もっと烈しかった。彼は、声こそ出さなかったが、ほとんど叫び出しでもするような表情をした。

彼は、狼狽たように瑠璃子の顔を見直した。再び青年の顔を見た。そして、青年の顔と瑠璃子の顔とを見比べると、何か汚らわしいものをでも見たような表情をしながら、妻を促して、足早に階段を上ってしまった。

美奈子は、何だかその不知人が、気になったが、母に訊くことが、悪いように思って、どうしても口に出せなかった。すると、ホテルの門を出た頃に、先刻から黙っていた青年が初めて瑠璃子に口を利いた。

「一体今の人は誰です。御存じじゃありませんか。」

「いいえ！　ちっとも、心当りのない方ですわ。でも、可笑しな人ですわね。妾達を、じっと見詰めたりなんかして。」

瑠璃子は、何気なく云ったらしかった。が、声が平素のように、澄んだ自信の充ち満ちた声ではなかった。

「そうですか、後存じないのですか。でも、先方は、僕達のことをよく知っているようですねえ。」

青年は、不審しげにそう云った。が、瑠璃子は、聞えないように返事をしなかった。

三人は、底気味の悪い沈黙を、お互いの間に醸しながら、宮の下の停留場から、強羅行の電車に乗った。

が、電車に乗っても、三人は散歩に行くと云ったような気持は少しもなかった。美奈子は、人身御供にでもなったような心持で、ただ母の意志に従っているというのにすぎなかった。

青年は、無論最初から滅入っていた。大事な返事を体よく延ばされたことが、彼にとっては、何よりの打撃であったのだ。彼が楽しんでいるはずはなかった。

瑠璃子も、最初は二人を促して、散歩に出たのであったが、玄関で紳士に逢ってからは、隠しきれぬ暗い翳が、彼女の美しい顔のどこかに潜んでいるようだった。

夜の箱根の緑の暗を、明るい頭光を照らしながら、電車は静かな山腹の空気を顫して、轟々と走りつづけたかと思うとすぐ終点の強羅に着いていた。

電車を去ってから、かなり勾配の急な坂を二三町上ると、もう強羅公園の表門に来た。

電車が、強羅まで開通してからは、急に別荘の数が増し、今年の避暑客はかなり多いらしかった。

公園の表門の突き当りにある西洋料理店の窓から、明るい光が洩れ、玉を突いているらしい避暑客の高笑いが、絶え間なく聞えていた。

夜の公園にも、涼を求めているらしい人影が、彼方にも此方にもチラホラ見えた。

二

三人は、西洋料理店(レストラン)の左から、コンクリートで堅めた水泳場の傍(かたわ)らを通って、段々上の方に登って行った。

公園は、山の傾斜に作られた洋風の庭園であった。箱根の山の大自然の中に、ここばかりちょっと人間が細工をしたといったような、こましゃくれた、しかし、厭味のない小公園だった。

園の中央には、山上から引いたらしい水が、噴水となって迸(ほとばし)って、肌寒いほどの涼味を放っていた。

三人は、黙ったまま園内を、あちらこちらと歩いた。誰も口を利かなかった。皆が、舌を封ぜられたかのように、黙々としてただ歩き廻っていた。

三人が、少し歩き疲れて、片陰の大きい楢(なら)の樹の下の自然石の上に、腰を降した時だった。先刻から一言も、口を利かなかった瑠璃子が、突然青年に向って話し出した。しかもかなり真剣な声で。

「青木さん！　この間のお話ね。」

青年は、瑠璃子が何を云っているのか、丸切(まるき)り見当が付かないらしかった。

「えっ！　えっ！」彼はかなり狼狽したように焦っていた。

「この間のお話ね。」

瑠璃子は、再びそう繰り返した。彼女の言葉には、鋼鉄のような冷たさと堅さがあった。

「この間の話？」

青年は、いかにも腑に落ちないといったように、首を傾げた。

ちょうどその時、美奈子は母と青年との真中に坐っていた。自分を、中央にして、自分を隔てて母と青年とが、何だかわだかまりのある話をし始めたので、彼女はかなり当惑した。が、彼女にも母が、一体何を話し出すのか皆目見当が付かなかった。

「お忘れになったの。先夜のお話ですよ。」

瑠璃子の声は、冗談などを少しも意味していないような真面目だった。

「先夜って、いつのことです。」青年の声が、だんだん緊張した。

「お忘れになったの？　一昨日の晩のことですよ。」

青年が色を変えて駭いたことが、美奈子にもハッキリと感ぜられた。美奈子でさえ、あまりの駭きのために、胸が潰れてしまった。母は、果して一昨日の夜のことを、美奈子の前で話そうとしているのかしら、そう思っただけで、美奈子の心は戦いた。

「一昨日の晩！」青年の声は、必死であった。彼は一生懸命の努力で続けて云った。

「一昨日の晩？　何か特別に貴女とお話をしたでしょうか。」

必死に、逃路を求めているような青年の様子が、かなり悲惨だった。美奈子は、他人事ならず、胸が張り裂けるばかりに、母が何と云い出すかと待っていた。

「お忘れになったの。」

瑠璃子は、静かに冷たく云った。冗談を云っているのでもなければ、揶揄っているのでもなければ、じらしているのでもなかった。彼女も、今夜は別人のように真面目であった。

「忘れる？　一昨日の晩！」青年は首を傾げる様子をした。が、彼の態度はいかにも苦しそうであった。「僕には、ちっとも解りません。一昨日の晩、僕が何か申し上げたでしょうか。」

青年の声は、わなわなと顫えた。彼はその言葉を、瑠璃子に投げ付けるように云った。が、その投げ付けたつもりの言葉のうちに、みじめな哀願の調子が、アリアリと響いていた。

青年の哀願の調子を跳ね付けるように、瑠璃子の言葉は、冷たく無情だった。

「一昨日の晩のお話のお返事を、妾今夜致そうと思いますの。」

風が、少し出た故だろう、冷たい噴水の飛沫が三人の上に降りかかって来た。

三

瑠璃子の言葉は、これから判決文を読み上げようとする裁判長の言葉のように、峻厳であった。

青年は瑠璃子の言葉を聴くと、もう黙ってはいられなかった。『抜く抜く』という冗談が、本当の白刃になったように、彼はもうそれを真正面から受け止めるほかはなかった。

「奥さん、貴女(あなた)は何を仰しゃるのです。貴女は、お約束をお忘れになったのですか。あれほど僕がお願いしたお約束をお忘れになったのですか。」

美奈子が、真中にいることも、もうスッカリ忘れたように、青年は我を忘れて激昂した。興奮に湧き立った温かい呼吸(いき)が、美奈子の冷い頰に、吐き付けられた。

「お約束？　お約束を忘れないからこそ、今夜お返事すると云っているのじゃありませんか。」

「何！　何！　何と仰しゃるのです。」

青年はスックと立ち上った。もう美奈子を隔てて、話をするほどの余裕もなくなったのであろう、彼は、激しく瑠璃子の前に詰めよった。

美奈子は、浅ましい恐ろしい物を見たように、面(おもて)を伏せてしまった。

「奥さん！　貴女(あなた)は、貴女は何を仰しゃるのです。僕！　僕！　僕が、一昨夜申し上げたこと、あのお返事を今、なさろうとするのですか。あの、あのお返事を！」

激しい興奮のために、彼の身体は顫え、彼の声は裂け、彼の言葉は咽喉にからんで、容易には出て来なかった。

「まあ！　お坐りなさい！　そう、貴君のように興奮なさっては、話が、ちっとも分らなくなりますわ。まあ！　坐ってお話しなさいませ。妾、今夜はよくお話したいと思いますから。」

瑠璃子の態度は、水の如く冷たく澄んでいた。たしなめられて、青年は不承不承に元の席に復したが、彼の興奮は容易には去らない。彼は火のように、熱い息を吐いていた。

「坐ります。坐ります。が、あのお話を、今ここでなさるなんて、あんまりではありませんか。あれは、僕だけの私事です。私事的なことです。それを今ここでお話しになるなんて、あんまりではありませんか。あの晩、僕が何と申し上げたのです。あの晩申し上げたことを、貴女は覚えていて下さらないのですか。」

青年は、美奈子が聴いていることなどは、もうかまっていられないように、熱狂して来た。

美奈子は、真中でじっと聴いているのに堪えられなくなって来た。彼女は、勇気を鼓舞しながら、口を開いた。

「あのう、お母様！　妾はちょっと失礼させていただきたいと思いますわ。お話が、お済みになった頃に帰って参りますから。」

美奈子は、皮肉でなく真面目にそう云わずにはいられなかった。

溺れる者は、藁をでも摑むように、青年はもう夢中だった。

「そうです。奥さん！　もし貴女が、あの晩の話のお返事をして下さるのなら、失礼ですが、美奈子さんに、ちょっと失礼させていただきたいのです。あれは、僕の私事です。あのお返事なら、僕一人の時に承りたいのです。」

興奮した青年に、水を浴せるように、瑠璃子は云った。

「いいえ！　妾(わたし)、美奈さんにも、是非とも聞いていただきたいのですわ。一昨夜も、あんなお話なら美奈さんに立ち合っていただきたいと思ったのです。あんなお話は、二人切りで、すべきものではないと思いますもの。ただささえ、妾、色々な風評の的になって、困っているのですもの。ああいうお話はなるべく陰翳の残らないように、ハッキリと片を付けておきたいと思いますの。ねえ、美奈さん、貴女このお話の、証人(ウィットネス)になって下さるでしょうねえ。」

「あ！　奥さん！　貴女(あなた)は！　貴女は！」

青年は、狂したように叫びながら立ち上ると、続けざまに、地を踏み鳴らした。

四

青年が、狂気したように、叫び出したのにも拘わらず、瑠璃子は、冷然として、語りつづけた。

「美奈さん、貴女(あなた)には、お話しなかったけれども、妾(わたし)青木さんから、一昨日の晩、突然結婚の申込みを受けたのです。そうして、それに対する諾否のお返事を、今晩しようというお約束をしたのです。結婚の申込みを直接受けたことを、妾、本当に心苦しく思っているのです。せめて、お返事をするときだけでも貴女に立ち合っていただきたいと思いましたの。」

美奈子は、何と返事をしてよいか、皆目分らなかった。ただ、彼女にも、ボンヤリ分ったことは、美奈子が母と青年の密語を、立ち聴きしたことを、母が気付いているということだった。美奈子が、居堪れなくなって逃げ出したときの後姿を、母が気付いたに違いないということだった。

そう思うと、自分の心持が、明敏な母に、すっかり悟られているように思われて、美奈子は一言も返事をすることさえ出来なかった。

青年の顔は、真蒼になっていた。眼ばかりが、爛々と暗の中に光っていた。

「ねえ！　青木さん。それでは、よく心を落ち着けて聴いて下さいませ！　妾、あの、大変お気の毒ではございますけれども、よくよく考えてみましたところ、貴君のお申出に応ずることが出来ないのでございます。」

瑠璃子の言葉に、闘牛が、止めの一撃を受けたように、青年の細長い身体が、タジタジと後へよろめいた。

彼は、両手で頭を抱えた。身体を左右に悶えた。呟きとも呻きとも付かないものが口から洩れた。

美奈子は、見ているのに堪えなかった。もし、母が傍にいなかったら、走り寄って、青年の身体を抱えて、思うさま慰めてやりたかった。が、彼はやっと、その苦悶から這い上って来た。

二分ばかり、青年の苦悶が続いた。が、彼の眼は血走り、彼の眥は裂けていた。

母から受けた恥辱のために、彼の眼は血走り、彼の眥は裂けていた。

「あなたのは、お断りになるのではなくて、僕を恥しめるのです。僕がそっとお願いしたことを、美奈子さんの前で、貴女にはお子さんかも知れないが、僕には他人です、その方の前で、恥しめるのです。拒絶ではなくして、侮辱です。僕は生れてから、こんな辱しめを受けたことはありません。」

青年は、血を吐くように叫んだ。青年の言葉は、恨みと忿りのために狂い始めていた。

「貴女は、妖婦です、僕はあえて、そう申し上げるのです。貴女を、貴婦人だと思って、近づいたのは、僕の誤りでした。僕に、下さった貴女の愛の言葉を、貴女の真実だと思ったのが、僕の誤りでした。真実の愛をもって、貴女の真実な愛を購うことが出来ると思ったのは、僕の間違いでした。奥さん！　貴女は、あらゆる手段や甘言で、僕を誘惑しておきながら、僕が堪らなくなって、結婚を申し込むと、それを恐ろしい侮辱で、突き返したのです。この恨みは、きっと晴らしますから、覚えていて下さい。覚えていて下さい。」

青年は、狂ったように、瑠璃子を罵りつづけた。

瑠璃子は、青年の罵倒を、冷然と聞き流していたが、青年の声が、漸く絶えた頃に、やっと口を開いた。

「青木さん！　貴君のように、そう怒るものじゃなくってよ。妾の貴君に対する愛が、丸切り嘘だというのは、余りヒドいと思いますわ。妾が、貴君を愛していることは本当ですわ。ただ、その愛は夫に対するような愛ではなくて、弟に対するような愛なのです。妾、昨日今日考えて、やっとそれが分ったのです。妾、貴君を弟に持ちたいと思うわ。が、貴君を夫にしようとは、夢にも思ったことはないわ。が、夫以外の一番親しいものとして、妾、貴君にいつまでも、いつまでも、交際っていただきたいと思うのよ。ねえ！　美奈さん。貴女に妾の心持は分らない！」

瑠璃子は、意味ありげに、美奈子を顧みた。今まで少しも、分らなかった今夜の瑠璃子の心持が、闇の中に、一条の光が生れたように、美奈子にもほのぼのと分って来たように思えた。

五

美奈子には、母の心持が、朝霧の野に、日の昇るように、ようやく明らかになって来た。

母は自分の心持をスッカリ気付いたのだ。青年に対する自分の心持をスッカリ知って了ったのだ。

母が、自分の面前で、何のにべもないように、青年を斥けたのも、みんな自分に対する義理なのだ。自分に対する母の好意なのだ。自分に対する母の心づくしなのだ。そう思うと、烈しい恥しさを感じながら、母に対する感謝の心が、しみじみと、胸の底深くにじんで出た。

母は、やっぱり自分を愛してくれる、自分のためには、どんなことでも、しかねないのだ。そう思うと、美奈子は、母に対して昨日今日、少しでも慊らなく思ったことが、深く悔いられた。

母の心持は、もっと露骨になって来た。

「青木さん。貴君が、妾と結婚なさろうなんて、それは一時の迷いです。貴君のお若い心の一時の出来心です。貴君には妾の心が少しも分っていないのです。いいえ、妾の本体が少しも分っていないのです。妾の心が、どんなに荒んでいるかそれが貴君には、少しも分っていないのです。妾が、貴君を本当に愛しているかどうかさえ、貴君には分らないのです。そうそう、ワイルドの警句に、『結婚の適当なる基礎は相方の誤解なり。』という皮肉な言葉がありますが、貴君の妾に対する、結婚申込みなんか、本当に貴君の誤解から出ているのです。」

青年には、瑠璃子の言葉などは、少しも耳に入っていないようだった。彼は、烈しい怒りのために、口が利けなくなったように、ただ身体を顫わせているだけだった。

が、そんなことは少しも意に介せないように、瑠璃子は落ち着いた口調で、話しつづけた。

「貴君(あなた)は、妾(わたし)の心持が分らないばかりでなく、貴君に対する誰の心持も分っていないのです。貴君には、まだ、本当に人の心が分らないのです。真珠のような美しい――いいえ、どんな宝石にも換えがたいような、美しい心を持った処女が、貴君に恋しても、貴君には、それが分らないのです。貴君はもっと足を地上に降して、しっかり物を見なければならないと思います。」

美奈子は、母の言葉を聴くと、地の中へでも消えてしまいたいような恥しさと、母の自分に対する真剣な心づくしに対する有難さとで、心の中が一杯になってしまった。

が、ここまで黙って聴いていた青年は、憤然として、立ち上った。

「奥さん！　もう沢山です。貴女は、僕を散々恥しめておきながら、この上何を仰しゃろうというのです。男として、堪えられないような恥辱を僕に与えておきながら、この上何を云おうと仰しゃるのです。貴女に対する僕の要求は、全か無かです。弟に対する愛、そんな子供だましのようなお言葉で、いつまで僕を操ろうとなさるのです。奥さん、僕はこれで失礼します。二度と貴女には、お目にかからない心算(つもり)です。男性に対する貴女の態度が、いつまで天罰を受けずにいるか外(よそ)ながら拝見しているつもりです。僕の貴女に対する恋、それは、僕にとっては初恋です。大切な懸命な初恋でした、すべてを犠牲にしてもいいと思った初恋です。が、それが……」

青年は、ここまで云うと、自分自身で、こみ上げて来る口惜しさに堪え切れなくなったように、ハラハラと涙を落した。

「……それが貴女のために、ムザムザと蹂み躙られてしまったのだ。覚えていらっしゃい！　奥さん。」

彼は、自分の感情を抑え切れなくなったように、こう叫んだ。

立っている華奢な長身が、いたましくわなわなと顫えて、男泣きの涙が、幾条となく地に落ちた。さっきから美奈子は、青年の容子を見ているのに、堪えないように、目を伏せていたが何と思ったのかこの時ふと顔を上げた。

「お母様！」

彼女はかすれたような声で、初めて口を開いた。

六

「お母様！」

そう叫んだ美奈子の言葉には、思い切った処女の真剣さが、籠っていた。

「お母様、あのう、もう一度、どうぞもう一度、ゆっくりお考え下さいませ。妾、妾……」

青木さんがどう仰しゃったのか知りませんが、もう一度考え直して下さいませ。

美奈子は、もっと何か云いたそうだったが、烈しい興奮のために、胸が迫ったのだろう、そのまま口籠ってしまった。

去りかけようとした青年は、美奈子の言葉を聴くと、ちょっとためらいながら、美奈子の方を振り返った。

「美奈子さん。貴女の御厚意は、大変有難うございます。が、もうすべては終ったのです。僕の心は、蹂み躙られたのです。僕の心には、今悲しみと怨みとがあるばかりです。さようなら、貴女には、いろいろ失礼しました。」

そう云い捨てると、青年は弾かれたように、身体を飜すと、緩い勾配の芝生の道を、一気に二十間ばかり、馳け降りると、その白い浴衣(ゆかた)を着た長身で、公園の闇を切る姿を見せていたが、すぐ樹立の蔭に見えずなった。

美奈子は、淋しみとも悲しみとも、あきらめとも付かぬ心で、消えて行く青年の姿を追うていた。

瑠璃子も、ちょっと青年の後姿を見ていたようだったが、すぐ思い返したように立上ると、美奈子の傍に寄って来て、すれすれに腰をかけた。

「美奈子さん！　駭いて？」

軽く左の手を、美奈子の肩にかけながら、優しく訊いた。

「はい。青木さんが、お気の毒でございますわ。」

美奈子は、消え入るような声で云った。彼女はしばらく考えていたが、

「青木さんなんかよりも、妾(わたし)美奈子さんに済まないと思っていますの。どうぞ、堪忍して下さい。どうぞ。」

母の声には、深い本心が、アリアリと動いていた。美奈子でさえ、一度も聴いたこと

のないようなしんみりとした、心の底からにじみ出たような声だった。

「美奈さん。間違っていたら、御免なさい。妾、貴女のお心が分ったの。青木さんに対する貴女のお心が。」

そう、心の底を見抜かれると、美奈子は、サッと色を変えながら、うつ伏してしまった。

「美奈さん、貴女は、一昨日の晩、妾と青木さんとが、話したことをすっかり、お聴きになったのでしょう。いいえ、貴女がお聴きになったのではなく、貴女がいらっしゃるとは知らずに、妾達がいろいろなことを話しましたでしょう。妾、あの晩部屋へ帰ろうとして、外出なさろうとする貴女のお顔を見たときに、もうすべてが分ったような気がしたのです。絶望そのもののような貴女のお顔を見て、妾は、すべてが分ったような気がしたのです。妾は、それまでにもしやと思ったことが、一二度あったのです。そのもしやが、本当だということが分ると、妾は、大変なことが起ったと思ったのです。妾の犯した失策が、取り返しのつかないものだということを知ったのです。」

母の言葉が、ますます真剣な悲痛な響きを帯びて来た。

美奈子は、俎上に上ったような心持で、母の言葉をじっと聴いているほかはなかった。恥しさと悲しさとで、裂けるような胸を持ちながら。

「妾、今度のことで、妾の生活が全然破産したことを知ったのです。男性に向って吐いた唾が、自分に飛び返って来たことを知ったのです。どうか、美奈さん。妾の懺悔を聴いて下さい。」

快活な、泣き言などは、ちっとも云ったことのない母の声が、悲しみに湿(うる)んでいた。

七

「青木さんなんかに、妾(わたし)初めから、何の興味も持っていなかったのです。青木さんを箱根へ連れて来たのなども、妾のホンの意地からなのです。ある別な男の方に対する妾の意地からなのです。ある男の方が、妾に、青木さんだけは、誘惑してくれては困るといったような、おせっかいなことを言ったものですから、妾はつい反抗的に、意地であの方を箱根へ連れて来たくなったのです。よそながら、そのおせっかいな人に思い知らせて、やりたくなったのです。美奈子さん、それが妾の性分なのです。今までの妾の生活、貴女のお家へ来たことなども、みんな妾のそういった性分が、妾を動かしたのです。」

母はいつになく、しんみりとした沈んだ調子になっていた。短い沈黙の後で、母は再び口を開いた。

「それは、自分でもどうともすることが出来ない性分です。誰かから抑えられると、その二倍も三倍もの烈しさで、跳返(はね)したいような気になるのです。それが、妾(わたし)の性格の致命的(フェータル)な欠陥かも知れません。妾は自分のそうした性分のために、自分の一生を犠牲にしたのではないかとさえ、この頃考えているのです。」

　母は、こう言って悵然としたが、またすぐ言葉を続けた。

「子供が、触ってはいけないと言われた草花に、かえって触りたくなるような心持で、青木さんを、わざと箱根へ連れて来たのです。あの人に何の興味があったという訳でもないのです、おせっかいなことを言った人に対する意地で、ついそんなことをしてしまったのです。それから、恐ろしい罰を受けようとは夢にも知らなかったのです。」

　母の言葉は、沈み切っていた。強い悔いが、彼女の心を苛んでいることを示していた。

「妾の想像が違ったら、御免下さい。貴女の清浄な純な心に映った男性を妾が奪うという恐ろしいことをしていたのです。美奈さん！　許して下さい。美奈さん。」

　涙などは、今まで一度も流したことのない母の声が、湿んでいた。

「貴女に対して、何とお詫びしていいか分らないのです。貴女の心に萌んだ美しい想いの芽を妾が蹂躪していようとは、妾が！　貴女を何ものよりも愛している妾が。」

　瑠璃子の眼に、初めて涙が光った。

「取り返しの付かない、恐ろしいことです。妾が、ただホンの悪戯のために、ホンの意地のために、宝石にも換えがたい貴女の純な感情を踏み躙っていようとは、思い出すだけでも、妾の心は張り裂けるようです。美奈さん！　許して下さい。どうぞ、妾の罪を許して下さい！」

　瑠璃子は苛責に堪えないように、面を伏せて終った。

「まあ！　お母様、何を仰しゃるのです。許してくれなんて、妾、何も……」

美奈子は、烈しい恥しさに堪えながら、母を慰めようとした。

「こんなことは、許しを願えるようなものではないかも知れません。本当に、許しがたいことです。『許し難いこと』です。貴女が許して下さっても、妾の心はいつまでも、いつまでも苦しむのです。妾が、世の中で一番愛している貴女に、恐ろしい不幸を浴びせていようとは恐ろしいことです。恐ろしいことです。」

冷静な母の態度も、心の烈しいその苛責のために、だんだん乱れて行った。

美奈子は、最初自分の心を母からマザマザと指摘された恥しさで、動乱していたが、それが静まるにつれて、母の自分に対する愛、誠意にだんだん動かされ始めた。

八

「妾が、男性に対する意地と反感とでしたことが、男性を傷つけないで、かえって女性、しかも妾には、一番親しい、一番愛している貴女を傷つけようとは、夢にも思わなかったのです。何という皮肉でしょう。何という恐ろしい皮肉でしょう。」

母の心の悶えは、ますます烈しくなって行くようだった。

「妾の生活が、破産する日が、とうとう来たのです。妾の生活の罰が、妾の最も愛する貴女の上に振りかかって来ようとは。」

瑠璃子の声はかすかに顫えていた。

「妾は、今までどんな人から、どんなに妾の生活を非難されても、ビクともしなかったのです。妾の生活態度のために、犠牲者が出ようとも、ビクともしなかったのです。妾は、孔雀のように勝ち誇っていたのです。すべての男性を蹂み躙っていたのです。が、男性ばかりを蹂み躙っているつもりで、得意になっていると、その男性に交って、女性！　しかも妾には一番親しい女性を蹂み躙っていたのです。」

　瑠璃子は、そう云い切ると、じっと面を垂れたまま黙ってしまった。

　美奈子は、母の真剣な言葉によって、胸をヒタヒタと打たれるように思った。母が、自分のために何物をも犠牲にしようという心持、自分を傷つけたために、母が感じている苦悶、そうしたものが美奈子に、ヒシヒシと感ぜられた、自分をこれほどまで、愛してくれる母には、自分もすべてを犠牲にしてもいいと思った。

「お母様！　もう何も、仰しゃって下さいますな、妾、青木さんのことなんか、ほんとうに何でもないのでございます。」

　美奈子は、白い頬を夜目にも、分るほど真赤にしながら、恥しげにそう云った。

「いいえ、何でもないことはありません。処女の初恋は、もう二度とは得がたい宝玉です。初恋を破られた処女は、人生の半ばを蹂み潰されたのです。美奈さん、妾にはその覚えがあります。その覚えがあります。」

　そう云ったかと思うと、あれほど気丈な凛々しい瑠璃子も、顔に袖を掩うたまま、しばらく咽び入ってしまった。

「妾には、その覚えがありますから、貴女のお心が分るのです。身に比べてしみじみと分るのです。」

母にそう云われると、今まで抑えていた美奈子の悲しみは、堤を切られた水のように、彼女の身体を浸した。彼女の烈しいすすり泣きが、瑠璃子の低いそれを圧してしまった。瑠璃子までが、昔の彼女に返ったように、二人はいつまでもいつまでも泣いていた。

が、先に涙を拭ったのは、美奈子だった。

「お母様！　貴女は、決して妾にお詫びをなさるには、当りませんわ。本当に悪いのは、お母様ではありません。妾の父です。お母様の初恋を蹂躪した父の罪が、妾に報いて来たのです。父の犯した罪が子の妾に報いて来たのです。お母様のせいでは決してありませんわ。」そう云いながら、美奈子はしくしくと泣きつづけていたが、「が、妾今晩、お母様の妾に対するお心を知ってつくづく思ったのです。お母様さえ、それほど妾を愛して下されば、世の中のすべての人を失っても妾は淋しくありませんわ。」

そう云いながら、美奈子は母に対する本当の愛で燃えながら、母の傍にすり寄った。

瑠璃子は、彼女の柔いふっくりとした撫肩を、白い手で抱きながら云った。

「本当にそう思って下さるの。美奈さん！　妾もそうなのよ。美奈さんさえ、妾を愛して下されば、世の中のすべての人を敵にしても、妾は寂しくないのです。」

二人は浄い愛の火に焼かれながら、夏の夜の宵闇に、その白い頰と白い頰とを触れ合せた。

火を煽る者

一

青年の身体は、燃えた。

烈しい憤怒と恨みとのために、火の如く燃え狂った。

彼は、その燃え狂う身体を、何物かに打ちつけたいような気持で走った。闇の中を、滅茶苦茶に走った。闇の中を、礫(つぶて)のように走った。滅茶苦茶に、走りでもするほか、彼の嵐のような心を抑える方法は何もなかった。樹にでも、石にでも、当れば当れ、川にでも渓(たに)にでも陥らば陥れ、彼はそうした必死的(デスペレエト)な気持で、獣のように風のように、ただ走りに走った。

強羅の電車停留場まで、一気に馳け降りたけれども、そこには電車の影は、なかった。彼は、そこに二三分間待ったが、心の底から沸々と湧き上っている感情の嵐は、彼を一分もじっとさせていなかった。電車を待っているような心の落着きは、少しもなかった。

彼は、宮の下まで、走りつづけようと決心した。そう決心すると、前よりは、もっと烈しい勢いで、別荘が両方に立ち並んだ道を、一散に馳け始めた。

初め馳けている間、彼の頭には、何もなかった。ただ、彼をあんなに恥しめた瑠璃子の顔が、彼の頭の中で、大きくなったり、小さくなったり、幾つにも分れて、巴のように渦巻いたりした。

が、だんだん走りつづけて、早川の岸に出たときには、彼の身体が、疲れるのと一緒に、疲労から来る落着きが、彼の狂いかけていた頭を、だんだん冷静にしていた。

彼の走る速力が緩むのと同時に、彼の頭は、だんだんいろいろなことを考え始めていた。

彼が、死んだ兄と一緒に、荘田の家へ、出入りし始めた頃のことなどが、ぼんやりと頭の中に浮んで来た。

荘田夫人の美しい端麗な容貌や、その溌剌として華やかな動作や、その秀れた教養や趣味に、兄も自分も、若い心を、引き寄せられて行った頃の思い出が、後から後から頭の中に浮んで来た。

夫人が、多くの男性の友達の中から、特に自分達兄弟を愛してくれたこと、従って自分達も、しきりに夫人の愛を求めたこと、そのうちに、兄が夫人に熱狂してしまったこと、兄が夫人の愛を独占しようとしたこと、兄が自分に対して軽い嫉妬を感じたこと、そうしたことが、とりとめもなく、彼の頭の中に浮んだ。

実際、自分の兄が、夫人に対して、熱愛を懐いていることを知ったとき、彼は兄に対する遠慮から心ならずも、夫人に対する愛を抑えていた。

突然な兄の死は、彼を悲しませた。が、それと同時に、彼の心のうちの兄に対する遠慮を取り去った。彼は、兄に対する遠慮から、抑えていた心を、自由に夫人に向って放った。

夫人は、それを待ち受けていたように、手をさし延べてくれた。兄の偶然な死は、夫人と彼とをたちまち接近せしめてしまった。

彼は、夫人から、蜜のような甘い言葉を、幾度となく聴いた。彼は、夫人が自分を愛していてくれることを、疑う余地は、少しもなかった。

彼は直截に夫人に結婚を求めた。

「妾(わたし)も、ぜひそうしていただきたいのよ。でも、もう少し考えさせて下さいよ。貴君(あなた)、箱根へ一緒に行って下さらない。妾、この夏は、箱根で暮そうと思っていますのよ。箱根へ行ってから、ゆっくり考えてお答えしますわ。」

夫人は、美しい微笑でそう云った。

箱根へ同行を誘ってくれる！　それは、もう九分までの承諾であると彼は思った。箱根における避暑生活は、彼にとって地上の極楽であるはずであった。

思いきや、そこに地獄の口が開かれていようとは。

「裏切者め！」

青年は、走りながら、思わず右の手のステッキを握りしめた。

二

ホテルの門に辿り着いたときにも、長い道を馳け続けたために、身体こそやや疲れていたものの、彼の憤怒は少しも緩んではいなかった。部屋へ飛び込めば、すぐ鞄の中へ、すべてのものをなげこむのだ。もう、こんな土地には一分だっていたくない。彼女が、帰って来ないうちに、一刻も早く去ってしまうのだ。

彼は心のうちで、そうした決心を堅めながら、烈しい勢いで、玄関へ駈け上った。そこに立っていたボーイが、彼の面色を見ると、駭いて目を睜った。それも、無理はなかった。彼の眼は血走り、色は蒼ざめ、広い白い額に、一条の殺気が迸って、温和な上品な平素の彼とは、別人のような、血相を示していたからである。が、ボーイが、駭こうが駭くまいが、そんなことはどうでもよかった。彼は駭いたボーイを尻目にかけながら、廊下を走るように馳け過ぎて、廊下の端にある二階への階段を、烈しく駆け上ろうとしたときだった。彼は余りに急いだため、余りに夢中であったため、ちょうどその時、上から降りようとした人に、烈しく打っ衝ってしまった。

余りに強く衝き当ったため、彼の疲れていた身体は、ひょろひょろとして、二三段よろけ落ちた。

「いやあ。失礼！」

相手の人は、駭いて彼を支えた。が、衝突の責任は、無論こっちにあった。

「いいえ。僕こそ。」

彼は、そう答えると、軽く会釈したままで、相手の顔も、碌々見ないで、そのまま階段を馳け上った。

が、彼が六七段も、馳け上ったときだった。まだ立ち止まって、じっと彼の後姿を見ていた相手の男が、急に声をかけた。

「青木君！　青木君じゃありませんか。」

不意に、自分の名を呼ばれて、青年は駭いた。彼は、思わず階段の中途に、立ち竦んでしまった。

「ええっ？」

青年は、返事とも駭きとも分らないような声を出した。

「間違っていたら御免下さい！　貴君は、青木君じゃありませんか。あの、青木淳君の弟さんの。」

相手は、階段の下から、上を見上げながら、落ち着いた声でそう訊いた。青年は、ややほの暗い電燈の光で、振り上げた相手の顔を見た。意外にも、それは先刻散歩へ出るときに、玄関で逢った、彼の見知らない紳士であった。彼は、どうしてこの男が、自分の名前を知っているのだろうかと、不審に思いながら答えた。

「そうです。青木です。ですが、貴君は……」

青年は、ちょっと相手が、無作法に呼び止めたことを咎めるように訊き返した。

「いや、御存じないのは、もっともです。」

そう云いながら、紳士は階段を二三段上りながら、青年に近づいた。

「お兄さんの知人と云っても、ホンのお知合いになったというだけにすぎないのですが、しかしその……」

紳士は、ちょっと云い澱んだ。

青年は、自分がいらいらし切っているときに、何の差し迫った用もなさそうな人から、ただ兄の知人であるといった理由だけで、呼び止められるのに堪えなかった。

「そうですか。それでは、またいずれ、ゆっくりとお話しましょう。ちょっとただいまは、急いでいますから。」

そう云い捨てると、青年は振り切るように、残った階段を馳け上ろうとした。

すると、紳士は意外にも、しつこく青年を呼び止めた。

「ああちょっとお待ち下さい。私も急に、貴君にお話したいことがあるのです。」

三

「急に話したいことがある。」未知の男からしつこく云われると、青年はむっとした。

何という執拗な男だろう。何という無礼な男だろうと腹立たしかった。

「いや、どんな急なお話かも知れませんが、僕はこうしてはいられないのです。」

青年は、そう云い切ると、相手を振り払うように、階段を馳け上ろうとした。が、相手はまだ諦めなかった。

「青木君！　ちょっとお待ちなさい。貴君は、お兄さんからの言伝を聴こうとは思わないですか。そうです、貴君に対する言伝です。特に、現在の貴君に対する言伝です。」

そう云われると、青年はさすがに足を止めずにはいられなかった。

「言伝！　死んだ兄から、そんな馬鹿な話があるものですか。」

青年は嘲るように、云い放った。

「いや、あるのです。それがあるのです。私は、貴君のお顔の色を見ると、それを云わずにはいられなかったのです。貴君は、今かなり危険な深淵の前に立っている。私は貴君がムザムザその中へ陥るのを見るに忍びないのです。お兄さんに対する私の義務として、どうしても一言だけ、注意をせずにはいられないのです。」

そう云いながら、相手は青年と同じ階段のところまで上って来た。

「危険な深淵！　そうです。貴君のお兄さんが、誤って陥った深淵へ貴君までが、同じように陥ちようとしているのです。」

青年は、改めて相手の顔を見直した。相手がかなり真面目で、自分に対して好意を持っていてくれることが、すぐ判った。が、相手が妙に、意味ありげな云い廻しをすることが、彼のいらいらしている神経を、更にいら立たせた。

「それが一体どういうことなのです。僕には少しも分りませんが。」

青年は、腹立たしげに、相手を叱するように云った。

「それでは、もっと具体的に云いましょう。青木君！ 貴君は、一日も早く、荘田夫人から遠ざかる必要があるのです。そうです。一日も早くです。あの夫人は、貴君の身体を呑んでしまう恐ろしい深淵です。貴君のお兄さん（あにい）は、それに呑まれてしまったのです。」

紳士は、そう云って、じっと青年の顔を見詰めた。

「貴君は、兄さんの誤りを再び繰り返してはなりません。これは、私の忠告ではありません、死んだ兄さんのお言伝です。よくお心に止めておいて下さい！」

そう云うかと思うと、紳士はちょっと青年に会釈したまま、階段をスタスタと降りかけた、もう云うだけのことは、スッカリ云ってしまったという風に。

今度は、青年の方が、狼狽して呼び止めた。

「待って下さい！ 待って下さい！ そんなことを本当に兄が云ったのですか。」

紳士は顔だけを振り向けた。

「文字通りに、そう云われたとは云いません。が、それと同じことを私に云われたのです。」

「いつ！ どこで？」

青年は、かなり焦って訊いた。

「お兄さんが死なれるすぐ前です。」

そう云って、紳士は淋しい微笑を洩した。

「死ぬすぐ前？　それでは貴君は、兄の臨終に居合したと云うのですか。」

青年は、かなり緊張して訊いた。

「そうです。貴君のお兄さんの臨終に居合したたった一人の人間は私です。お兄さんの遺言を聴いたたった一人の人間も私です。」

紳士は落ち着いて、静かに答えた。

「ええっ！　兄の遺言を。一体兄は何と云ったのです。何と云ったのです。その遺言を貴君が、今まで遺族の者に、隠しているなんて！」

青年は、相手を詰問するように云った。

「いや、決して隠してはいません。現在貴君に、その遺言を伝えているじゃありませんか。」

四

紳士の言葉は、もう青年の心の底まで、喰い入ってしまった。

「本当に、貴君は兄の臨終に居合したのですか。それで、兄は何と云いました。兄は死際に何と云いました？」

青年は、昂奮し焦った。

「いや、それについて、貴君にゆっくりお話したいと思っていたのです。ここじゃ、どうもお話しにくいですが、いかがです僕の部屋へ。」

紳士はかなり落ち着いていた。

「貴君さえお差支えなけりゃ。」

「じゃ、僕の部屋へ来て下さい。ちょうど妻は、湯に入っていますので誰もいませんから。」

紳士の部屋は、階段を上ってから、左へ二番目の部屋だった。

紳士は、青年を自分の部屋に導くと、彼に椅子をすすめて、自分も青年と二尺と隔らずに相対して腰を降した。

「申し遅れました。僕は渥美と云うものですが。」

そう云って紳士は、改めて挨拶した。

「いや、実は避暑に出る前に、貴君に一度是非お目にかかりたいと思っていたのです。それと貴君にお目にかけたいもの、貴君に申し上げたいこともあったのです。それで、それとなく貴君のお宅へ電話をかけて、貴君の在否を探ってみると、意外にも宮の下へ来ていられると云うのです。それで、実は私は小涌谷の方へ行くつもりであったのですが、貴君にお目にかかれはしないかという希望があったものですから、二三日、ここへ宿ってみる気になったのです。それが、意外にもホテルの玄関で貴君にお目にかかろうとは、貴君ばかりでなく荘田夫人にお目にかかろうとは。」

紳士はちょっと意味ありげな微笑を洩しながら、

「実は、お兄さんが遭難されたとき、同乗していたという一人の旅客は私なのです。」

「ええっ！」

思わず、青年は、駭きの目を眸った。

「お兄さんの死は、形は奇禍のようですが、心持は自殺です。私は、そう断言したいのです。お兄さんは、死場所を求めて、三保から豆相の間を彷徨っていたのです。奇禍が偶然にお兄さんの自殺を早めたのです。」

紳士の表情は、かなり厳粛であった。彼が、いい加減なことを云っているとは、どうしても思われなかった。

「自殺！　兄はそんな意志があったのですか。」

青年は駭きながら訊いた。

「ありましたとも。それは、貴君にもすぐ判りますが。」

「自殺！　自殺の意志。もしあったとすれば、それは何のための自殺でしょう。」

「ある婦人のために、弄ばれたのです。」

紳士は苦々しげに云った。

「婦人のために、弄ばれる。」

そう繰り返した青年の顔は、見る見る色を変えた。彼は、心の中で、ある恐ろしい事実にハッと思い当ったのである。

「それは本当でしょうか。貴君は、それを断言する証拠がありますか。」

青年の眼は、興奮のために爛々と輝いた。

「ありますとも。お兄さんの遺言というのも、お兄さんを弄んだ婦人に対して、お兄さんの恨みを伝えてくれということだったのです。」

「ううむ！」

青年は、低く呻るように答えた。

「実は、私はその恨みを伝えようとしたのです。が、その婦人は、恨みを物の見事に跳ねつけてしまったのです。そればかりでなく、死んだお兄さんを辱しめるようなことまでも云ったのです。その婦人はお兄さんを弄んで、間接に殺しながら、その責任までも逃れようとしているのです。青木さんが、自殺の決心をしたとしても、それは私のせいではありません、あの方の弱い性格のせいだと、その婦人は云っているのです。そればかりではありません……」

紳士も、自分自身の言葉にかなり興奮してしまった。

五

紳士は興奮して叫び続けた。

「そればかりではありません。青木君を弄んで間接に殺しながらまだそれにも懲りないで、青木君の弟である……」

「ああもう沢山です。」青年は、相手に縋り付くような手付きをして云った。「判りました、よく判りました。が、証拠がありますか？　兄が弄ばれて、自殺を決心したという証拠がありますか？」

青年の眸は必死の色を浮べていた。

「ありますとも。お見せしましょう。が、そう興奮しないで、ゆっくり気を落ち着けて下さい。」

そういいながら、紳士は椅子を離れると、部屋の片隅に置いてある大きな鞄に近づいて、それを開きながら、中から一冊のノートを取り出した。

「これです。この筆蹟には覚えがあるでしょう。」

そう云いながら、相手はノートを、籐の卓子の上に置いた。青年は、焼き付くような眼で、それをじっと見詰めた。表紙の青木淳という字が、いかにも懐しい兄の筆蹟だった。

「じゃ、拝見します。」

彼はかすかに、顫える手付きで、そのノートを取り上げた。

恐ろしい沈黙が部屋の中に在った。ノートの頁のめくられる音が、時々気味悪くその沈黙を破った。

　二分三分、青年は、だまって読みつづけた。そのうちに、青年の腰かけている椅子が、かすかな音をたて始めた。見ると、青年の身体が、怒りのために激しく顫えていたのである。

「どうです！　これほど、確かな証拠はないでしょう。遭難当時のお兄さんの心持が、ハッキリ解っているでしょう。途中で、奇禍に逢われなかったら、お兄さんはきっと、熱海かどこかで、自殺をしておられるはずです。」

　紳士は、ノートを覗き込むようにしながら云った。

　青年の顔は、恐ろしい感情の激発のために、紫色にふくらんでいた。

「そこに白金の時計のことが、書いてあるでしょう。お兄さんは、死なれる間際に、その時計を返してくれと云われたのです。偶然にも、その時計は、その偽りの贈物は、お兄さんの血で、真赤に染められていたのです。衝突のときに、硝子が壊れたと見え、血が時計の胴に浸んでいたのです。」

「それをどうしました。それをどうしました。」

　青年は、激情のために、半ば狂っていた。

「無論、それを返したのです。私は、お兄さんの心持を酌んで、それを叩き返してやろうと思ったのです。それを返しながら、お兄さんの怨みを、知らせてやろうと思ったのです。ところが、残念にも、私はそれを、手もなく捲き上げられてしまったのです。あの方は、妖婦です。僕達には、とても真面に太刀打ちは出来ない人です。」

「妖婦！　妖婦！」

青年は狂ったように、口走った。

「いや、その点で私はお兄さんの、委託に背いてしまったのです。取返しの付かないことをしてしまったのです。が、その代り、私は貴君をどうかして、救いたいと思ったのです。お兄さんに対する僕の責任として、貴君が同じ過ちを犯すのを、どうかして救いたいと思ったのです。私は、そのために、あの方に頼んだのです。青木君に対する貴女の後悔として、青木君の弟だけは弄んでくれるな。弟さんだけはどうか、誘惑してくれるな。私は、そう云って事を別けて頼んだのです。それだのに、彼女はそれを冷然と跳付けたのです。いや、跳付けたばかりではありません。私のそうした依頼を嘲るように、いやそれに対する意地のように、わざと貴君を一緒に連れて来ているのです。」

六

青年の面が、火のような激憤で、埋まるのを見ると、紳士はそれを宥めるように云った。

「いや、貴君がお怒りになり、お駭きになるのももっともです。が、ああした人には、近よらないのが万全の策です。貴君が怒って先方にぶつかって行くと、いよいよ相手の術策に陥ってしまうのです。あの方の張っている蜘蛛の網の中で手も足も出なくなってしまうのです。ただ、一刻も早くここを去られるのが得策です。いや、ここばかりではありません。婦人の周囲から、絶対に去られるのが得策です。触らぬ神に祟りなしという言葉があります。まして、相手は特別、恐ろしい女神ですから。はははははは。」

紳士は軽く笑った。話が、余り緊張して来たのを、わざと緩めようとして。

「しかし、とにかく私としては、これでお兄さんに対する責任を少しは尽したように思うのです。そういう意味で、貴君が僕の云うことを、よく聴いて下さったのを有難く思うのです。いや、私が一歩遅かったら、貴君もどんな目に逢っているかも知れなかったのです。」

紳士は、自分の忠告が間に合ったことを、欣ぶような顔色を示した。が、彼の忠告は間に合っただろうか。いな、彼の忠告は、後の祭だった。一時間だけ、遅れ過ぎた。

彼の忠告は災禍の火を未然に消す風とならずして、かえってその火を煽り立てた。彼が、夫人の危険を説いたときに、青年はもう、夫人から弄ばれていたのだ。否、弄ばれたと思っていたのだ。夫人から、弄ばれた恨みと憤りとに、燃えていた青年の心を、彼はいやが上に煽った。

『お前ばかりではない、お前の肉親の兄も、あの女に弄ばれて、身を過ったのだ！　身を亡したのだ！』と。

「いや！　御忠告ありがとう！　御忠告ありがとう！」

青年は、そう云いながら立ち上った。が、あまり興奮したためだろう、彼は、目が眩んだように、よろめいた。

紳士は、周章て、青年の身体を支えた。

「いや、あまりに興奮なさっては困りますよ。お心を落着けて、気を静めて！」

が、青年はそれを振り切った。

「いや、捨てておいて下さい！　大丈夫です、大丈夫です！」

そう云いながら、青年は廊下へよろめきながら出た。『大丈夫です！』と、口では云ったものの、彼はもう決して、大丈夫ではなかった。

彼の頭の中には、激情の嵐が吹き荒れた。怒りと恨みとの洪水が漲った。理性の燈火は、もうふッつりと消えてしまっていた。

「兄を弄んだ上に、この俺を！」

そう思うと、彼の全身の血は、怒りのためにぐんぐんと煮え返った。

「兄を弄んで間接に、殺しておきながら、まだ二月と経たない今、この俺を！　箱根まで誘い出して、謂われのない恥辱を与える！」

そう考えると、彼の頭のうちは、燃えた。身体中の筋肉が、異様に痙攣した。

もう世の中の他のすべては、彼の頭から消え去った。国家も社会も法律も、父も母も妹も、恐怖も羞恥も、愛も同情も。ただ恐ろしい憎しみだけが残った。その憎しみは、爆発薬のような烈しさが、彼の胸のうちを縦横にのたうった。

そうした彼の心のうちに、焼き付いたように残っているのは、さっき読んだ兄の手記中の一節だった。

『そうだ、いっそ死んでやろうかしら。純真な男性の感情を弄ぶことが、どんなに危険であるかを、彼女に思い知らせるために。』

が、兄が死んでも彼女は、少しも思い知ろうとはしなかった。兄の死を冷眼視するほど、彼女が厚顔無恥であるとしたならば、彼女を思い知らせるには、そうだ！　彼女を思い知らせるには。

そう考えたとき、彼の全身の血は、海嘯（つなみ）のように、彼の狂いかけた頭へ逆上して来た。

破裂点

一

強羅公園で、お互いの心からなる浄い愛に、溶け合った美奈子と瑠璃子とが、そこに一時間以上も費して、宮の下へ帰って来たのは、夜の十時を廻った頃だった。二人とも、心のうちでは、青年のことが気になっていたけれども、それを口に出すことを避け合った。

が、部屋へ入ったとき、瑠璃子はさすがに青年の寝室の扉(ドア)に立ち寄って、そっと容子を窺った。

「もう、青木さんは寝たのかしら。」

そう云って、彼女は扉(ドア)に手をかけてみた。それは平素(いつも)になく内部から、鍵が、かけられたとみえ、ビクリとも動かなかった。

「ああ。もう、寝ていらっしゃる！」

瑠璃子は、やっと安堵したように云った。

美奈子と瑠璃子とが、同じ寝台(ベッド)の中に横たわったのは、もう十一時を廻った頃だった。

電燈を消してからも、美奈子は母としばらくの間、言葉を交えた。そのうちに、十二時が鳴った。彼女は、駭(おどろ)いて眠りに入ろうとした。が、その夜の烈しい経験は、――彼女が生れて以来初めて出会ったような複雑な、烈しい出来事は、彼女の神経を、極度に掻(か)き擾(みだ)していた。彼女が、いくら眠ろうとあせっても、意識は冴え返って、先刻の恐ろしい情景が、頭の中で幾度も幾度も、繰り返された。青年の凄いほど、緊張した顔が、彼女の頭の中を、巴(ともえ)のように馳け廻った。

眠ろう眠ろうとあせればあせるほど、神経がますますいらだって来た。記憶が、異常に興奮して、自分の生い立ちや、母の死や父の死や、兄のことなどが、頭の中に次々に思い浮んで来た。

そのうちに一時が鳴った。

瑠璃子も、寝台(ベッド)の中で、しばらくの間は、眠り悩んでいたようだったが、そのうちに、おだやかな鼾(いびき)の声が聞え始めた。

母が、眠りに就いたのを知ると、美奈子はますますあせっていた。口の中で、数を算(かぞ)えてみたり、深呼吸をして気持を落ち着けようと試みたりした。が、それもこれも無駄だった。先刻聴いたばかりの青年の怨みの声が、落ち着こうとする美奈子の心のうちに、幾度も幾度も甦って来た。

そのうち、二時が鳴った。

烈しい興奮のために、頭脳も眼も、疲れ切っていながら、それが妙にいらいらして、眠りはどうしても来なかった。

そのうちに、とうとう三時が鳴った。

さすがに、彼女の意識は疲れてしまった。不快な、重くるしい眠りが、彼女のぐたぐたになった頭脳を蝕み始めていた。現ともなく夢ともないような、いやな半睡半醒の状態が、しばらく続いた。彼女はとろとろとしたかと思うと、ハッと気が付いたり、気が付いたかと思うと、深い泥沼の中に、引きずり込まれるように、いやな眠りの中に、陥って行ったりした。

彼女が、砂を嚙むような現と、胸ぐるしい悪夢との間に、さまよっていたときだった。彼女は、何者かが自分を襲って来るような、無気味な感じがした。寝室の扉が、かすかに動いているような感じがした。自分に襲いかかっている人の足音を聴くような気がした。が、それが夢であるか現であるか確かめる気にもなれないほど、彼女の意識は混沌としていた。

とうとう、悪夢が、彼女を囚えてしまった。彼女は母と一緒に田舎路を歩いていた。それが、死んだ母のようでもあり、現在の母であるようにも思われた。ふと、地平の端に白い何物かが現れた。それが矢のような勢いで、彼女達の方へ向って来た。つい、目の前の小川を飛び越したとき、それが白い牡牛であることが、判った。狼狽している美奈子達を目がけて激しい勢いで殺到した。美奈子は悲鳴を挙げながら、逃げた。牡牛は、逃げ遅れた母に迫った。美奈子が、アッと思う間もなく、牡牛の鉄のような角は、母の脇腹を抉っていた。母の、恐ろしい呻り声が美奈子の魂を戦かしたが、母の呻き声を聴いた途端に、悪夢は断れた。が、不思議に呻き声のみは、なお続いていた。

二

悪夢のうちに聴いた呻き声を、美奈子は夢現の間に聞き続けていた。

「ううむ！　ううむ！」

腸を断つような呻き声が、段々彼女の耳の近くに聞え始めた。彼女の意識が、醒めかかるにつれてその呻き声は段々高くなった。

「ううむ！　ううむ！」

彼女は、とうとう寝台の上に醒めた。醒めたと同時に、彼女は冷水を浴びたような悪寒を感じた。

「ううむ！　ううむ！」

ひきしぼるような悲鳴は、彼女の身辺からマザマザと起っているのであった。

「お母様！」

それは、悲鳴だった。

「お母様！　お母様！」

美奈子は、つづけさまに、縋り付くような悲鳴を揚げた。

母の答はなかった。

低い、しぼり出るような悲鳴が、物凄く闇の中に起っているだけだった。

「あ！　お母様！」

美奈子は、堪らなくなって、寝台から転び落ちた。

母の寝台は、二尺とは離れていなかった。彼女が、顫える手を、寝台の一端にかけたとき、生あたたかい液体が、彼女の手にベットリと、触れた。

「お母様！」彼女の声は、わなわなと顫えていた。

彼女の手は、母の胸に触れた。母の華奢な肉体が、手の下でかすかにうごめいた。

「お母様！　お母様！　どう遊ばしたのです。」彼女は、懸命の声を揚げた。

低い呻き声が、しばらく続いていた。

「お母様！　お母様！　気を確かになさいませ。」美奈子は、狂ったように叫んだ。

母は、烈しい苦悩の下から、しぼり出すように答えた。

「燈火（あかり）を！　燈火を！」

傷つける者、死なんとする者が、第一に求めるものは光明だった。

美奈子は立ち上って電燈を探し求めた。狼狽（あわて）ているせいか、電燈がなかなか手に触れなかった。

が、ようやくスイッチを捻ったとき、明るい光は、痛ましい光景を、マザマザと照し出した。母の白い寝衣、白いシーツ、白い毛布に、夜目には赤黒く見える血潮が、ベタベタと一面に浸んでいる。

「あっ？」

美奈子は、一眼見ると床の上に、よろめきながら打ち倒れた。が、母を気遣う心が、すぐ彼女を起ち上らせた。

「お母様！　しっかりなさいませ！」

彼女は、そう叫びながら、母に縋り付いた。致命の傷を負いながら、彼女は少しも取り乱した様子はなかった。右の脇腹の傷口を、両手でじっと押えながら、全身を掻きむしるほどの苦痛を、その利かぬ気で、その凜々しい気性で、じっと堪えているのだった。

彼女のかよわい肉体の血は、彼女が抑えている両手の間から、惜しげもなく流れ出しているのだった。

美奈子も一生懸命だった。自分の寝台のシーツを取ると、それを小さく引き裂いて、母の傷口を幾重にも幾重にもくくった。

「お母様！　気を確かになさいませ。すぐ医者を呼びますから。」

彼女は、母の耳元に口を寄せて、必死に叫んだ。それが、耳に入ったのだろう、母は、かすかに頭を動かした。大理石のように、光沢のあった白い頰は、蒼ざめて、美しい眼は、にぶい光を放ち、眉は釣り上り、唇は刻一刻紫色に変っていた。

美奈子が、寝室を出て、居間の方にある卓上の電話を取り上げたときだった。彼女は、青年の寝室の扉(ドア)が開かれて、そこに寝台が空しく横たわっているのを知った。

恐ろしい悲劇の実相が、彼女に判然と判った。

三

医者が来るまで、瑠璃子は恐ろしい苦痛に悶えていた。が、彼女はその苦痛を、じっと堪えていた。華奢な身体に、致命の傷を負いながら、彼女は悲鳴一つ揚げなかった。ただ抑えきれない苦痛を、低いうめき声に洩しているだけであった。

美奈子の方が、かえって逆上していた。彼女は、母の胸に縋りながら、

「お母様！　しっかりして下さい。しっかりして下さい！」と、おろおろ叫んでいるだけだった。

そのうちに、瑠璃子は、ふと閉していた眼を開いた。そして、異様な光を帯び始めた眸で、じっと美奈子を見詰めた。

「お母様！　お母様！　しっかりして下さい！」

美奈子は、泣き声で叫んだ。

「美奈さん！」

瑠璃子は、身体に残っている力を、振りしぼったような声を出した。

「わーたーし、わたし今度は、もう——駄目かも知れないわ。」

一語二語、腸(はらわた)から、しぼり出るような声だった。

「お母様！ そんなことを！ 大丈夫でございますわ、大丈夫でございますわ。」

「いいえ！ わたし、覚悟していますの。美奈さんには、すみませんわね。」

そう云った母の顔は、苦痛のために、ピクピクと痙攣した。

美奈子は、わあっ！ と泣き出さずにはいられなかった。

「それで、わたし貴女(あなた)に、お願いがあるの。あの、電報を打つときに、神戸へも打っていただきたいの！」

瑠璃子は、恐ろしい苦痛に堪えながら、途切れ途切れに話しつづけた。

「神戸！ 神戸って、どなたにです？」

美奈子は、怪しみながら訊いた。

「あの、あの。」瑠璃子は苦痛のために、云い澱んだようだったが、「あの、杉野直也です。わたし、新聞で見たのです。月初めに、ボルネオから帰って、神戸の南洋貿易会社にいるはずです。死ぬ前に一度逢えればと思うのです。」

瑠璃子は、やっと喘ぎながら云い終ると、精根が全く尽きたように、ガクリとくずおれてしまった。

二年の間、恋人のことを忘れはてたように見せながらも、真(まこと)は心の底深く思い続けていたのであろう。恋人の消息を、よそながら、貪り求めていたのであろう。

医者が、来たのは夏の夜が、はや白々とあけ初める頃であった。

一時間近くもかかったために、瑠璃子は、多量の出血のために、昏々として人事不省のうちにあった。

内科専門のまだ年若い医者は、覚束ない手付きで、瑠璃子の負傷を見た。

それは、かなり鋭い洋刀で、右の脇腹を一突き突いたものだった。傷口は小さかったが、深さは三寸を越していた。

「重傷です。私は応急の手当をしますから、すぐ東京から、専門の方をお呼び下さい。今のところ生命には、別条ないと思いますが、しかし最も余病を併発し易い個所ですから、何とも申せません。」

医者の眉は、憂わしげに曇った。

いたいけな美奈子には、背負いきれないような、大切な仕事を、彼女は烈しい悲嘆と驚きとのうちに処理せねばならなかった。その中で、一番厭だったのは、医者が去るのと、入れ違いに入って来た巡査との応答だった。

「加害者は、逃げたのですか。」

美奈子は、何とも答えられなかった。

「その青木という学生と、貴女のお母様はどういう御関係があったのです。」

美奈子は、何とも答えられなかった。

「何か兇行をするについて、最近の動機ともなったような事件がありましたでしょうか。」

美奈子は、何とも答えられなかった。ただ、彼女自身、恐ろしい罪の審問を受けているように、心が千々に苛(さいな)まれた。

四

夜は明け放れた。今日も真夏の、明るい太陽が、箱根の山々を輝々として、照し始めた。が、人事不省のうちに眠っている瑠璃子は、昏々として覚めなかった。生と死の間の懸崖に、彼女の細き命は一縷(いちる)の糸によって懸っていた。

その日の二時過ぐる頃、美奈子の打った急電によって、かねて美奈子の傷を治療したことのある外科の泰斗近藤博士が、馳け付けた。が、博士によって、あらゆる手当が施された後も、瑠璃子の意識は返って来なかった。

その前後から、烈しい高熱に襲われ始めた瑠璃子は、取りとめもない囈言(うわごと)を云いつづけた。その囈言の中にも、美奈子は、母が直也と呼ぶのを幾度となく聴いた。

夕暮になって、瑠璃子の父の老男爵が馳け付けた。瑠璃子の近来の行状を快く思ってはいなかった男爵は、その娘と一年近くも会っていなかった。が、死相を帯びながら、瀕死の床に横たわっている瑠璃子を見ると、老いた男爵の眼からは、涙が、潸然(さんぜん)としてはふり落ちた。娘のこうした運命が、九分までは自分の責任だと思うと、娘の額に手をやった男爵の手は、わなわな顫えずにはいなかった。

美奈子は、母の兄なる光一にも、電報を打ったけれども、恐らく彼は東京を離れていたのだろう、夜になっても姿を見せなかった。

東京から急を聴いて馳け付けた女中や、執事などで、瑠璃子の床は賑やかに取り巻かれた。が、母を——肉親は繋がっていなくとも心の内では母とも姉とも思う瑠璃子を、失おうとする美奈子の心細さは、時の経つとともに、段々募って行った。

ちょうど夜の十時に近い頃だった。母はやや安眠に入ったと見え、囈言が、しばらく杜絶えて、いやな静けさが、部屋のうちに、漂っていたときだった。廊下に面した扉を、低く、聞えるか聞えないかに、トントンと打つ音がした。女中が立ってそれを開いたが、すぐ美奈子のところへ帰って来た。

「あの、お嬢さま。ホテルの支配人の方が、ちょっとお目にかかりたいと申しております。」

美奈子は、立ち上って扉のところへ行った。

「どうか、ちょっとこちらへ。」

支配人は、美奈子に廊下へ出ることを求めた。美奈子が、ちょっと不安な気持に襲われながら、続いて廊下へ出ると、支配人は声をひそめた。

「お取込みの中を、大変恐れ入りますが、今箱根町から電話がかかっているのです。実は芦の湖で今夕水死人の死体が上ったというのですが、それが二十三四の学生風の方で、舟の中に残しておいた数通の遺書で見ると、富士屋ホテルにて、青木、と書いてあったと云うのです。」

そこまで、聴いたとき、美奈子は自分の立っている廊下の床が、ズーッと陥込むような感じがしたかと思うと、支配人が駭いて彼女の右の肩口を捕えていた。

「ああ危い！　しっかりして下さい！」

彼女は、最後の力で、自分のよろめく足を支えた。が、しばらくの間、天井と床とがグルグル廻るような気がした。

「いや、お駭かせしてすみません、ただ青木さんの東京のお処だけが承りたかったのです。」

美奈子が、顫える声で、それに答えると、支配人は幾度も詫びながら、倉卒として去った。

もう、美奈子の弱い心は、人生の恐ろしさに、打ち砕かれてしまっていた。彼女が部屋へ帰って来たとき、彼女の顔色は、傷ついている瑠璃子のそれと少しも変っていなかった。

が、ちょうどその時に、瑠璃子は長い昏睡から覚めていた。美奈子の顔を見ると、彼女は懐しげな眸で物を云いたそうにした。

「お母様！　お気が付きましたか。」

少し明るい気持になりながら、美奈子は母の耳許で叫んだ。

「ああ、美奈さん。まだ？　まだ？」

五

消えかかる灯（ともしび）のように、瑠璃子の命は、絶えんとして、また続いた。

翌日になって、彼女の熱は段々下って行った。傷の痛みも、段々薄らいで行くようだった。が、衰弱が、いたましい衰弱が、彼女の凄艶な面（おもて）に、刻一刻深く刻まれて行った。

彼女の枕頭に、ほとんど附き切っている近藤博士の顔は、それにつれて、憂わしげに曇って行った。

「どうでしょう、助かりましょうか。」

父の男爵は、傍に誰もいないのを見計（みはか）ろうて、囁くように訊いた。

「希望はあります。けれど……」

そう答えたまま、博士の口は重く噤（つぐ）まれてしまった。

美奈子は、そうした問を発することが、恐ろしかった。彼女はただ、力一杯、心と身体との力一杯消え行こうとする母の魂に、縋り付いているほかはなかった。昨夜中、眠らなかった美奈子の身体は綿のように疲れていた。が、彼女は誰が何と勧めても母の病床を去ろうとはしなかった。

瑠璃子は、昏睡から覚める度に、美奈子の耳許近く、同一の問を繰り返していた。が、その人は容易に、来なかった。電報が運よく届いているかどうかさえ、判然しなかった。

午後三時頃だった。瑠璃子は、その衰えた視力で、美奈子をじっと見詰めていたが、ふと気が付いたように云った。

「青木さんは？」

美奈子は愕然とした。彼女は、しばらくは返事が出来なかった。

「青木さんは？」

母は、繰り返した。美奈子は、顫える声で答えた。

「どこへ行かれたか分りませんの。あの晩からずうっと分りませんの。」

が、瑠璃子は、美奈子の表情ですべてを悟ったらしかった。寂しい微笑らしい影が、その唇のほとりに浮んだ。

「美奈さん、本当を云って下さい。妾覚悟していますから。どうせ助からないのですから。」

美奈子は、何とも口が利けなかった。

「自首したの？」

美奈子は、首を振った。瑠璃子の衰えた顔に、絶望的な色が動いた。

「じゃ、自殺？」

美奈子は、黙ってしまった。彼女の舌は、釘付けられたように動かなかった。

「そう！ 妾、そうだと思っていたの。でも今度だけは、妾、悪意はなかったの。」

そう云いながら、瑠璃子は目を閉じた。美奈子にはすべてが判っていた。母は、美奈子に対する義理として、青年をあれほど、露骨に斥けたのだった。美奈子に対する彼女の真心が、彼女を、この恐ろしい結果に導いたのだと云ってもよかった。そう思うと、美奈子は身も世もないような心持がした。

日暮に近づくに従って、瑠璃子の容態は、険悪になった。熱が、反対にぐんぐん下って行った。呼吸が――それも何の力もない――いよいよせわしくなって行った。

博士は、とうとう今夜中が危険だということを、宣言した。

瑠璃子に対して、死の判決文が読まれたときだった。ホテルの玄関に、横着けになった一台の自動車があった。それは昔の恋人の危急に駭いて、瀕死の床を見舞うべく駈け付けて来た直也だった。熱帯地における二年の奮闘は、彼の容貌をも変えていた。一個白面の貴公子であった彼は、今や赭い男性的な顔色と、隆々たる筋肉を持っていた。見るからに、颯爽たる風采と面魂とを持っていた。その昔ながらに美しい眸は、自信と希望とに燃えていた。

六

直也が瑠璃子の部屋に入って来たとき、瑠璃子は夢ともなく現ともないように眠っていた。

生命そのもの、活動そのものといったような直也の姿と、死そのもの、衰弱そのものといったような瑠璃子の蒼ざめた瀕死の姿とは、何という不思議な、しかしあわれな、対照をしただろう。青春の美しさと、希望とに輝きながら、肩をならべて歩いた二年前の恋人同士として、そこに何というおそろしい隔りが出来たことだろう。

美奈子は、看護婦達を遠ざけた。そして、母の耳許に口を寄せて叫んだ。

「お母さま、あの、直也様がいらっしゃいました。」

段々、衰えかけている瑠璃子の聴覚には、それが容易には聞えなかった。美奈子は再び叫んだ。

「お母さま、直也様がいらっしゃいました。」

瑠璃子の土のように蒼い面の筋肉が、かすかに、動いたように思った。美奈子の声が漸く聞えたのである。美奈子は、三度目に力を籠めて叫んだ。

「お母様、直也様がいらっしゃいました。」

ふと母の頰が、――二日の間に青白く萎びてしまった頰が、ほのかにではあるがうす赤く染まって行ったかと思うと、その落窪んだ二つの眼から、大粒の涙がほろほろと、止めどもなく湧き出でた。と、今まで毅然として立っていた、直也の男性的な顔が、妙にひきつッたかと思うと、彼の赭い頰を、涙が、滂沱として流れ落ちた。

美奈子は、恋人同士に、二人きりの久し振りの、やがて最後になるかも知れない会見を与えようと思った。

「お母様！　それでは、妾（わたくし）はお次へ行っておりますから。」

そう云って、美奈子は次の部屋に去ろうとした。すると、意外にも瑠璃子は、瀕死の声を揚げて云った。

「美奈さん！　あなたも――どうかどうかいて下さい。」

それは、かすかな、僅かに唇を洩るるような声だった。

「お母様、妾（わたくし）もいるのですか。妾もいるのですか。」美奈子は、再び訊いた。母は、肯いた。いな肯くように、その重い頭を、動かそうとしたのだ。

やがて、瑠璃子は、その衰えはてた眸を持ち上げながら、何かを探るような眼付きをした。

「瑠璃さん！　僕です、僕です。分りますか。杉野ですよ。」

直也も、激して来る感情に堪えないように叫びながら、瑠璃子に掩いかぶさるように、その赭い顔を、瑠璃子の顔に触れるような近くへ持って行った。

瀕死の眼にも恋人の顔が分ったのだろう、彼女の衰えた顔にも嬉しげな微笑の影が動いた。それは本当に影にすぎなかった。微笑むだけの力も、彼女にはもう残っていなかったのだ。

「直也さん！」

瑠璃子は、消えんとする命の最後の力を、ふりしぼったのだろう、が、しかし、それはかすかな、うめくような声として、唇を洩れたのにすぎなかった。

「何です？　何です？」

直也は、瑠璃子の去らんとする魂に、縋り付くように云った。

「わ——た——し、あなたには何も云いませんわ。ただお願いがあるのです。」

それだけ続けるのが、彼女には精一杯だった。

「願いって何です？」

「聴いてくれますか。」

「聴きますとも。」

直也は、心の底から叫んだ。

「あの——あの——美奈さんを、貴君にお頼みしたいのです。美奈さんは——美奈さんは——みなし——みなし——みなしご……」

そこまで、云ったとき、彼女の張り詰めた気力の糸が、ぷつりと切れたように、彼女はぐったりとなってしまった。

母は、直也を呼んだことが、彼女自身のためではなく、母が一番信頼する直也に、自分の将来を頼むためであったかと思うと、美奈子は母の真心に、その死よりも強き愛に、よよとばかり、泣き伏してしまった。

その夜、瑠璃子の魂は、美しかりし彼女の肉体を永久に離れた。烈々たる炎の如き感情の動くままに、その短生を、火花の如く散らし去った彼女の勝気な魂は、恐らく何の悔いをも懐くことなく縹渺として天外に飛び去ったことだろう。

七

母を失った美奈子の悲嘆は、限りもなかった。彼女は、世の中のすべてを失うとも、母さえ永らえてくれればと、嘆き悲しんだ。

母の亡骸が、棺に納められた後、彼女は涙のうちに母の身辺のものを、片づけにかかっていた。そして、最後に、母が刺されたその夜に、身に付けていた、白い肌襦袢に、手を触れなければならなかった。それには、所々血が浸んでいた。美奈子は、それに手を触れるのが恐ろしかった。が、母が身に付けたものを、他人の手にかけるのは、厭だった。彼女は、恐る恐るそれを手に取り上げた。そのときに、彼女はふとその襦袢の胴のところに、布類とは違った堅い手触りを感じた。彼女は駭いて見直した。そこには何か紙片のようなものが、軽く裏側から別に布を掩うて、縫い付けられていた。彼女はそれを見ようか見まいかと思いまどった。母の秘密を、死後に暴くことになりはしないかと恐れたが、彼女はそれが母の大切な遺書か、何かのようにも思われた。彼女は、思い切って、おそるおそるそれを取り出して見た。意外にも、それは台紙を剝がした一葉の写真だったのである。写真は、絶えず母の肌と触れていたために、薄れてはいたけれども、まぎれもなく直也が、学生時代の姿だった。

美奈子は、その写真を見たときに、母の本当の心が判ったように思った。母が、黄金の力のために偽りの結婚をしたときも、美しき妖婦として、群がる男性を翻弄していたときにも、彼女の心の底深く、初恋の男性に対する美しき操は、汚れなき真珠の如く燦然として輝いていたのであった。いな、彼女は初恋の人に対する心と肉体との操を守りながら、初恋を踩み躙られた恨みを、多くの男性に報いていたと云ってもよかった。

美奈子は、母に対する新しい感激の涙に咽びながら、隣室にいた直也を呼ぶと、黙ってその写真と肌襦袢とを示した。

しばらく、それを見詰めていた直也は、溢れ出る涙が、美奈子の手前ちょっとは支えていたが、とうとう堪えきれなくなったと見え、男泣きに泣き出してしまった。

青木稔と瑠璃子との死について、都下の新聞紙は、その社会部面の過半を割いて、いろいろに書き立てた。が、そのどれもが、瑠璃子夫人を男の血を吸う、美しき吸血魔とすることに一致した。中には、夫人の死を、妖婦カルメンの死に比しているものもあった。夫人の華麗奔放、放縦不羈の生活を伝聞していた人々は、新聞の報道を少しも疑わなかった。夫人の美しさを頌えると同時に、夫人の態度を非難する嵐のような世評の中に在って、夫人の本当の心、その本当の姿を知っているものは、美奈子と直也のほかにはなかった。

　が、世の中の千万人から非難されようとも、彼女がこの世の中で愛した、たった二人の男性と女性とから、理解されていることは、大輪の緋牡丹の崩るる如く散り去った彼女にとって、さぞ本望であっただろう。

　記憶のよい読者は、去年の二科会に展覧された『真珠夫人』と題した肖像画が、秋の季節（シーズン）を通じての傑作として、美術批評家達の讃辞を浴びたことを記憶しているだろう。

　それは、清麗高雅、真珠の如き美貌を持った若き夫人の立姿であった。しかも、この肖像画の成功はその顔に巧みに現された自覚した近代的女性に特有な、理智的な、精神的な、表情の輝きであると云われていた。その絵を親しく見た人は、画面の右の端に、K. K. と署名（サイン）されているのに気が付いただろう。それは、妹の保護のもとに、芸術の道に精進していた唐沢光一が、妹の横死を悼（いた）む涙のうちに完成した力作で、彼女に対する彼が、唯一の手向けであったのであろう。

瑠璃子を失った美奈子の運命が、この先どうなって行くか、それは未来のことであるから、この小説の作者にも分らない。が、われわれは彼女を安心して、直也の手に委せておいてもいいだろうと思う。

解説

川端康成

一

「真珠夫人」には、私も思い出がある。菊池寛氏の生涯にとっても、大きい記念の小説、大きい転機の小説であった。また、この「真珠夫人」の成功は、文壇、あるいは文学者の生活に、劃期的な変革をもたらしたと考えられぬこともない。

言うまでもなく、「真珠夫人」は大正九年六月から年末にかけての「新聞小説」である。「通俗小説」である。もちろん、この小説にも、菊池氏の特色は顕著に現われているけれども、四十年ばかり後の今日、これを読返して、現在の「純文学的」な見地から評釈し、解説することは、余り妥当ではないだろう。四十年前の新聞小説、通俗小説のなかにこれを置いて、その意義を明らかにするのが本当であろう。この「真珠夫人」を出発として、菊池氏がいよいよ広い社会的な流行作家となってゆき、それにつれて文学者一般の社会的地位向上の推進の強い働きとなったからである。

この全集では、菊池氏の数多くの新聞小説、婦人雑誌小説、大衆雑誌小説が、「真珠夫人」、「貞操問答」、「三家庭」の三作によって代表されている。「真珠夫人」は大正九年の作、「三家庭」（「大阪朝日新聞」、「東京朝日新聞」）は昭和八―九年の作、「貞操問答」（「東京日日新聞」、「大阪毎日新聞」）は昭和九―十年の作である。そしてつまり、「真珠夫人」と後の二作とのあいだには、おおよそ十五年の時の経過がある。「三家庭」、「貞操問答」では、菊池氏は当時の新聞小説、通俗小説を、菊池流に十分手なれて、いわば円熟の小説であるし、また代表作とも見られる。その二作にくらべて、第一作の「真珠夫人」はこの種の第一作であるだけに、菊池氏の若々しくなまなましい努力、工夫のあとが見られて、それだけにおもしろいとも考えられる。

「三家庭」と「貞操問答」とは、この全集の第十巻におさめられて、江藤淳氏の解説がある。江藤氏はよく調べて、当時の社会情勢にまでおよんでいる。私も「真珠夫人」が現われた時の、新聞小説、通俗小説一般が調べられると、この小説の位置や特色も浮き出るのだろうが、今はそのゆとりがない。

二

作品解説にかかわりないかもしれぬことながら、先ず私の思い出を書いてみると、私たち（第六次「新思潮」同人）がはじめて菊池氏の宅を訪れたのは、正確な日はわからないけれども、大正九年の末であったから、ちょうどそのころ菊池氏は「真珠夫人」を書き出していたか、連載していたかだと思われる。菊池氏の宅は小石川中富坂十七番地で、坂をなかほどのぼった右側の家だった。

「二階が確か六畳と四畳半、下も二間で庭の狭い粗末な借家建、（当時は借家がいくらもあった。）それに夫人と令嬢（幼い）と女中が一人か二人、東向きの窓（四畳半の方）から谷越しに本郷台を見晴せるのが、せめてもの取柄というべく、当時の菊池寛氏としても、質素な住居であった。けれども、この家で菊池氏の文壇的地位が高まり、社会的声誉が広まり出した……通俗的な長篇小説及び戯曲の舞台的な花々しい成功が重なり重なって、菊池氏が急に一般世間に知られ、それにつれて菊池氏の生活の間口が急に広くなったのもこの家でのことであった。」

私たちは「新思潮」継承の了解をもとめに、菊池氏を訪れたのであった。「新思潮」は東京帝国大学（当時）の文科在学生（主として英文学科）の出す同人雑誌である。それを継承するには、前の同人たちの承認を得るのが礼儀であった。菊池氏は第三次と第四次との同人に加わった。

第一次の「新思潮」は小山内薫氏を中心として、明治四十年に発刊された。第二次（明治四十三年発刊）は小山内薫、谷崎潤一郎、和辻哲郎、後藤末雄、大貫晶川の諸氏が同人となった。菊池氏らの第三次は大正三年の発刊で、同人は豊島与志雄氏、山宮允氏、土屋文明氏、山本有三氏、芥川龍之介氏、久米正雄氏、松岡讓氏、成瀬正一氏であった。この時、菊池寛氏は二十七歳（十二月生れ）、芥川氏は二十三歳だった。芥川氏と菊池氏の年のひらきは、菊池氏が早稲田や高等師範（当時）を経て、第一高等学校に移って来たからである（その事情は菊池氏自身の「半自叙伝」などに詳しい）。そして、大正五年に、菊池、芥川、久米、松岡、成瀬の五氏を同人とする。第四次「新思潮」が発刊された。菊池氏だけは東京を離れて、京都帝大（当時）に学んでいた（その事情も「半自叙伝」「無名作家の日記」その他の短篇に詳しい）。右の人たちは「新思潮派」と呼ばれ、「赤門派」と言われることもあった。

久米正雄氏は自分の年譜に、一高英文科に入学（明治四十三年）すると、「同級に、芥川龍之介、菊池寛、成瀬正一、松岡讓、及び山本有三、土屋文明、石田幹之助、恒藤恭の諸君が居り、一教室違いの独文には、倉田百三、藤森成吉、秦豊吉なぞが居た。それから一級上の英文には、山宮允、皆川行人、仏文には豊島与志雄、新城和一、更にその上には柳沢健らが居て、一個揺籃期の観があった。」と書いている。まさに「揺籃期」である。同じころ、早稲田大学の文科からは、広津和郎、宇野浩二、葛西善蔵、谷崎精二、相馬泰三、細田源吉、細田民樹らの諸氏が出た。菊池氏、芥川氏、久米氏ら「新思潮」の作家たちは、新理知派とも、新現実派とも、新技巧派とも言われたが、武者小路実篤氏、志賀直哉氏、長与善郎氏らの「白樺」派の人道主義、理想主義につぐ、新しい文学の波であった。また、「新思潮」の人たちは、漱石、鷗外、荷風、白秋、木下杢太郎、谷崎潤一郎などの浪漫主義、耽美主義にも、青春の初めの歌を聞いた。しかし、最も現実的で、詩的なものの少い菊池氏は、仲間のなかで最もこれに関心が薄かったようだ。夏目漱石にたいしても、菊池氏は芥川氏や久米氏ほどには傾倒しなかった。

三

私たちが「新思潮」の継承発刊の了解をもとめると、初対面であったにもかかわらず、なにもたずねないで、到って無造作に承諾を与え、好意を見せてくれた上、「芥川や久米なんかには、僕から話しておいてやるよ。」と言った。こちらはまだ大学の一年生だし、緊張と不安をいだいて門をたたいたのだから、あっけないほどで、うれしかった。菊池氏らの第四次につぐ第五次の「新思潮」同人、中戸川吉二氏や佐治祐吉氏らには話さなくてもいいだろうと、菊池氏の言葉だったが、私たちはこの人たちにも了承を得た。

そういうわけで、田舎出の大学生の私が最初に会った作家は菊池氏であった（その前に、三田の新進作家南部修太郎氏だけは、私のいとこの紹介で、一高の時分から知っていたが）。その菊池氏が私たちに思いがけなく親切であったところから、私は好意にあまえ、その後長く恩顧をこうむり、援助も受けるようになった。大正十二年に「文藝春秋」が発刊された時も、私たち第六次「新思潮」同人はみな編輯にも加えられた。とにかく、初対面の時、菊池氏の盛名はすでに高く、菊池氏の初めての新聞小説が連載されていたのだから、私は「真珠夫人」を熱心に読んだのは必然である。しかし、新聞小説として新鮮で生彩ある感じだったという以上に、詳しい印象はおぼえていない。当時の新聞小説一般を調べて、くらべてみれば、「真珠夫人」の劃期的な成功、また特色もわかるだろうが、今はそのゆとりがない。吉屋信子氏が「新聞小説に近代的な息吹を与えたのも、その創始者はこの作家だったと思う。」と書いているのは、その通りだったと思う。「真珠夫人」の菊池氏の前には、純文学作家と通俗作家（新聞小説家）との区別が、だいたい明らかにわかれていて、通俗小説のたいがいは陳腐だったようである。もちろん、「真珠夫人」も四十年後の今日読返してみると、いかにも通俗小説である。新聞小説もその読者も四十年のあいだに、いちじるしく変った。また、そのころには今日の「中間小説」という言葉もなく、それにあたる小説もなかった。漱石、藤村、秋声らの新聞小説は別ものであって、山本有三氏の新聞小説などは、今日から見て、中間小説と考えられるだろうか。

もっとも、たいがいの純文学小説も年月とともに、中間小説的に、通俗小説的に読み取られるようになって来るのは、文学の流れではあるが。

四

「真珠夫人」から後、菊池氏が通俗小説に主力を注ぐようになったのは、必然と思われるが、同じころの純文学の作家たちに先んじて、通俗小説「真珠夫人」を書くようになったのも必然と思われる。それには内と外と両面の原因があった。菊池氏は大正八年、芥川龍之介氏とともに、大阪毎日新聞の客員となった。そして四月、同紙夕刊に「藤十郎の恋」を書き、八月から「友と友の間」を書いた。この二つは通俗小説ではなかったが、翌大正九年の六月から大阪毎日新聞と東京日日（現在の「毎日」）新聞とに、「真珠夫人」を連載する機縁をつくったと言えるだろう。江藤淳氏は「三家庭」「貞操問答」の解説に、菊池氏に新聞小説を書かせることを思いついたのは、大阪毎日の薄田泣菫氏であったらしく、「主題の明晰な短篇家」であり、「すぐれた戯曲家」の菊池氏は、「プロットの構成に秀でている」から、それに「ちょいと構成を大掛りにし、テーマを大衆の理解に近附ければ、いわゆる、『新聞小説』になるだろう（小島政二郎氏「『真珠夫人』思ひ出話」）と（薄田氏）が予測した。」と書いている。これらは菊池氏が比較的早く通俗小説に行った、外面的な原因であろう。菊池氏に「真珠夫人」を書かせたのは、編輯者の慧眼であった。菊池氏も多くの純文学の新作家を推挙したばかりでなく、後には大衆文学の発展、大衆作家の推輓にもつとめた。久米正雄氏の最初の新聞小説「蛍草」は「真珠夫人」に二年先立って、大正七年の作だが、それを書くことをすすめたのは菊池氏であった。今日につづく芥川賞と直木賞とも菊池氏に由来している。

外面的原因はもちろん内面的原因と一体である。菊池氏の生活観、性格、文学観にもよる。「生活第一、文学第二」を終始言った菊池氏は、「私は文壇に出て数年ならざるに早くも通俗小説を書き始めた。私は、元から純文学で終始しようと云う気など全然なかった。私は、小説を書くことは生活のためであった。」貧苦の中に育ち、生家の「借金も返さねばならなかったから、金になる仕事は、なんでもする気だった。」そして、「清貧に甘んじて立派な創作を書こうという気は、どの時代にも、少しもなかった。自分の名声が揚るにつれ、註文があれば、何でも書いた。」と、「半自叙伝」に言っている。

しかし、菊池氏は通俗小説を書くことにも、自負、自信を持っていた。数千の読者を相手とする純文学小説よりも、数十万の読者を相手とする新聞小説を、むしろ書きがい、としたようだ。「真珠夫人」の成功の翌大正十年六月、菊池氏は「中央公論」に短篇「流行児」を書き、その後の「冷眠居雑筆」にも「流行作家の弁」を書いた。流行作家はいつの時代にもあったが、自ら率直に「流行作家」と名乗って弁じたのは、菊池氏のほかにないのではないか。「流行作家と云うものは、線香花火のようにパッと消え、不遇作家非流行作家は、かえってその芸術的価値によって、永遠に栄えるものかしら。」と、先ず疑いを提出し、古今東西で後世に伝わっている大作家の多くが、生前から流行作家であった例証をあげ、「流行作家滅び易しと云う。しかも、不流行作家はもっと滅び易いではないか。不遇作家に至っては滅ぶべき何物にも、まだ居ないのではないか。文筆に志し、一代の流行児となる。また男児の一快事である。二三年にして、滅ぶも以て瞑すべし、六七年もつづけば、幸運である。一生どうにかお茶を濁すことを得ば、僥倖である。もしそれ後世に伝わると否との如き、すべて死後のこと、豈心を労せんやだと僕は思っている。」

例えば鷗外と漱石とをくらべて、菊池氏は「むしろ鷗外を重んずるものだが、鷗外には『坊っちゃん』は、ないのである。『高瀬舟』位では、なかなか後世には伝わりにくいのである。鏡花と紅葉とを比べて、天分の上からも作品の上からも、弟子は師を凌いでいるが、『高野聖』や『湯島詣』位では後世に伝わらないのではないか。『金色夜叉』は、まだ五十年や百年は残りそうである。」と、菊池氏は考えた。そして自作では、「少くとも『父帰る』によって、相当後世に残るだろう」と思った。

私は前に菊池氏の通俗小説は、今日でいう風俗小説として、菊池氏の純文学作品よりもかえって後に残るかもしれないと書いたことがあったが、やはり初期の戯曲や短篇の方が、今日なお生きている。しかし、純文学作家としての菊池氏には、私たちの見のがせない、一つの考え、あるいは悩みがあった。菊池氏は、「一人の人間は、本当の意味では、一つの時代にしか生きられない。」とした。その「一つの時代」は極めて短いのである。つまり、純文学作品では、新しい主題、新しい人生、人間の解釈が、新しく見つかってゆかないで、同じようなもののくりかえしでは、あまり意味がないと思った。これはいわゆるテエマ小説家の運命かもしれないが、菊池氏を通俗小説にゆかせた内面の奥の原因でもあったろうか。

五

菊池氏は純文学小説よりもはるかに読者が多い通俗小説の方に、遥かに苦心を払った。それを『第二の接吻』打明け話」にも語っている。「新聞小説を書く労苦は、純文芸小説や雑誌の長篇小説に比べて、二倍三倍の苦しみである。純文芸の小説などは、苦心などしたことがない。新聞小説は、ストオリイも情景も人物も悉く創り出さねばならないのである。(中略)どうも、新聞小説を書くと、二三年命がちぢみそうな気がする。そのくせ、頼まれると今度こそ、いいものを書いてやろうなどと引き受けて、中途で必ず後悔する。『第二の接吻』など、いくらプロット通りに書けたとしても、自分はもっと思想がありテーマがあり生活があるものを書きたい。思想がありテーマがあり、そして情景多いストオリイを提げて読者諸氏に見えたい。(中略)新聞小説を書くことは自分は好きだ。(中略)わずか、二万や三万の読者を相手にする文芸小説より、どれだけ壮快でしかもやり甲斐のある仕事だか分りやしない。」

こういう菊池氏は、「第二の接吻」を十分に準備が整わないで書き出したのを残念がっている。「準備が出来ないといって決して怠けていたのではない。今度こそいい小説を書こうと思って内外の書を読むこと数百巻、想を練ること日夜、それでいて到頭いいストオリイが見つからなかったのである。長篇小説は、ストオリイが第一で、いいストオリイさえ見つかれば仕事は六分まで出来ているのだ。ところがそのストオリイが見つからないのだ。いいストオリイが見つからないとなると半歳の努力はすべて空の空だ。鉱山で鉱脈が見つからなければ、つぎ込んだ金がムダになるのと結局同じだ。」

この「『第二の接吻』打明け話」は、菊池氏が通俗小説を書く心構え、準備、努力、そして小説そのもののよい解説になっていると思う。初めての新聞小説「真珠夫人」も、もちろん例外ではない。初めてであっただけに、菊池氏のこのような用意、労苦に、新鮮、熾烈（しれつ）な熱情が脈打っている。それはやや生硬で高調子な文章、やや常套で誇張の形容詞の多用にもうかがえる。菊池氏は非常な意気込みで、これを書いたのが明らかである。

菊池氏は「話の屑籠」の昭和八年五月の分に、「自分の所へ来る文学志願者は相変らず多い。（僕のもので、君はどんな物をよんでいるか）と訊くと（「真珠夫人」と「東京行進曲」です）などと云うので、いやになってしまう。」とも書いているが、「半自叙伝」には「『真珠夫人』は幸いにして、圧倒的な世評を博して、私の通俗長篇作家としての位置を確定した。私は、その頃婦女界社から出していた『母の友』という雑誌に、『慈悲心鳥』という長篇小説を、連載したが、二つとも成功であった。その頃、私はバルザックの小説を愛読していたので、そこから多少のヒントを得た。」と書き、「真珠夫人」の成功に満足だったことも確かであろう。

「真珠夫人」がどうして圧倒的な世評を博したか、また、「真珠夫人」のテエマ、ストオリイ、人物の性格などについては、今日これを一読しても明らかで、ほとんど解説を必要としない。ただ、菊池氏のつくり出した璃瑠子（「真珠夫人」）という女性の理想像が、四十年前の当時には、今日よりも非常に新鮮に受け取られたことはもちろんである。また、作中に二つの殺人があったり、璃瑠子が復讐のための結婚をし、多くの男を誘惑し、飜弄したりする筋ながら、家庭の読物としての健康さを保っているのは、菊池氏の通俗小説の心得であった。璃瑠子は処女を守り通して、初恋の男を胸にひめ、その胸に抱かれて死んでゆく。そして仇敵であった夫の先妻の娘、可憐な美奈子とやさしく愛し合って、美奈子の初恋をだいじに思う。そういうところに菊池氏は読者の同情をもとめた。璃瑠子は新しい女として不徹底であり矛盾もあるが、通俗作家菊池氏の道徳と節度も見られる。

（昭和三十五年十二月『菊池寛文学全集』）

注記

本文庫に収録した菊池寛『真珠夫人』は、大正九年六月九日より十二月二十八日まで、「大阪毎日新聞」「東京日日新聞」に連載され、前編が大正九年、後編が大正十年に新潮社から刊行されたものです。したがって、当時の社会的・文化的雰囲気が多分に作品に反映されており、人権にかかわる表現においても、当時の社会一般がかかえていた人権意識の低さの影響を免れておりません。

菊池寛自身は、『続半自叙伝』に「自分は個人主義、自由主義、人道主義を標榜してゐた作家で、凡ての作品は、さうした主張で貫かれてゐると思ふ」と述べていますが、人道主義を主題とした場合でも、作品の主題を明確にするための非人道的な人物造型として人間の醜さを描写したり、相手を侮蔑し、虐待するような語句や言葉がさまざまなかたちで使われています。このような表現の中には、現在の人権尊重の精神から考えると、公表に際して深い配慮の必要な言葉も散見されます。

ただし一方で、文学作品は固有の人格権を持ち、著作者以外の何人も著作者の許可を得ずして、みだりに改訂することは許されません。しかも、作者は半世紀以上前にこの世を去っていることをふまえて、熟慮の上、このような表現については、ほとんど原文のままにしました。読者諸賢が差別根絶の立場から、本作の背景となった時代がかかえていた差別意識や深刻な差別の事実について注意深い態度で読んでいただくよう、お願いする次第です。

なお、本文庫（解説も含めて）は、高松市立菊池寛記念館刊「菊池寛全集」第五巻を底本としましたが、文庫版であることに配慮し、新仮名遣いにあらため、また現在の日本語としては読みづらい漢字については、ひらがなに開いたり、ルビを補いました。

文春文庫編集部

文春文庫

真珠夫人

定価はカバーに
表示してあります

2002年8月10日　第1刷

著者　菊池寛
発行者　白川浩司
発行所　株式会社　文藝春秋
東京都千代田区紀尾井町 3-23　〒102-8008
TEL 03・3265・1211
文藝春秋ホームページ　http://www.bunshun.co.jp
文春ウェブ文庫　http://www.bunshunplaza.com
落丁、乱丁本は、お手数ですが小社営業部宛お送り下さい。送料小社負担でお取替致します。

印刷・凸版印刷　製本・加藤製本
Printed in Japan
ISBN4-16-741004-4